Guide de l'ART

peinture, sculpture, architecture du XIVe siècle à nos jours

Sous la direction de
Sandro Sproccati

Maria Giovanna Battistini	Le futurisme Au-delà des avant-gardes
Vittoria Coen	Constructivisme et Bauhaus
Elena De Luca	Réforme et Contre-Réforme Le baroque
Silvia Evangelisti	L'impressionnisme
Fabia Farneti	Le réalisme du XIXe siècle
Walter Guadagnini	Dada et surréalisme Le deuxième après-guerre
Paola Jori	Le pop art Nouvelles avant-gardes Tendances actuelles
Alessandra Rizzi	Le maniérisme
Antonella Sbrilli	Le XVIIIe siècle Le romantisme Le cubisme
Loretta Secchi	Giotto et le Trecento
Sandro Sproccati	La première Renaissance Le XVe siècle nordique L'art de la perspective La seconde Renaissance L'expressionnisme L'art abstrait L'art informel L'art conceptuel
Maurizia Torza	Le symbolisme

Titre original de cet ouvrage
ARTE
Traduction-adaptation
Laurence Attali
Jean-Michel Frémont
Élisabeth de Lavigne

ISBN : 2-263-01713-5
N° d'éditeur : 1851
Dépôt légal : mars 1992

Photocomposition : Bourgogne Compo, Dijon
Imprimé en Espagne par Artes Gráficas Toledo, S.A.
D.L. TO: 498-2000

Page 2 : H. Matisse, *Le Peintre et son modèle*, 1917,
musée national d'Art moderne, Paris

SOMMAIRE

AVANT-PROPOS

Le vaste ensemble de techniques, de connaissances et d'objets concrets qui constitue ce que l'on appelle les « arts visuels » (ou « plastiques ») est bien plus difficile et compliqué à étudier qu'on ne le pense. Ces définitions, elles-mêmes, qui sont pourtant les plus communes, se révèlent le plus souvent insuffisantes ou inadéquates. Il en est exactement de même pour le concept d'« image », qui devrait figurer au centre du « langage visuel » mais qui, surtout de nos jours, peut signifier à la fois tout et rien.

Pour celui qui ne peut y consacrer beaucoup de temps, les obstacles à cette étude sont importants, que celle-ci soit de caractère historiographique, c'est-à-dire de reconstruction des divers mécanismes évolutifs et causaux de l'histoire de l'art, ou une interprétation directe des œuvres, conçues comme textes culturels riches de sens. Dans le premier cas, il s'agit d'analyser les rapports entre l'art et les contextes sociaux et politiques, ou entre la production artistique et son marché (collectionneurs, commanditaires), entre l'art et l'idéologie, le pouvoir, etc. Il faut également déterminer les relations internes et les influences réciproques entre les artistes, sur la base des styles créés, des thèmes traités, des divers schémas de composition. Dans le second cas, l'œuvre doit alors être déchiffrée en tant que système de signes et de symboles.

Cet ouvrage se propose d'aider à une approche globale des arts plastiques au moyen de ces deux perspectives. Il n'élimine pas les difficultés mentionnées, mais s'adresse à un public non averti à la recherche d'une vue claire et correcte de l'art et de son histoire. Celle-ci étant en perpétuelle mutation, il est extrêmement délicat d'établir des paramètres constants, même sur une période courte et circonscrite, surtout si le sujet embrasse (et c'est le cas) les siècles et les zones géographiques concernés par la production artistique occidentale moderne. Ce livre tente néanmoins de délimiter un cadre de référence unitaire, cherchant à mettre de l'ordre dans la dispersion des théories et des événements qui se sont succédé du XIVe *siècle à nos jours.*

Nous voulons souligner que cette entreprise était non seulement réalisable, mais licite : refaire en un peu moins de 300 pages l'histoire d'un édifice immense, construit durant sept siècles de pensée, de discussions et de démonstrations, d'inventions géniales et d'expériences laborieuses, et offrir une sorte de « vade-mecum » à tous ceux qui désirent avoir des repères fondamentaux. Nous avons dû pour cela réexaminer scrupuleusement les grands moments de l'Histoire, c'est-à-dire nous concentrer sur les constellations – personnalités et œuvres de premier éclat – qui constituent préci-

sément les fondements essentiels de la route de l'art.

Le caractère compact de cet ouvrage, maniable comme doit l'être un « guide », a permis de bâtir une structure solide, aisée à suivre grâce à l'index, rythmée sur des événements d'une importance majeure, et donc capable de résumer de façon particulièrement efficace le profil général de l'édifice.

La place accordée aux 150 dernières années est proportionnellement beaucoup plus importante, car les phénomènes récents nous semblent les moins bien connus. Les limites de cette période n'ont pas été établies par pure « commodité ». Le point de départ correspond à la certitude que les fondations de la modernité *artistique ont été jetées au* XIVe *siècle, avec le renouvellement opéré par Giotto et Giovanni Pisano. Le livre s'achève avec les années 80, à peine écoulées, afin de ne pas nous dérober à la responsabilité d'un jugement sur la situation contemporaine. Nous connaissons l'habitude des organisations scolaires de considérer généralement que le temps s'est arrêté au moins trente ou quarante ans avant la date actuelle. Il est certain que ce n'est pas toujours un simple prétexte, puisque le contemporain, par définition,* n'appartient pas encore à l'Histoire *et que toute description (à moins qu'elle ne soit pure chronique) reste partielle, subjective et provisoire. C'est pleinement conscients de cette difficulté que les auteurs des derniers chapitres ont accompli leur tâche, différente de celle de leurs confrères, puisqu'il leur a fallu se risquer, en en assumant la responsabilité scientifique, à la systématisation critique d'événements à peine passés, d'artistes vivants et parfois jeunes, de cycles d'œuvres encore inachevés.*

La subdivision par chapitres monographiques *reprend un schéma logique d'une fiabilité éprouvée, même si, pour diverses raisons, ceux-ci n'ont pas toujours été établis de manière homogène. Ils reproduisent souvent une période de temps évidente, ou tiennent compte de la non-linéarité de l'Histoire, de ses superpositions et de ses entrecroisements. Ainsi, certaines sections couvrent des sujets et des auteurs qui n'auraient pas trouvé place dans ce livre si nous avions respecté strictement la chronologie, qui demeure toutefois un schéma général valable mais non exclusif. Pour le* XXe *siècle, elle n'est pratiquement plus fiable, car des phénomènes simultanés, mais sans rapport, prolifèrent dans toutes les directions, rendant vaine toute tentative de trouver un processus linéaire et continu.*

La structure choisie, que nous souhaitons aussi facile à utiliser qu'elle fut ardue à construire, prévoit le croisement de deux types d'espaces : 26 sections

« horizontales » correspondant aux chapitres monographiques, et quelques tranches « verticales » à l'intérieur de chacun de ces chapitres, conçues dans un but méthodologique pour permettre une consultation rationnelle et ordonnée. L'un des points forts voulus de cet ouvrage est en effet sa facilité de consultation grâce à des modes d'approche complémentaires et pourtant bien définis et différenciés.

Chaque chapitre se compose d'un essai d'encartement historiographique, de la biographie des principaux « protagonistes », d'un encadré consacré à un thème collatéral ou accessoire, d'un tableau synoptique portant sur la période considérée et de nombreuses illustrations commentées. Celles-ci sont beaucoup plus qu'un simple support de texte, car le livre se veut une rencontre des textes visuels *que constituent les œuvres d'art. Ces reproductions et l'essai historique constituent l'épine dorsale de chaque chapitre et donc de l'ouvrage entier. Autour de ces ensembles texte-illustrations se réunissent les autres parties, chacune avec sa fonction spécifique. Les biographies mettent l'accent sur les figures fondamentales de la période et donnent des renseignements sur leur vie et leur activité. L'encadré souligne la présence d'un problème toujours ouvert ou d'un thème – d'un intérêt certain – de cette même période. Le tableau synoptique a le mérite de rassembler de façon rapide et immédiatement compréhensible l'ensemble des enchevêtrements et des conjonctures (même fortuites) existant entre les différentes « histoires » : politique, littéraire, philosophique, etc. En fin de volume, le lecteur trouvera d'autres instruments d'étude et d'information : un glossaire des termes spécialisés, un répertoire des principaux musées d'art du monde, l'index alphabétique des artistes avec l'indication des pages auxquelles ils sont cités.*

Cette structure permet d'aborder le sujet de plusieurs points de vue, parfois même opposés. Loin d'être source de confusion, elle enrichit les capacités didactiques de cet ouvrage, en incitant le lecteur à des approches complémentaires (ou de lecture personnalisée).

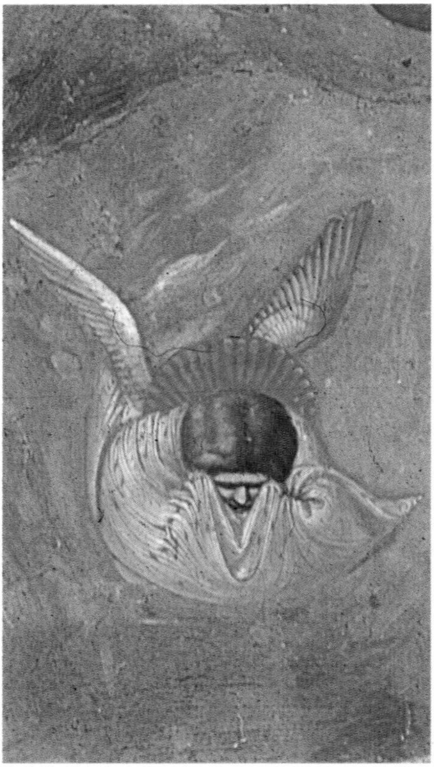

Giotto, Lamentation sur le corps du Christ, *1303-1306, chapelle Scrovegni, Padoue. En 1303, Giotto est appelé à Padoue, où Enrico degli Scrovegni lui confie l'exécution des fresques de la chapelle qu'il avait fait ériger sur les vestiges de l'arène romaine, la dédiant à la Vierge de la Charité. Cette commande était symboliquement destinée à l'expiation des fautes de son père, financier qui pratiquait l'usure. La chapelle est achevée, avec les fresques des parois intérieures, en 1306. Cette entreprise, par son prestige et son succès, représente une étape fondamentale de la recherche de l'artiste, constamment occupé par l'évolution de son propre langage artistique. La force chromatique et plastique des volumes définit l'espace des scènes, qui racontent l'histoire de la Vierge et du Christ le long de trois plans superposés. La perspective commence ainsi par la diagonale du rocher dans le paysage, puis elle suit l'inclinaison progressive des figures, dont le mouvement convergeant vers le corps du Christ s'arrête à proximité de la Vierge. Celle-ci, prostrée dans sa douleur, entoure son fils de son bras. L'expression des visages figés dans la souffrance confère à la scène une intensité pathétique et dramatique.*

1 GIOTTO ET LE TRECENTO

C'est à la fin du Moyen Age, avec la naissance d'un langage imagé, fondé sur les principes de l'imitation et de la rationalité visuelle, que sont jetées les prémices de la culture artistique moderne. Celle-ci se développera à la Renaissance, avec les expériences sur la perspective, jusqu'au « classicisme » du XVIe siècle et au-delà, pour n'entrer dans une crise irréversible qu'au seuil de notre époque. L'histoire de l'art européen commence incontestablement au XIVe siècle, et le Florentin Giotto en est le premier protagoniste : il marque la fin de la tradition moyenâgeuse en recréant, avec son œuvre, le rapport entre l'individu et l'univers. Il a pu, entre 1290 et 1295, observer à Assise les fresques très expressives de Cimabue, ainsi que celles de Jacopo Torriti et de Pietro Cavallini, plus proches de l'héritage romain. Interprétant les diverses expériences de ses prédécesseurs, il élabore une peinture totalement moderne, caractérisée par une grande sensibilité des formes épiques d'une narration extrêmement cohérente, des accents vrais et profondément humains.

▲ *Duccio di Buoninsegna, fragments de la* Déposition de la Croix *(extrait de la* Maestà, *1308-1311), musée de l'Œuvre du Dôme, Sienne.*

◄ *Giovanni Pisano,* Le Massacre des Innocents, *détail, 1302-1310, église Sant'Andrea, Pistoia.*

En réalité, le renouveau que connaît la pensée esthétique a commencé depuis déjà quelques décennies, dans le sillage de la philosophie scolastique. L'orientation aristotélicienne de saint Thomas a rouvert l'art à la quête de la nature et, de ce fait, réhabilité son pouvoir d'imitation. Mais Giotto approfondit la nouvelle approche de l'homme vis-à-vis de l'Histoire et opère, sans rompre totalement avec le passé, une « réforme linguistique » sans précédent, caractérisée surtout par la restitution de l'espace et l'idée de reproduction réaliste. Sa peinture n'innove pas seulement d'un point de vue formel : une nouvelle lecture de la Bible et de la vie des saints, de manière narrative et descriptive, permet en effet au fidèle de les lire comme si elles concernaient son époque et sa propre existence. Dans le cycle de fresques de la nef de la basilique supérieure d'Assise, Giotto réussit à traduire l'émotion qui se dégage des récits évangéliques et à rendre l'épisode authentique et actuel grâce à des procédés stylistiques très efficaces, comme la représentation en « axonométrie » des palais et la richesse de détails du paysage. A Padoue également, dans les fresques de la chapelle Scrovegni (1304-1306), dominent un

style d'une expressivité fluide, des volumes sobres et un sens équilibré de la couleur. L'art de Giotto a des accents poétiques incomparables, même si l'on y décèle l'influence de Nicolà Pisano et, de façon très générale, de la sculpture gothique européenne.
Parler de références gothiques dans la peinture de Giotto peut, certes, paraître étrange, puisque c'est sans doute à Sienne que les formes gothiques sophistiquées du XIIIe siècle ont rencontré un enthousiasme immédiat. Mais, dans le milieu florentin, et en particulier chez Giotto, paraît le point essentiel de la leçon française : le retour à la vitalité de couleur et de lumière de la peinture classique. Clairs-obscurs atténués ou accentués avivant l'intensité lumineuse, atmosphère féerique contrastant souvent avec la tension dramatique de certaines scènes (comme dans la *Déposition* du cycle padouan) se perpétuent dans la peinture du maître, qui n'adoptera un ton plus paisible que dans la période florentine (cycles des chapelles Bardi et Peruzzi de l'église Santa Croce).
Comme Giovanni Pisano, fils de Nicolà, Giotto connaît une première phase « classique », suivie d'une période caractérisée par un accroissement du sentiment et d'une troisième phase dominée par le contrôle de la forme et un lyrisme plus serein. Mais Giovanni Pisano, qui avait pu assister à la difficile rencontre dialectique de l'art du nord de l'Europe et des formes romaines encore imprégnées de l'Antiquité tardive, penche pour le premier et en accentue l'esprit plein de vie. Giotto, au contraire, privilégie les secondes et ne parvient jamais à rejeter radicalement la tradition classique latine, même là où sa peinture est la plus expressive.
Au XIIIe siècle, Pietro Cavallini avait été la plus grande per-

La miniature

Dante a défini la technique de la miniature comme « cet art qu'enluminure on appelle à Paris », faisant probablement allusion au caractère lumineux des miniatures gothiques sur parchemin. Cet aspect brillant était obtenu par l'emploi de feuilles d'or et d'argent ; l'application minutieuse de la couleur aussi, utilisée pure et par touches rapprochées, avait tendance à accentuer la luminosité de l'image. L'or, couramment utilisé dans la technique byzantine, a souvent été remplacé, au Moyen Age, par le jaune et le blanc : on obtenait un brillant analogue, mais l'effet final évoquait davantage l'aspect pictural opaque de la détrempe que l'éclat du verre cloisonné. *Le terme « miniature » se réfère en outre à la pratique, typiquement conventuelle, de peindre en rouge, au minium, les lettrines des manuscrits. (Ci-dessus :* Jésus dans le Temple au milieu des docteurs, *manuscrit choral sur parchemin, illustré par Turone, XIVe siècle. Bibliothèque capitulaire, Vérone.) L'art de la miniature se raréfia lorsque le livre imprimé remplaça le manuscrit et que la diffusion du texte prévalut alors sur la destination forcément élitiste du livre enluminé.*

LES PROTAGONISTES

◆ **Duccio di Buoninsegna** (connu de 1278 à 1318). Dans la peinture italienne de la fin du XIIIe siècle et du début du XIVe, Duccio apparaît comme l'un des principaux interprètes de la nouvelle élaboration du lexique byzantin, qui prend, chez lui, des accents plus proches de la récente sensibilité gothique. Citons, parmi ses œuvres : la *Madone Rucellai* (1285), puis la *Madone des franciscains* (1295) et le retable de la *Maestà* (1308-1311), conservé au musée du Dôme à Sienne et considéré par la critique comme son chef-d'œuvre.

◆ **Giotto** (Vespignano vers 1267 - Florence 1337). Élève de Cimabue, il débute à ses côtés sur le grand chantier de San Francesco, à Assise, où il réalise par la suite le cycle principal de fresques de la basilique supérieure. Au début du XIVe siècle, Giotto travaille à Rome, Assise et Florence (*Crucifix* de Santa Maria Novella). Entre 1304 et 1306, il décore à Padoue la chapelle privée des Scrovegni. En 1311, de nouveau à Florence, il achève avant 1327 les peintures de la chapelle Peruzzi de l'église franciscaine Santa Croce. En 1328, il est

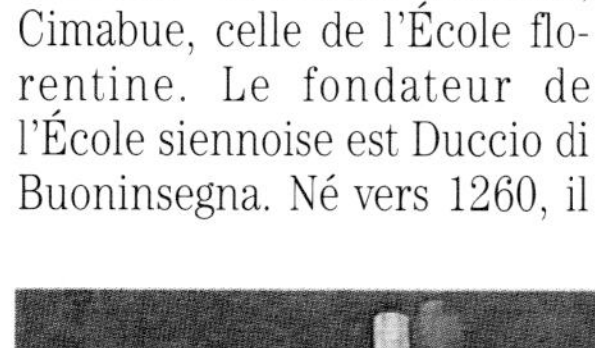

◂ *Giotto,* Mort du chevalier de Celano, *1297-1300, église supérieure de San Francesco, Assise. Dans l'espace créé par le jeu des volumes, les actions sont définies au moyen d'un clair-obscur incisif et âpre.*

▾ *Simone Martini,* Guidoriccio da Fogliano, *1328, Palais municipal, Sienne.*

sonnalité de l'École romaine, Cimabue, celle de l'École florentine. Le fondateur de l'École siennoise est Duccio di Buoninsegna. Né vers 1260, il reste d'abord attaché à la culture byzantine, dont il perpétue certaines coutumes (l'emploi de la feuille d'or pour les fonds), puis sa description de la réalité devient objective, minutieuse, et il conserve le coloris raffiné qui sera la caractéristique de la peinture de Simone Martini et des frères Pietro et Ambrogio Lorenzetti. Si l'on veut établir un parallèle entre l'art figuratif et la littérature, on peut rapprocher Giovanni Pisano et Giotto de Dante, de la même manière que des affinités évidentes existent entre la poétique de Simone Martini et les poèmes lyriques de Pétrarque. La peinture de Martini conserve au départ des références au goût français, conjuguées aux influences orientales qui imprégnaient le milieu culturel hétérogène de Sienne. Martini quitte rapidement cette ville, où a débuté son activité artistique, pour la cour angevine de Naples. Mais voici que, en pleine phase de « stilnovo » formel, Martini décide soudain de traiter les thèmes dramatiques dans un style presque violent. Il abandonne alors la manière décorative et

à Naples et, le 12 avril 1334, il est nommé maître d'œuvre du Dôme de Florence, dont il dirige les travaux qui se poursuivront après sa mort.

◆ **Giovanni da Milano** (connu de 1346 à 1369). Il se forme dans le milieu milanais, sensible à l'influence de Giotto et de son école, mais se montre aussi attentif aux courants de la peinture française. Citons, parmi ses œuvres, le *Polyptyque* de Prato et les fresques de la chapelle Rinuccini de l'église Santa Croce, à Florence.

◆ **Giovanni Pisano** (Pise vers 1245-1248 – Sienne 1317 ?). Fils de Nicolà Pisano, ce sculpteur est proche de la poétique de Giotto et attiré par l'esprit de la sculpture gothique. La *Madone à l'Enfant* en ivoire du Dôme de Pise est sa première œuvre à part entière. Suivent les sculptures de la fontaine de Pérouse (signées en 1278), les groupes sculptés de la façade de la cathédrale de Sienne, la chaire de Sant'Andrea de Pistoia, et celle de la cathédrale de Pise, réalisée entre 1302 et 1310.

◆ **Guariento** (Padoue, connu de 1338 à 1370). A mi-chemin entre Giotto et la culture byzantine, il est connu pour sa fresque du *Paradis* au Palais ducal de Venise (1365). Il fut le chef de file d'une école padouane regroupant quelques personnalités importantes comme Giusto de' Menabuoi et Altichiero.

◆ **Lorenzetti,** Ambrogio (Sienne, connu de 1319 à 1348). Très probablement

▼ *Simone Martini,* L'Annonciation, *1333, Offices, Florence. Les figures de l'ange et de Marie sont associées dans le jeu des rythmes qui scandent la pièce tricuspide. Au centre de la composition, le vase de lis irradie le long des lignes tracées par les tiges ; la grâce des mouvements confère à la scène un profond lyrisme.*

abstraite de ses débuts pour un réalisme qui le rapproche en partie de Giovanni Pisano et en partie de Giotto. Influencé par la forte personnalité de ce dernier, il garde cependant son propre style narratif, dégagé des contraintes spatiales et des excès de réalisme dans la composition. Entre 1323 et 1326, il peint, dans la chapelle de San Martino, *La Mort* et *Les Funérailles de saint Martin.* Ses dernières œuvres montrent un retour à l'abstraction du début, comme en témoigne *L'Annonciation,* peinte en 1333 pour la cathédrale de Sienne.

A Sienne, en même temps que celle de Martini, se développe la personnalité de Pietro Lorenzetti, artiste le plus proche de la sensibilité de Giotto. Il participe au chantier d'Assise, où sa *Vierge entourée de saints* montre l'influence de ce dernier. La *Mise au tombeau* comme la *Crucifixion* sont caractéristiques de sa peinture, conciliant les volumes plastiques florentins et les motifs estompés et plus picturaux de la manière siennoise. Après l'expérience d'Assise, Pietro Lorenzetti aborde un langage plus serein, qui semble influencé par le colorisme de Martini. Le ton « solennel » de Pietro n'aura une suite valable que dans l'œuvre d'Ambrogio Lorenzetti ; et celui-ci, conscient de la forte personnalité de son frère aîné, travaillera avec lui tout en conservant son langage propre. Parmi les disciples des Lorenzetti se distinguent Niccolò Tegliacci et Bartolo di Fredi, Andrea et Lippo Vanni : par leur fidélité au langage des deux maîtres et la relecture

---

plus jeune que son frère Pietro, il travaille à ses côtés, tout en gardant un style très autonome formé à travers la connaissance des maîtres toscans (Duccio, Cimabue, Giotto et Simone Martini). Citons, parmi ses œuvres, la *Madone de Sant'Angelo* de Vico l'Abate (1319) et, à Sienne, les fresques de San Francesco (1331) et les polyptyques des *Allégories du bon et du mauvais gouvernement* du Palais municipal (1337-1339).

◆ **Martini,** Simone (Sienne vers 1284 - Avignon 1344). Disciple de Duccio, et recherchant constamment une « raréfaction des passions », Simone Martini fut actif à Sienne, Pise, Assise, Orvieto et Naples. Citons, parmi ses œuvres, la célèbre *Annonciation, Scènes de la vie de saint Martin, Saint Louis de Toulouse couronnant le roi Robert d'Anjou,* ainsi que *Guidoriccio da Fogliano* (1328), et la *Maestà,* tous deux conservés au Palais municipal de Sienne.

◆ **Maso di Banco** (connu dans la première moitié du XIVe siècle). Considéré comme étant l'un des plus importants disciples de Giotto, il peint à fresque, vers 1341, les *Scènes de la vie de saint Sylvestre* de la chapelle Bardi à l'église Santa Croce de Forence. Parmi les « giottesques », il faut également citer Stefano Fiorentino et d'autres peintres mineurs mais très actifs : Taddeo et Agnolo Gaddi, Bernardo Daddi, le Maître de la chapelle Maddalena, le Maître de la chapelle Santa Cecilia.

◆ **Paolo Veneziano** (Venise 1290 ? - mort entre 1358 et 1362). Il est un point de

Maître anonyme du XIVe siècle, Statue de Cangrande, *musée de Castelvecchio, Vérone.*

personnelle de leurs œuvres. Au milieu du foisonnement des écoles et des artistes qui suivent alternativement et plus ou moins fidèlement les manières florentine et siennoise, un groupe de peintres de la première moitié du XIVe siècle s'inspire du style de Giotto (certains sont ses disciples directs), d'où le nom de « giottesques » qui leur sera donné par la suite. Certains se révèlent suffisamment originaux pour être des artistes d'un intérêt tout particulier, comme Maso di Banco et Stefano Fiorentino.
La sculpture toscane du début du Trecento est dominée par trois personnalités : Tino di Camaino, Giovanni di Balduccio et Lorenzo Maitani. S'inspirant de l'œuvre de Giovanni Pisano, ils propagent son style dans différentes régions d'Italie. Le maniérisme gothique de Tino di Camaino, par exemple, est adopté à son tour par des sculpteurs mineurs comme Goro di Gregorio et Giovanni d'Agostino. Le milieu florentin est prépondérant sur les milieux culturels toscans de la seconde moitié du siècle, et Andrea Pisano est, avec certitude, le sculpteur le plus important de cette période. Son

Ambrogio Lorenzetti, Le Bon Gouvernement, *détail, 1337-1339, Palais municipal, Sienne. La fresque fait partie d'un vaste ensemble figuratif à caractère politique, didactique et moral. Cette œuvre est novatrice : l'organisation des scènes au contenu prémonitoire et la disposition compliquée des figures ne compromettent pas l'efficacité picturale de l'ensemble qui, par sa pureté graphique et chromatique, acquiert des accents d'un lyrisme incontestable.*

référence important pour tous les peintres vénitiens du XIVe siècle. La *Dormition de la Vierge* de Vicence (1333) et le *Saint Georges tuant le dragon* de l'église San Giacomo de Bologne montrent bien les contradictions de sa peinture.

◆ **Pietro da Rimini** (Rimini, connu de 1309 à 1333). Grande figure de la peinture de Rimini, il signe en 1333 un *Saint François,* conservé aujourd'hui au monastère franciscain de Montottone (Ascoli Piceno). Il réalise les fresques de Santa Chiara, à Ravenne, vers la fin de sa vie. Citons, parmi les autres peintres actifs de Rimini, le Maître de Sant'Agostino, Giovanni Baronzio et Neri da Rimini.

◆ **Tommaso da Modena** (Modène 1325-1326 – mort après 1368). Il est élevé dans le milieu des miniaturistes bolonais et influencé par Vitale, il travaille à Venise et surtout à Trévise, où il peint à fresque les *Portraits de dominicains* à San Niccolo, et, en 1365, les *Scènes de la vie de sainte Ursule* pour l'église Santa Margherita.

◆ **Vitale da Bologna** (connu de 1331 à 1359). Vers 1340, il exécute la fresque de la *Cène* dans le cloître des Morts, à San Francesco de Bologne, puis les fresques de l'abside de l'église de Pomposa, la *Nativité* de Mezzaratta. Dalmasio, Jacopino di Francesco, Simone dei Crocifissi et Jacopo di Paolo constituent, avec Vitale, l'École bolonaise.

◀ *Francesco da Rimini,* Crucifixion, *Palais ducal, Urbino. L'École de Rimini se caractérise par l'utilisation de couleurs délicates et nuancées.*

▼ *Lorenzo Maitani,* La Création des animaux, *détail, Dôme, Orvieto. Ce bas-relief en marbre fait partie du cycle des* Histoires de la Genèse, *commencé en 1310.*

◀ *Maître du Triomphe de la mort,* Triomphe de la mort, *détail, 1335-1340, Camposanto, Pise. Cette fresque a été très récemment attribuée au peintre de l'École florentine, Buffalmacco. C'est une œuvre assez extraordinaire, par l'agencement inhabituel des épisodes, narrés dans un espace continu.*

style, empreint de références gothiques, est également sensible au classicisme, comme en témoignent les bas-reliefs de la porte sud du baptistère de Florence.

Au même moment, la peinture toscane voit la formation d'une famille d'artistes, les Orcagna, qui dominent, par leurs capacités techniques, le milieu artistique environnant. Andrea Orcagna, figure de premier ordre, cherche à épurer la vision plastique de Giotto, en la bloquant dans une structure rigide de plans et par une linéarité prononcée. Avec Andrea, ses frères Nardo di Cione et Jacopo suivent la même ligne expressive, mais optent l'un pour un colorisme plus prononcé, l'autre pour un sens vibrant de la narration.

A cette même époque, Pise devient un pôle : le célèbre et toujours anonyme maître du *Triomphe de la mort* est probablement l'un des premiers fresquistes du Camposanto ; il sera résolument suivi par Andrea Orcagna et Antonio Veneziano.

Vers la fin du XIVe siècle, à Florence, la vogue « giottesque » est en train de décliner : on en distingue des traces chez Spinello Aretino et Agnolo Gaddi, mais ce n'est guère qu'un lointain écho. Parallèlement, dans la première moitié du siècle, les ferments en sont tout à fait remarquables chez les peintres de Rimini, de Bologne, de Venise et de Lombardie.

Rimini est le siège d'une école de peinture extrêmement active, qui accueille en partie l'archaïsme de Giotto, mais de façon brève : l'influence de Sienne et celle de la couleur froide et splendide des mosaïques de Ravenne se conju-

▼ *Vitale da Bologna,* Saint Georges combattant le dragon, *vers 1350, Pinacothèque nationale, Bologne. Le mouvement contraint le cheval à une impossible torsion, dragon dans un même élan. La présence de la princesse, à droite de la composition, devient un élément d'équilibre et témoigne de la capacité de synthèse de l'artiste.*

guent au retour au style de Pietro Cavallini. L'artiste le plus important est sans doute Pietro da Rimini, témoignant d'une très grande finesse, doué d'un profond sens dramatique et d'un remarquable lyrisme. Mais il faut également citer deux peintres intéressants : Giovanni Baronzio et Francesco da Rimini.

La culture bolonaise se caractérise, en revanche, par son cosmopolitisme : elle se réfère probablement à l'art de l'enluminure pratiqué en France et coexiste avec la tradition romaine toujours présente dans la ville. C'est précisément de la rencontre entre les courants les plus vivants du gothique et de la peinture toscane que naît la peinture de Vitale da Bologna, qui sera poursuivie par Jacopino di Francesco, Simone dei Crocifissi et Dalmasio. Mais il aura aussi de nombreux disciples dans le milieu modénais. Avec plusieurs décennies d'avance, des personnalités comme Barnaba et Tommaso da Modena anticipent ainsi certaines solutions du style dit « gothique fleuri », qui ne s'affirmera que plus tardivement.

Dans le milieu vénitien, en revanche, les modes d'expression imprégnés de culture byzantine servent de « bouclier », réduisant les apports stylistiques extérieurs. Mais Vitale da Bologna et Tommaso da Modena, par leurs séjours dans le Frioul et en Vénétie, permettent une première ouverture sur les expériences artistiques de l'Émilie et, ainsi,

► *Paolo Veneziano,* Dormition de la Vierge, *1333, Musée municipal, Vicence. Le tableau, qui est signé et daté, correspond à la partie centrale d'un polyptyque autrefois à l'église San Vincenzo, dont subsistent également les représentations des saints des panneaux latéraux. L'œuvre montre la nouvelle orientation de l'artiste : des formes d'esprit très byzantin réutilisées dans un langage stylistique proche d'une peinture typiquement Trecento et gothique.*

1 GIOTTO ET LE TRECENTO

▼ *Guariento,* Milizie Celesti, *vers 1345, Musée municipal, Padoue. La toile fait partie d'un vaste ensemble de décorations et de peintures, exécuté vers 1345, qui confirma la célébrité de l'artiste. Le clair-obscur utilisé pour représenter les anges confirme son affection pour ce procédé et son goût pour les effets plastiques hérité de Giotto, sans le rendu réaliste du poids des corps.*

l'adoption, par quelques peintres locaux, d'un chromatisme puissant aux tonalités acides.
La sculpture vénitienne, « convertie » dès la fin du XIIIe siècle à un néoclassicisme aux accents vaguement pisans, continue toutefois à privilégier les formes ramassées. Au XIVe siècle, la famille des « lapicides » De Santis opère un véritable mélange des sculptures vénitienne et toscane. De la rencontre de ces deux styles vont naître deux sculpteurs vénitiens qui se révéleront d'une importance tout à fait déterminante : Pier Paolo et Jacobello Dalle Masegne.
Si la sculpture montre une ouverture aux courants continentaux, il n'en est rien pour la peinture : les mosaïstes de Saint-Marc restent hermétiques à Giotto et à Sienne, même s'ils sont sensibles à un certain éclectisme général. Paolo Veneziano, adepte de la tradition byzantine, évoque à peine le style de Giotto, tandis que Lorenzo Veneziano utilise des couleurs nuancées et particulièrement raffinées pour adoucir les formes. D'autres peintres, comme Zanino et Niccolò di Pietro, puisant leur inspiration dans le Nord, opèrent la liaison entre leur milieu et les influences bolonaises. A la fin du XIVe siècle, l'ascendant byzantin disparaît et Venise s'apprête à accueillir le gothique international.
A Padoue également se développe en peinture un mouvement important, dont Guariento est la figure dominante, et où Giusto de' Menabuoi se révèle incisif, portant une remarquable attention à la restitution rythmique des représentations. Viennent ensuite Jacobello Alberegno et Altichiero, qui se montrent capables de concilier le caractère merveilleux du gothique international et l'esprit de Giotto.
En Lombardie, la leçon de ce dernier reçoit un accueil favorable. Des artistes comme Giottino et Giovanni da Milano ont déjà montré une prédisposition pour le réalisme et un intérêt pour la couleur ; leur peinture, totalement affranchie des valeurs purement symboliques et plastiques, vise à une représentation naturaliste du sujet.

▼ *Giovannino De' Grassi,* Donzelle, *Bibliothèque municipale, Bergame. Exécuté vers la fin du XIVe siècle, ce dessin à l'aquarelle et à la plume, sur parchemin, témoigne bien de la sensibilité graphique très raffinée de l'artiste : sa formation de miniaturiste, sculpteur et architecte est constituée d'influences nordiques, franco-flamandes et de Bohême.*

A Milan, le sommet du développement artistique coïncide avec les travaux du chantier du Dôme, où des Français, des Allemands et des Italiens vont œuvrer côte à côte. La décoration sculptée est un épisode d'une grande importance : elle durera plusieurs décennies et verra l'affirmation des grands maîtres, profondément sensibles au charme toscan mais prisant également les effets réalistes simples.
Giovannino De' Grassi, qui collabore à l'œuvre sculpté du chantier milanais, abandonne les styles conventionnels pour une plastique plus vivante. Séduit par l'élégance du gothique international, il témoigne également de tendances naturalistes sans être indifférent à une conception merveilleuse de la composition graphique. ■

Simone Martini, Saint Louis de Toulouse couronnant le roi Robert d'Anjou, *détail, 1317, Galerie nationale de Capodimonte, Naples.*

Le climat d'attente qui se dégage de l'ensemble du tableau est créé par l'image quasiment « mystique » du saint, et l'impression de vérité est donnée par la représentation objective et tangible du roi vu de profil.

Andrea Pisano, Saint Jean-Baptiste dans le désert, *1330-1336, porte sud du Baptistère, Florence.*

La porte de bronze est constituée de vingt-huit panneaux qui décrivent les principaux épisodes de la vie du saint. Le rythme graphique des histoires, même si elles sont situées dans les contextes abstraits et « décoratifs » d'embrasures quadrilobées, scande l'espace, répartissant les formes gothiques en volumes d'une rigueur « classique ».

Altichiero, Décollation de saint Georges, *détail, 1384, oratoire de San Giorgio, Padoue.*

La fresque représente le saint prêt au martyre. Au cercle formé par les soldats qui l'entourent répond celui du paysage tendu vers le ciel.

Défaite de Courtrai La papauté à Avignon	Henri VII couronné empereur à Rome Fin de la dynastie capétienne	Début de la guerre de Cent Ans Amédée VI comte de Savoie	Point culminant de la peste noire Guerre entre les royaumes d'Anjou et d'Aragon	L'Angleterre renonce à ses prétentions sur la couronne de France Début du schisme en Occident	Famille Lancaster en Angleterre
Universités de Rome et de Pérouse Marco Polo écrit le récit de son voyage en Chine	Premières autopsies Première carte marine Premiers fusils	Début de l'artillerie sur les navires G. de Chauliac : *Grande Chirurgie*	Universités de Paris, Vienne, Cracovie, Pavie Premières lunettes	Carte catalane	
Orgue à pédalier	Philippe de Vitry : *Ars nova*		Guillaume de Machault : *Messe de Notre-Dame*		Landino : motets
Dante : *La Vie nouvelle* Joinville : *Mémoires*	Dante : *La Divine Comédie*	Pétrarque : *Canzoniere*	Boccace : *Décaméron*	Catherine de Sienne : *Épistolier* Wycliff : *La Vérité des Saintes Écritures*	G. Chaucer : *Contes de Canterbury* *Fioretti de saint François*
	S. Martini à Naples et à Assise	École de Rimini École de Bologne			
Giotto : Chapelle Scrovegni, *Scènes de la vie de la Vierge et de la vie du Christ*	**Duccio di Buoninsegna :** Dôme de Sienne, *Maestà*	**Andrea Pisano :** Porte du baptistère à Florence **S. Martini :** *L'Annonciation*	**A. Orcagna :** Tabernacle d'Orsanmichele à Florence Alhambra de Grenade	Alcazar de Séville Cathédrale d'Ulm	Palais Schifanoia à Ferrare
1292-1310	1311-1328	1329-1346	1347-1364	1365-1382	1383-1400

Masaccio, Le Paiement du tribut, *1424-1426, Santa Maria del Carmine, chapelle Brancacci, Florence. Il s'agit de la zone droite d'une grande fresque, qui raconte en trois épisodes la parabole du « tribut » (Évangile selon saint Matthieu, XVII, 23). Bien qu'organisée à la manière médiévale, en juxtaposant trois épisodes successifs – la requête, la découverte de l'argent, le paiement – dans une même unité de temps, cette fresque est sans doute la plus réussie de l'ensemble du cycle de la chapelle.*

La syntaxe, parfaitement calibrée et rythmée sur des cadences épiques d'un grand effet, crée un réalisme dramatique sans précédent. les nouveautés stylistiques tout à fait révolutionnaires introduites par Masaccio sont parfaitement visibles dans la zone reproduite ici : la construction en perspective efficace de l'édifice du fond, la description plastique et très humaine des personnages.

2 LA PREMIÈRE RENAISSANCE

Au début du Quattrocento, les conditions historiques sont progressivement réunies pour promouvoir ce vaste courant d'idées, de comportements et de connaissances, connu sous le nom de « Renaissance italienne ». Sur le plan politique, la richesse et le développement de cours plus ou moins puissantes (les Médicis à Florence, les Montefeltro à Urbino, les Malatesta à Rimini, les Este à Ferrare, les Visconti, puis les Sforza à Milan, les Angioini et les Aragonais à Naples) introduisent avec elles le mécénat, une volonté de faste et de décorum – public et privé – qui conduira l'art à jouer un rôle considérable dans la vie sociale. Dans le domaine des études philosophiques s'établit une étrange union entre esprit religieux et curiosité profane : avec d'une part la réhabilitation de la culture et de la mythologie gréco-latines, considérées jusqu'alors comme opposées à la « vérité chrétienne », et d'autre part la redécouverte des disciplines ésotériques (astrologie, alchimie) comme des sciences exactes et naturelles.

Ainsi, les grands auteurs de l'Antiquité sont remis à l'honneur, leurs manuscrits réédités, parfois même traduits en langue vulgaire. La figure du lettré change : il n'est plus le « clerc » au service de la propagande ecclésiastique, mais le philologue érudit, qui possède les arcanes d'un savoir universel, hors du temps, révélé aux penseurs grecs et maintenant

▲ *Masolino da Panicale,* Le Banquet d'Hérode, *vers 1435, baptistère de Castiglione Olona, Varèse. Ce qui est remarquable dans cette fresque, c'est le cadre architectural auquel l'élégance gothique du dessin n'enlève rien de son authenticité.*

◄ *Lorenzo Ghiberti,* Sacrifice d'Isaac, *(porte nord du Baptistère), 1401, musée du Bargello, Florence.*

réactualisé pour une société qui redevient à sa manière profane et positiviste. Pétrarque, qui avait inauguré au siècle précédent l'approche « philologique » de la littérature classique, devient la référence des *humanistes* (Lorenzo Ghiberti, Guarino Veronese, Lorenzo Valla, Leon Battista Alberti ; plus tard, Andrea Mantegna, Enea Silvio Piccolomini, Pic de la Mirandole, Angelo Poliziano, Marsilio Ficino) ; ceux-ci explorent les textes et ruines des monuments de la civilisation latine, dans l'espoir d'y trouver une clef à leurs interrogations sur l'existence. Dans un tel contexte, l'art doit également se doter de nouvelles formes linguistiques, avoir une méthodologie propre hautement scientifique, afin de souligner le rôle central de l'homme, pivot du savoir et sujet de la connaissance. La recherche mathématique se révèle indispensable pour la rationalisa-

2 LA PREMIÈRE RENAISSANCE

◀ *Masolino et Masaccio,* Sainte Anne, la Vierge, l'Enfant et les anges, *1424, Offices, Florence.*

▼ *Sassetta,* Le Mariage de saint François d'Assise avec les Vertus, *1437-1444, musée Condé, Chantilly. La peinture de Sassetta, tout comme celle de Masaccio, témoigne de la diversité des propositions de la première Renaissance pour tenter une remise à l'honneur critique et sélective des modes précédents.*

tion de l'architecture, comme pour une représentation picturale rigoureuse. Filippo Brunelleschi applique les découvertes de la physique optique – qui mûriront en « système de la perspective » – à la construction d'édifices tous conçus autour d'une idée unique, formidable ; cette même idée préside à la structure du tableau chez Piero della Francesca : la situation centrale du spectateur, de l'œil qui regarde, métaphore de base de tout processus de connaissance. La peinture et la sculpture, à partir de Masaccio et de Donatello, se consacrent à un *naturalisme* explicite et parviennent progressivement à une identité entre le « beau » et le « vrai ».

Toutefois, le passage du style gothique à l'art renaissant n'est pas aussi rapide, homogène et unilatéral qu'on pourrait le penser. Les œuvres des « hommes nouveaux », exécutées à Florence vers 1420, constituent des événements relativement isolés, sans aucun équivalent contemporain dans les autres régions d'Italie. Et à Florence, en ce début de siècle, nombreux sont les futurs humanistes qui ont encore une mentalité Trecento. C'est le cas de Lorenzo Ghiberti, qui écrira le prestigieux traité esthétique et philosophique, *Commentaires* (1447-1455). Il remporte, en 1401, le concours ouvert pour la réalisation des bas-reliefs de la porte nord du baptistère de Florence ; mais l'esprit, dans

LES PROTAGONISTES

◆ **Alberti,** Leon Battista (Gênes 1406-Rome 1472). Issu d'une famille florentine, il étudie à Padoue, à Bologne et à Rome. A la différence de Brunelleschi, sa formation est typiquement humaniste, avec des études philosophiques et littéraires. Grâce à cela, et à sa passion pour l'Antiquité, il se propose alors comme modèle de l'« artiste complet » de la Renaissance : poète, philosophe, érudit, peintre, archéologue, lettré... Comme architecte, il réalise quelques-uns des chefs-d'œuvre du Quattrocento : le palais Rucellai à Florence (1447-1451), le temple Malatesta à Rimini (1450) et l'église Sant'Andrea à Mantoue (projet de 1470). Théoricien et lettré, il a laissé des traités, *De pictura* (1435), *De re aedificatoria* (vers 1450), *De statua,* et aussi la comédie *Philodoxus,* ainsi que diverses œuvres d'érudition.

◆ **Fra Angelico,** Guido di Pietro, dit (Vicchio vers 1395 - Rome 1455). Peu après avoir commencé son activité de peintre, il entre au couvent de San Domenico de Fiesole. Bien qu'informé des nouvelles solutions renaissantes, son art résulte du sentiment de la foi, qui est douceur et grande ingénuité imaginative, et se développe autour de l'idée, profondément originale, de la lumière élément mystique.

◆ **Brunelleschi,** Filippo (Florence 1377-1446). Il a une première formation d'orfèvre et sculpteur,

▼ *Gentile da Fabriano,* L'Adoration des mages, *1423, Offices, Florence. C'est l'un des chefs-d'œuvre du gothique international : non pas une simple survivance d'un passé en voie d'extinction, mais aussi incontestablement un aspect « autre » (et alternatif) d'une époque riche de contrastes, et pour cela pleine de vie dans ses ferments culturels.*

la construction de l'espace et la dynamique de l'action (le panneau du *Sacrifice d'Isaac,* par exemple, est encore d'essence gothique). Comme le sont aussi les œuvres de deux autres sculpteurs très connus de l'époque, Jacopo della Quercia et Nanni di Banco. Le premier montre cependant un langage résolument moderne et pas seulement original, dans des œuvres à juste titre célèbres : le monument funéraire d'*Ilaria del Carretto* (1408) à la cathédrale de Lucques, la *Fonte Gaia* à Sienne (1409-1419), la *Genèse* (1425-1438) au portail central de la basilique San Petronio de Bologne. Une fidélité certaine au goût plastique du Trecento ne l'empêche donc pas de jouer un rôle primordial sur la scène de son époque et d'être un exemple valable pour quelques comparses de talent (tel Niccolò dell'Arca, auteur, en 1485, de la superbe *Pietà* de Santa Maria della Vita, à Bologne) comme pour les artistes de l'envergure de Michel-Ange. En réalité, le style gothique ne s'épanouit pas seulement dans l'Europe des cours et des cathédrales ; dans sa version de maturité dite « internationale », il inspire, durant toute la première moitié du siècle, la plus grande partie des inventions picturales et sculptées italiennes.

et il participe au concours organisé en 1401 pour la porte de bronze du baptistère de Florence, remporté par Ghiberti. A partir de 1402, il entreprend une série de voyages archéologiques à Rome, en compagnie de son ami Donatello. Son premier grand projet architectural est la coupole de l'église Santa Maria del Fiore de Florence (1418), synthèse du gothique et du renaissant. Il réalise ensuite les basiliques San Lorenzo (vers 1420) et Santo Spirito (1436), l'hôpital des Innocents, la chapelle Pazzi (vers 1430), près de Santa Croce : autant d'exemples vraiment fondamentaux pour le développement de l'architecture européenne moderne.

◆ **Donatello,** Donato di Niccolò di Betto Bardi, dit (Florence 1386-1466). Fondateur de la sculpture de la Renaissance, il se forme dans l'atelier de Lorenzo Ghiberti et parvient très vite à appliquer les principes et à résoudre les problèmes dont son maître n'avait eu que conscience. L'art de Donatello est caractérisé par un profond intérêt pour la restitution en perspective de l'espace naturel, et surtout par un classicisme souvent « païen » (tels le *David* du Bargello, de 1409, et la *Cantoria* de la cathédrale de Florence, de 1433 à 1439) ; plus tard, il le sera par une forte veine expressionniste qui traduit une vision noble et dramatique de l'existence. Cette poétique est très visible dans la statue équestre de *Gattamelata* (1446-1450), et dans les sculptures pour

Le gothique international

L'Adoration des mages *(détail, 1422) de Lorenzo Monaco, conservée aux Offices, Florence. La date et la culture de ce tableau en font une œuvre vraiment typique du Quattrocento. L'ordonnance stylistique semble toutefois rester étrangère aux types renaissants et se rattache davantage aux conceptions Trecento de l'espace narratif et pictural. Par « gothique international », il faut comprendre plus que la simple survivance d'un certain type d'art au-delà de ses origines historiques, son évolution vers des résultats d'un raffinement formel extrême, parvenus à maturité aussi grâce à la stimulation que la force d'impact des nouvelles idées provoque chez des artistes réticents à les partager. L'adjectif « international » exprime la grande diffusion, à l'échelle internationale, du phénomène qui doit beaucoup à la sensibilité artistique répandue en Europe du Nord à la fin du XIV et au début du XV siècle, et dont la valeur est confirmée par la présence d'œuvres qui n'ont rien de dépassé ni de maniéré.*

Toujours à Florence, aux côtés du jeune Masaccio, Masolino da Panicale travaille en 1424-1426 aux fresques de la chapelle Brancacci, à Santa Maria del Carmine. Masolino ne pouvait rester insensible à l'ascendant du premier grand peintre humaniste, même s'il conserve les expressions encore médiévales (dans de nombreux sens) de sa formation. Ce qui différencie les deux artistes – par ailleurs capables de s'estimer et de s'influencer réciproquement –, c'est précisément ce qui sépare le monde gothique des conceptions révolutionnaires qui commencent à s'imposer : chez Masolino, une notion aristocratique et élégante de la forme comme technique de description de la nature ; chez Masaccio, une vision dramatique de l'existence, mêlée de sentiments résolument « profanes » tout en respectant le thème religieux et donc la redécouverte de l'individu et de la profonde, pleine « humanité » de Dieu incarné. Cet être-individu, qui se réalise dans la douleur et dans les passions, fonde sa propre dignité sur la douleur, les émotions, les sentiments, est le centre d'un univers créé par lui, qu'il domine et dont il constitue la figure essentielle. Masaccio nous place devant l'homme « sujet » (notion philosophique presque inédite à la fin du Moyen Age), c'est-à-dire l'homme artisan de son destin et surtout paramètre unitaire pour l'interprétation de la multiplicité des phénomènes. Avec un tel modèle, la nature elle-même change de sens. Elle n'est plus un décor de fond qui doit susciter l'étonnement et l'admiration, mais un élément vivant à explorer et comprendre : la demeure dans laquelle habite le sujet. Entre l'homme et la nature s'établit un rapport de respect mutuel : réduire le tout à l'unité, c'est-à-dire

---

le *Maître-autel de Sant'Antonio* à Padoue, ainsi que dans la statue de *Marie-Madeleine* du baptistère de Florence (1453-1455).

◆ **Foppa,** Vincenzo (Brescia vers 1427-vers 1515). Foppa est de la génération de Piero della Francesca et de Mantegna, et pourtant ses premières peintures sont d'esprit gothique ; à partir de 1450, il a son propre langage, moderne, qui est totalement indépendant des grands contemporains. En témoignent les très belles *Scènes de la vie de saint Pierre martyr* (1466-1468) de l'église Sant'Eustorgio de Milan (chapelle Portinari) et la *Madone au livre* du Castello Sforzesco de Milan. Il est considéré comme le fondateur de l'« École lombarde ».

◆ **Lippi,** Filippo (Florence 1406-Spolète 1469). Frère convers au couvent des Carmes de Florence, il peut voir, en 1425, Masaccio travailler dans l'église. En 1456, il enlève une jeune religieuse, dont il aura un fils, Filippino, et est condamné par contumace ; il est ensuite gracié sur l'intervention de Cosme de Médicis. Il sera pendant toute sa vie influencé par Masaccio, mais il parvient à trouver sa propre originalité, comme en témoignent de nombreuses œuvres remarquables, telles l'*Annonciation* de San

▼ *Donatello,* Judith et Olopherne, *1455-1460, place de la Seigneurie, Florence. La sculpture de la Renaissance naît avec l'expressivité tourmentée de Donatello, qui fait du marbre l'objet d'un « martyre » formel, par la récupération des aspects graphiques du dessin, en tant que rapports de pleins et de vides à l'intérieur de l'objet tridimensionnel.*

▼ *Donatello,* Cantoria du Dôme (Ronde des enfants), *1433-1439, musée de l'Œuvre du Dôme, Florence. La phase de jeunesse, puis de maturité de l'œuvre du sculpteur (avant la religiosité tragique des œuvres de vieillesse) est marquée par une interprétation dionysiaque de l'humanisme, effrénée, délirante et presque païenne.*

comprendre le *macrocosme* à travers le *microcosme* (et vice versa), telle est la fin ultime, le but essentiel de la science et de l'art de la Renaissance. Pourtant, Masaccio est, disait-on, isolé. Comme le sont les autres précurseurs de ce moment de transition et de crise. On ne peut estimer correctement le panorama artistique des cinquante premières années du XVe siècle si l'on n'a pas présente à l'esprit la suprématie qu'exerçait, au point de vue quantitatif, ce comportement « gothique tardif ». Participent à ce climat culturel des personnages d'une importance appréciable comme Gentile da Fabriano et Lorenzo Salimbeni dans les Marches, Antonio Vivarini, Jacopo Bellini, Pisanello et Stefano da Verona en Vénétie, Michelino da Besozzo et Bonifacio Bembo en Lombardie, Lorenzo Monaco, Sassetta et le Maître de l'Observance en Toscane. Chez certains (Sassetta, Pisa-

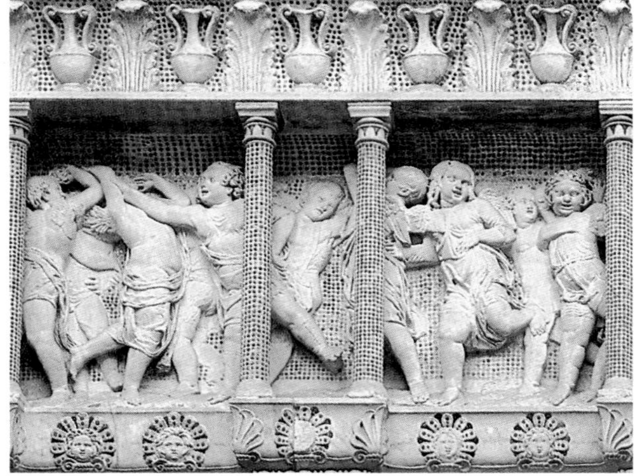

Lorenzo (vers 1440) et les fresques du dôme de Prato (1452-1464).

◆ **Mantegna,** Andrea (Isola di Carturo, Padoue 1431-Mantoue 1506). Il fait son apprentissage dans l'atelier de Francesco Squarcione, à Padoue, aux côtés de Bellini, Tura, Crivelli. La figure de Mantegna incarne parfaitement l'artiste de la Renaissance, conciliant justement l'enthousiasme de l'humaniste érudit et le courage du grand novateur. Il faut citer ses œuvres, qui constituent notamment un véritable et vaste répertoire de citations archéologiques, *Le Christ mort* de Brera (1480) et la décoration de la *Chambre des époux* du Palais ducal de Mantoue.

◆ **Masaccio,** Tommaso di Ser Giovanni, dit (San Giovanni Valdarno 1401-Rome 1428). Il arrive très jeune à Florence et commence alors à travailler avec Masolino. Les fresques de l'église du Carmine, à Florence (1424-1426), attestent l'immense force novatrice d'un artiste dont la vie brève est comparable à celle d'un météore. D'autres chefs-d'œuvre encore : le *Polyptyque* du Carmine, de 1426, la fresque de la *Trinité* de Santa Maria Novella, la *Crucifixion* de Capodimonte, de 1427.

◆ **Masolino da Panicale,** Tommaso di Cristoforo Fini, dit (Panicale in Valdera, vers 1383-vers 1440). Beaucoup plus âgé que son collaborateur Masaccio et éclipsé par le génie de celui-ci, il est néanmoins très intéressant pour le rôle qu'il joue dans la transition du gothique à la Renaissance. Les fresques du baptistère

▼ *Filippo Brunelleschi, basilique Santo Spirito, intérieur (projet vers 1436), Florence. L'application des lois de la perspective à l'architecture engendre une exigence d'analyse rationnelle de l'espace, lequel doit pouvoir être alors entièrement « mesuré » par le regard du spectateur et perçu comme lui étant proportionné.*

nello), on discerne facilement, cependant, une adhésion partielle à l'esprit de la Renaissance. Également dans l'œuvre de Masolino, capable d'utiliser la perspective dans sa plus remarquable entreprise, les fresques du baptistère de Castiglione Olona exécutées en 1435. Et ce n'est pas un hasard s'il collabore avec Masaccio en d'autres occasions. Le résultat qu'ils obtiennent en 1424, avec le tableau *Sainte Anne, la Vierge et l'Enfant*, est étonnant : dans cette œuvre, deux façons opposées de comprendre la représentation s'affrontent et coexistent néanmoins en se fondant l'une dans l'autre. La figure de la Vierge, modelée avec le sens marqué de la tridimensionnalité de Masaccio, s'insère parfaitement dans l'espace enveloppant et dilaté, dépourvu de profondeur, d'Anne sa mère, que Masolino a conçu comme une toile de fond symbolique et céleste au-delà du « mystère terrestre » peint par son collègue. Les jeux d'ombres et de lumières qui modèlent le corps de l'Enfant Jésus, auquel Masaccio a donné le visage conscient de son sacrifice futur, et le visage merveilleux et miséricordieux de Marie renvoient à l'efficacité tragique de la sculpture de Donatello : la *Madeleine* de 1453-1455, par exemple, ou la classique et dionysiaque *Ronde des enfants* à la Cantoria de la cathédrale de Florence, ou encore la *Judith*, de 1455-1460.
La technique du clair-obscur n'explique pas à elle seule la nouveauté de l'art de Masaccio. Il faut y ajouter deux au-

---

de Castiglione Olona (*Scènes de la vie de saint Jean-Baptiste*, 1435), importantes pour le développement de la peinture en Lombardie, révèlent un peintre beaucoup plus moderne que celles exécutées aux côtés de Masaccio en l'église florentine du Carmine.

◆ **Tura,** Cosme (Ferrare vers 1430-1495). A l'origine de la Renaissance d'Este, il met à profit, dès les premières années de sa jeunesse, sa connaissance des œuvres de Donatello à Padoue. L'originalité de sa position réside dans la difficile synthèse des exigences poétiques humanistes et de l'héritage technique du gothique tardif. Le résultat est étrange, mais n'ôte rien à la séduction d'une peinture à la fois épique et intime. En témoignent bien des chefs-d'œuvre absolus comme le *Saint Georges et la princesse de Trébizonde*, des volets d'orgue de la cathédrale de Ferrare (1469), et aussi le très célèbre *Polyptyque Roverella* (1470-1474).

◆ **Uccello,** Paolo di Dono, dit (Florence 1397-1475). Anticipant l'application « scientifique » de la perspective, il passe à l'Histoire comme un visionnaire génial doué d'une formidable science technique. L'acharnement avec lequel il explore les nouvelles conjonctions de l'art et celles de la géométrie en fait une sorte de « peintre abstrait » de la Renaissance, capable d'œuvres d'une merveilleuse poésie (par exemple le *Saint Georges* de la National Gallery) comme de peintures astrologiques particulièrement froides et étranges.

▼ *Leon Battista Alberti,* Temple Malatesta, *façade, 1450, Rimini. Commandée par Sigismondo Pandolfo Malatesta, la réfection de l'église gothique de San Francesco, bien que restée inachevée, révèle les racines humanistes et très classiques de la formation d'Alberti. L'édifice actuel est unique par le mélange scandaleux d'éléments chrétiens et païens, non seulement dans la structure architecturale proprement dite, mais également dans l'admirable décoration sculptée intérieure, réalisée par Agostino di Duccio.*

tres grandes « découvertes » : le sens des proportions du corps, fruit d'une relecture attentive de la statuaire romaine, et celui de l'espace, c'est-à-dire du lien harmonieux entre figure et milieu. On retrouve ces mêmes prérogatives dans l'œuvre architectural de Brunelleschi : la coupole gothicisante du dôme florentin à l'hôpital des Innocents, à la chapelle Pazzi et aux magnifiques basiliques San Lorenzo et Santo Spirito, tous ces édifices dont la disposition exacte des éléments et des zones fonctionnelles est calculée non pas à partir d'intuitions esthétiques générales, mais depuis une utilisation rationnelle des proportions géométriques en fonction du lieu d'observation idéal.

L'orthogonalité est la référence fondamentale de l'architecture de Leon Battista Alberti, plus « archéologue » que Brunelleschi, comme en témoigne la façade du temple Malatesta, de Rimini (1450), dont le plan reprend de manière évidente l'Arc romain de Constantin. Plus tard, Francesco di Giorgio Martini et Luciano Laurana (auteur du Palais ducal d'Urbino), mais surtout Alberti, transformeront le module orthogonal rigide de la première Renaissance en un *ars aedificatoria* complexe jouant sur des volumes « en ronde bosse ».

Avec Brunelleschi, la « perspective linéaire », ce moyen d'unification de l'espace visuel d'un réalisme convaincant, amorce son propre chemin. Les expériences que l'architecte effectue au moyen de panneaux peints et de miroirs sont célèbres. La recherche acharnée que mène Paolo Uccello l'est autant : Vasari raconte qu'il était si absorbé par les problèmes de perspective qu'il en oubliait ses devoirs conjugaux. Mais ce sera Piero della Francesca qui, au milieu du siècle, précédé par la théorie d'Alberti, parviendra à la formulation « scientifique

► *Paolo Uccello,* La Bataille de San Romano. Désarçonnement de Bernardino della Ciarda, *1456, Offices, Florence. Dans les panneaux de la* Bataille de San Romano, *dispersés dans trois musées européens, Uccello met en pratique ses expériences réalisées sur la perspective linéaire exacte.*

▼ *Fra Angelico,* Jugement dernier, *1432-1435, musée de San Marco, Florence. L'organisation générale du tableau et la majeure partie des solutions iconographiques (ainsi la ronde des anges, le « poêle » des damnés) sont de provenance très nettement gothique. Malgré cela, cette œuvre de jeunesse annonce la grandeur du futur novateur.*

du procédé ». Dans la *Bataille de San Romano,* conservée aux Offices, Paolo Uccello finit par disposer de manière artificiellement orthogonale des lances rompues, des cavaliers désarçonnés, des corps et des armures métalliques de guerriers jonchant le sol, pour souligner l'importance du point de fuite, il l'oublie pour l'arrière-plan agreste, ce qui donne un horizon beaucoup plus haut. La peinture de Fra Angelico, également stupéfiante par son chromatisme bienheureux et sa tension fantastique, montre un espace rationnalisé par la perspective ; mais ici (par exemple, dans le *Jugement dernier* conservé au musée de Saint-Marc), la lumière, conçue comme un faisceau vivifiant, joue le rôle de pivot de la représentation : une lumière de nature nettement divine, et non pas solaire, éloigne irrémédiablement cet homme pieux, doué d'une technique exceptionnelle, des

compositions plus profanes de la Renaissance. Lippi opère une « divulgation » sobre et paisible du style de Masaccio ; Andrea del Castagno anticipe de façon surprenante le langage de Piero della Francesca. Filippo Lippi, Andrea del Castagno, Domenico Veneziano sont sans doute des assistants dignes de respect par leur capacité à utiliser et à développer les nouveaux principes, mais des artistes historiquement moins déterminants sur le plan de l'invention authentique. Les Della Robia jouent un rôle analogue en sculpture, les meilleurs disciples de Donatello étant Agostino di Duccio, Antonio Rossellino, Desiderio da Settignano.

La Renaissance parvient dans le nord de l'Italie vers 1450 seulement. Andrea Mantegna et Giovanni Bellini qui, outre leurs liens de parenté, étaient unis dans leur jeunesse par un même choix de poétique, doivent leur première formation à la présence de Donatello à Padoue dans les années 50. Les travaux exécutés par le sculpteur florentin à la basilique Sant'Antonio représente en effet une référence essentielle pour les jeunes « avant-gardistes » vénitiens, ainsi qu'un point de départ historique pour la diffusion du nouveau langage dans le Nord. L'influence de Donatello est

▼ *Andrea Mantegna,* Retable de San Zeno, *1456-1460, basilique San Zeno, Vérone. Il faut signaler la solution originale adoptée par le peintre afin de « résoudre » dans le sens renaissant la structure du triptyque. Les panneaux sont divisés par des colonnes corinthiennes sculptées dans le bois, qui forment la façade d'une architecture fictive en perspective dans la peinture.*

◀ *Filippo Lippi,* Madone Tarquinia, *1437, palais Barberini, Rome. Une des œuvres les plus « masacciennes » de Filippo, dans laquelle la plasticité de l'espace, entièrement fondée sur la consistance des figures, l'emporte sur d'éventuelles considérations de caractère religieux.*

▶ *Andrea Mantegna,* Saint Sébastien, *vers 1470, Kunsthistorisches Museum, Vienne. Le thème de saint Sébastien passionne Mantegna, car il lui permet une description classique du nu masculin et la reconstitution du monde antique. Par rapport à son homonyme du Louvre (1480), celle-ci est plus naïve et plus expérimentale, mais présente déjà les mêmes choix de langage.*

visible chez Mantegna dans l'expressivité puissante des fresques de la chapelle Ovetari, à Padoue (1452-1453) et dans le grand retable pour l'église San Zeno de Vérone (1456-1460), même si cette vocation pour l'emphase sculpturale est ensuite renforcée par l'étude des répertoires classiques, à laquelle il consacre son temps et son énergie. Une pratique magistrale du dessin alliée à un tel amour pour le monde antique (idéalisé par le peintre comme le paradis perdu) font que son art oscille entre un plasticisme ramené à une savante perspective et une prédominance presque excessive de la ligne, reflet des maîtres gothiques dont il subit vaguement l'influence. Le *Saint Sébastien,* peint vers 1470, aujourd'hui au Kunsthistorisches Museum de Vienne en est un exemple. Mantegna y introduit de véritables citations archéologiques, témoignant d'une profonde sensibilité historique dans la reconstitution de l'épisode. En revanche, Giovanni Bellini révèle dès sa jeunesse une moins grande âpreté, privilégiant les couleurs estompées, la douceur des contours, la psychologie des visages et des expressions. Son œuvre n'atteindra sa pleine maturité qu'après sa rencontre avec Piero della Francesca, vers 1470. Entre-temps, le *Christ au Jardin des Oliviers,* de 1459, nous offre un aperçu des dispositions créatives déjà remarquables du fondateur de l'École vénitienne.

◄ *Giovanni Bellini,* le Christ au Jardin des Oliviers, *1459, National Gallery, Londres. Proche de Mantegna par le style, le jeune Bellini se distingue pourtant de l'humaniste padouan par un goût résolument plus lyrique. En outre, cette œuvre laisse déjà entrevoir le parcours futur de l'artiste, orienté vers l'analyse du sens poétique de la lumière et de la couleur.*

Au nord de la péninsule, dans ces mêmes années, sont actifs d'autres initiateurs : Vincenzo Foppa à Milan, Cosme Tura à Ferrare, Carlo Crivelli à Venise, puis dans les Marches. Ces peintres suivent attentivement les tendances de l'Europe du Nord, diffusées par le commerce et les guerres. Le gothique international est pour eux une mine de suggestions au niveau des « microstructures stylistiques », ce qui ne les empêche absolument pas d'accueillir avec enthousiasme tout ce qu'ils peuvent connaître de la nouvelle manière florentine.

La construction de l'espace, en particulier, n'est pas moins moderne que celle de leurs collègues toscans. Plus intuitive, moins rigoureuse sans doute, mais aussi efficace : comme dans la *Crucifixion* de Foppa, de 1454, ou l'*Allégorie du printemps* de Tura, qui présente – parfaitement construite dans une perspective particulièrement convaincante – l'image mythologique de la déesse quasiment ciselée dans l'émail, parée de couleurs froides et d'angles tranchants, au milieu des figures surréelles des dauphins et d'une coquille apparemment dépourvue de toute référence symbolique chrétienne. Exécuté vers 1460-1463, probablement pour le duc Borso d'Este, ce tableau est, avec sa saveur de saga païenne (« terrible et poignant comme une idole de Bornéo », comme l'a défini Roberto Longhi), l'une des créations les plus significatives de la Renaissance. ■

◄ *Cosme Tura,* Allégorie du printemps, *1460-1463, National Gallery, Londres. Le monde de Tura est formé d'un mélange de motifs archaïques et de nouveautés. Son art est typiquement un « art de la contradiction » et, comme tel, exerce un puissant attrait sur notre époque. Dans ce tableau allégorique, reposant probablement sur une symbolique alchimique occulte, le contraste immédiat entre la douceur du visage de la déesse et les extraordinaires inventions cruelles, « métalliques », de son trône saute aux yeux.*

Filippo Brunelleschi, Le Sacrifice d'Isaac, *1401, musée du Bargello, Florence.*

Ce panneau a été présenté, avec celui de Ghiberti, au concours de 1401 pour l'exécution de la porte nord du baptistère de Florence. Il montre combien, à cette date, Brunelleschi est encore impliqué dans la culture gothique, dont il ne se détachera qu'après 1420.

Fra Angelico, Triptyque des Linaioli, *1433, musée San Marco, Florence.*

Cette œuvre se situe à la transition de la phase de jeunesse de l'artiste, marquée par un fort héritage Trecento, et de la période de la maturité renaissance, alors que le style de sa peinture acquiert une totale autonomie.

Carlo Crivelli, Vierge de la Passion, *vers 1460, musée de Castel Vecchio, Vérone.*

L'œuvre de jeunesse de Crivelli, avant l'étrange régression d'après 1475, constitue l'un des chapitres les plus éloquents et délicatement poétiques de la Renaissance padouane.

1400-1410	1411-1420	1421-1430	1431-1440	1441-1450	1451-1460
Florence s'empare de Pise Venise conquiert la Vénétie	Bataille d'Azincourt Traité de Troyes	Jeanne d'Arc ; couronnement de Charles VII à Reims	Jeanne d'Arc est brûlée à Rouen Cosme de Médicis prend le pouvoir à Florence	Alphonse d'Aragon conquiert Naples Pontificat de Nicolas V	Fin de la guerre de Cent Ans Mehmet II conquiert Constantinople
Rinio : *Liber de simplicibus* Université de Turin	Premières xylographies aux Pays-Bas	Université de Parme Les Portugais découvrent Madère	Cabral découvre les Açores Bembo : tarots Universités de Caen et Poitiers	Invention de l'imprimerie Université de Bordeaux	M. Finiguerra : gravure sur argent et étain
J. Ciconia à Padoue		G. Dufay en Italie			J. Des Prés à Milan
Salutati : *Laudatio florentinae urbis*	L. Bruni : *Historiae florentini populi*		N. de Cues : *De docta ignorantia*	Le Pogge : *De varietate fortunae* L. Valla : *Elegantiarum linguae latinae libri sex*	G. Pontano : *Amorum libri*
Concours pour la porte nord du baptistère de Florence	Concours pour la coupole du dôme de Florence		L.B. Alberti *De pictura*		Académie néoplatonicienne à Florence
J. della Quercia : *Tombeau d'Ilaria del Carretto* **Donatello :** *David*	**Nanni di Banco :** Groupe des *Quatre Saints couronnés* **F. Brunelleschi :** *Hôpital des Innocents*	**Masolino** et **Masaccio :** Chapelle Brancacci **Gentile da Fabriano :** *L'Adoration des mages*	**F. Lippi :** *Annonciation* **Fra Angelico** Fresques du couvent de Saint-Marc	**Fra Angelico :** Chapelle Niccolina **L.B. Alberti :** Temple Malatesta à Rimini	**L. Ghiberti :** *Porte du Paradis* **P. Uccello :** *Bataille de San Romano*

Jan Van Eyck, Arnolfini et sa femme, *1434, National Gallery, Londres. Ce tableau célèbre, signé et daté sur la paroi au-dessus du miroir, est sans doute le premier portrait « bourgeois » de l'histoire de l'art. Le marchand toscan Giovanni Arnolfini y est représenté avec sa femme, dans leur maison de Bruges, entouré des symboles du bien-être et des objets familiers (on remarque les sabots abandonnés sur le sol et le chien aux pieds de ses maîtres). L'image est construite sur une « clarté scientifique » de la vision qui n'a rien à envier aux œuvres italiennes de cette période.*

3 LE XVe SIÈCLE NORDIQUE

Le phénomène historique connu sous le nom de Renaissance ne se limite pas géographiquement à la péninsule italienne. Il serait absurde de sous-estimer l'apport révolutionnaire des humanistes allemands et français dans les domaines variés de la pensée philosophique et scientifique, ou de ne pas reconnaître les expériences novatrices d'un grand intérêt que l'Europe du Nord a tentées dans le domaine spécifique des arts visuels. Ces expériences se sont progressivement affirmées au cours du Quattrocento, souvent de façon totalement indépendante des influences méridionales. Le cas le plus significatif est celui des Flandres, où se développe une tradition picturale fondée sur la perspective linéaire et sur le clair-obscur volumétrique, qui constituent les principales caractéristiques techniques de la peinture de la Renaissance. Il ne s'agit pas d'un « mouvement » lié à la diffusion des modèles toscans, mais de l'apparition d'une culture autonome qui se développe suivant des règles internes, à partir de conditions locales et en contact partiel seulement avec la réalité italienne. Ces contacts se font en effet par le biais des relations économiques et commerciales très actives (la présence, par exemple, de banquiers florentins à Bruges et à Gand) ; il ne faut cependant pas oublier que Jan Van Eyck, le fondateur de la Renaissance flamande, est actif au même moment que

▲ *Jan et Hubert Van Eyck*, Le Christ entre la Vierge et saint Jean (L'Agneau mystique), *1426-1432, cathédrale Saint-Bavon, Gand. Ce polyptyque, constitué de douze panneaux, tient dans la peinture flamande la même place que celui de la chapelle Brancacci dans l'histoire de l'art italien.*

Masaccio : le polyptyque de *L'Agneau mystique*, qu'il exécute entre 1426 et 1432 pour la cathédrale Saint-Bavon, à Gand, représente pour l'art nordique ce que sont les fresques du Carmine pour l'art italien. En outre, à divers égards, la peinture de Van Eyck, avec son souci des effets atmosphériques, son sens de l'espace et de la nature, ses tonalités chaudes et enveloppantes, annonce les succès futurs, et sera proposée comme modèle, par exemple aux peintres vénitiens de la fin du siècle. Dans le grand panneau de l'*Adoration de l'Agneau mystique*, exécuté en collaboration avec son frère Hubert, la perspective revêt des significations symboliques et théologiques très éloignées des aspects « profanes » prisés des Toscans : le point de fuite coïncide avec la colombe divine et l'ensemble de la composition (avec les quatre cortèges humains aux quatre points cardinaux et l'agneau au centre sur le maître-autel) obéit à l'ordre supérieur établi par la présence du Saint-Esprit. Dans les parties du polyptyque exécutées par Jan, par exemple, les figures d'Adam et Ève, le sentiment profond de la condition de l'homme typique de Masaccio est rendu avec une superbe évidence par la parfaite sensualité en clair-obscur des visages et des expressions, même s'il est médité, cependant, dans un langage différent, moins dramatique, plus esthétique, que celui des figures de la chapelle Brancacci.

La culture gothique concourt, certes, à l'élaboration du style de Van Eyck. Sa sensibilité se nourrit simultanément de l'héritage du Trecento et des techniques les plus modernes (comme la peinture à l'huile) et lui donne un amour presque obsessionnel du détail, de la micro-narration. On décèle une certaine complaisance dans une telle vocation de miniaturiste ; d'ailleurs, à l'évidence, aux Pays-Bas, la valeur d'un artiste dépend également de son habileté à exécuter, un à un, tous les poils de la barbe d'Adam, toute l'orographie de rides et boutons du visage infiniment « tourmenté » d'un certain prélat (la *Vierge du chanoine Van der Paele*, 1436), ou le minuscule reflet dans le miroir lointain du marchand *Arnolfini et sa femme*, avec les scénettes encore plus petites sur le cadre circulaire. Dans ce tableau (comme peut-être jamais encore) apparaît le point fort de la peinture flamande : cette grandiose capacité dans le portrait et la description, la vérité

La peinture à l'huile

Les peintres flamands du XVe siècle utilisent une technique nouvelle, appropriée à ce soin du détail, caractéristique la plus spectaculaire de leur œuvre : ils mélangent les terres et les couleurs avec de l'huile au lieu d'eau. Ils suppriment ainsi, sur la surface peinte, tout risque de « transparence » excessive (au sens physique comme métaphorique) et obtiennent l'éclat dur et glissant d'une couleur presque minérale, émaillée, dense et compacte. La peinture à l'huile sur toile, encore inconnue dans le reste du monde, permet ainsi d'allier l'extrême précision de la touche la plus légère aux dégradés chromatiques et aux clairs-obscurs d'un raffinement suprême. Dans la Nativité *du* Triptyque Portinari *(Offices, Florence), exécutée par Hugo Van der Goes entre 1475 et 1477, opacité et riche splendeur coexistent dans une gamme tonale froidement contrôlée, qui répond bien à l'exigence de modeler les corps non pas de façon abstraite, mais à partir de la lumière qui les caresse.*

LES PROTAGONISTES

◆ **Fouquet,** Jean (Tours vers 1425-vers 1480). Miniaturiste remarquable, il se rend en Italie entre 1444 et 1447, où il rencontre Fra Angelico et Domenico Veneziano. Il illustre vers 1450 le *Livre d'heures d'Étienne Chevalier*. De ses tableaux, il faut citer la *Vierge entourée d'anges* d'Anvers, le *Portrait de Charles VII, roi de France* au Louvre.

◆ **Froment,** Nicolas (Uzès vers 1435-Avignon vers 1483). Son nom est lié au triptyque du *Buisson ardent* (1475) consacré à l'épisode biblique, et conservé dans la cathédrale d'Aix-en-Provence. Dans cette œuvre, l'une des plus belles du siècle, sont présents la description très méticuleuse des Flamands et le sens si particulièrement chaleureux de la nature qui caractérise l'art italien.

◆ **Lochner,** Stephan (Meersburg vers 1410-Cologne 1451). Par son interprétation lyrique et persuasive des styles du gothique international, il se situe parmi les plus fins interprètes de la peinture allemande du XVe siècle.

◆ **Maître de Flémalle,** généralement identifié à un certain Robert Campin (actif entre 1410 et 1440 environ). L'absence totale

▼ *Rogier Van der Weyden,* Déposition de Croix, *vers 1435, musée du Prado, Madrid. Intensité dramatique, élégance graphique, équilibre de l'espace et des volumes, habileté descriptive sont sans doute les principales caractéristiques de la peinture de Van der Weyden, peut-être moins révolutionnaire que celle de Van Eyck, mais tout aussi capable d'atteindre la perfection.*

► *Maître de Flémalle,* Nativité, *vers 1425, musée des Beaux-Arts, Dijon. En dehors des bergers qui apparaissent à la fenêtre de la cabane, prototypes d'une longue série iconographique, d'autres détails sont remarquables : les anges portant des banderoles, la grille de roseaux qui laisse entrevoir le bœuf, la silhouette de dos d'une pieuse femme et, au centre, le merveilleux visage de Marie.*

sans limite d'un style qui cherche, au-delà de tout compromis, à rendre la réalité absolue, et la relativise en la situant dans la dimension espace-temps qui lui appartient, comme dans une coquille qui en garantit l'authenticité. De là provient la science de la construction de Rogier Van der Weyden, indéniablement influencé par Van Eyck, son goût pour les effets d'atmosphère, son art merveilleux de disposer chaque objet à sa place dans une atmosphère unique, comme dans l'*Adoration des bergers* de Berlin.
On peut alors se demander quels sont les précédents formels à la révolution de Van Eyck et de Van der Weyden, les racines d'une telle culture visuelle. Il faut évoquer une troisième figure remarquable de la région, un peintre plus âgé : le Maître de Flémalle, resté longtemps sous-estimé, et qu'il faut probablement identifier à Robert Campin. Son rapport avec

d'œuvres attestées a longtemps laissé dans l'ombre cette figure de premier plan de l'art flamand. Plus âgé que Van Eyck de presque une génération, le Maître de Flémalle a joué un rôle vraiment irremplaçable dans le passage controversé du gothique à la Renaissance, en proposant une conception plastique d'un concret inédit. Des œuvres comme la *Nativité* de Dijon (vers 1425), la *Vierge à l'écran d'osier* (vers 1430), le *Triptyque de Mérode (1430-1432)* séduisent par un mélange ineffable d'archaïsme monumental et de poésie résolument moderne.

◆ **Maître de Moulins** (actif dans la seconde moitié du XVe siècle). Il est le dernier grand peintre français à suivre la leçon des Flamands. Son activité est connue et elle est comprise entre deux chefs-d'œuvre : la *Nativité* d'Autun (1480) et le *Triptyque* de Moulins (entre 1498 et 1500).

◆ **Memling,** Hans (Seligenstadt 1435-1440-Bruges 1494). La synthèse opérée par Memling marque la fin de la première Renaissance aux Pays-Bas. Son œuvre oscille entre un goût archaïsant dérivé de celui de Van der Weyden et sa capacité à moderniser tous les schémas de provenances diverses. Cette capacité est particulièrement visible dans les admirables portraits des dernières années.

◆ **Schongauer,** Martin (Colmar 1453-Brisach 1491). Réputé comme excellent graveur, il est sans doute le plus intéressant peintre alsacien du XVe siècle.

3 LE XVe SIÈCLE NORDIQUE

Van Eyck est toujours l'objet de recherches controversées. Il est plus certain que Van der Weyden a été son élève. Campin, bien que de formation XIVe siècle, est un inventeur raffiné d'apparences plastiques, de spectacles fortement physiques, presque « tangibles », un remarquable portraitiste doué d'une étonnante intuition de l'espace. Il suffit d'observer la *Nativité* (vers 1425), au musée de Dijon : dans le détail des trois bergers qui apparaissent à la fenêtre de l'étable, on retrouve une grande partie de l'art nordique futur, une manière de concevoir le trait pictural qui aboutira à Bruegel... De même qu'on y décèle certains éléments de la « ligne » qui sera lombarde : de Foppa à Savoldo et même à Caravage.
Par son goût du monumental, le Maître de Flémalle est proche de Claus Sluter, le plus grand sculpteur français du XIVe siècle. Sluter est originaire de Dijon, mais, jusqu'en 1450, la Bourgogne et la Flandre constituent une réalité politique presque homogène. Il faut donc rechercher dans le duché de Bourgogne les ferments qui préparent la Renaissance nordique. C'est précisément au cœur de cette Europe que la tradition du gothique international atteint des sommets avec Melchior Broederlam, puis avec les frères Limbourg, auteurs d'un livre illustré plein de séduction, *Les Très Riches Heures du duc de Berry* (vers 1405). Le duc Jean de Berry, commettant de ce chef-d'œuvre de la miniature, est par ailleurs l'un des premiers collectionneurs au sens moderne du terme ; aussi est-il plus que probable qu'il a joué un rôle important dans la diffusion et le mélange des divers styles

◄ *Pol de Limbourg et frères, enluminure des* Très Riches Heures du duc de Berry, *vers 1413-1416, musée Condé, Chantilly. Le gothique international atteint parfois des sommets : le « livre d'heures » du duc Jean de Berry, où s'exprime, sous une forme fastueuse et mythique, toute la culture d'une époque, est sans conteste le plus beau manuscrit illustré jamais réalisé en Occident.*

Ses œuvres, qui seront fondamentales dans la formation d'Albrecht Dürer, conjuguent une habileté graphique raffinée et un riche sens des rythmes de la perspective et de l'espace.

◆ **Sluter,** Claus (Haarlem vers 1340-Dijon 1406). A une époque pauvre en sculpteurs qui soient plus que des artisans, l'artiste auteur de la décoration en marbre de la chartreuse de Champnol (1391-1395) se distingue par sa puissance expressive. Son exemple a été vraiment déterminant pour les débuts de la Renaissance flamande.

◆ **Van der Goes,** Hugo (Goes ? vers 1435-1440-Auderghem 1482). On sait qu'il a été scénographe et décorateur pour les villes de Bruges et de Gand. Entre 1475 et 1477, il peint un triptyque d'autel pour l'agent des Médicis à Bruges, Tommaso Portinari. Plusieurs autres œuvres lui sont attribuées avec certitude, mais, de toute façon, le langage du *Triptyque Portinari* témoigne à lui seul de la grandeur de l'artiste.

◆ **Van der Weyden,** Rogier (Tournai vers 1400-Bruxelles 1464). L'un des fondateurs de la Renaissance flamande, il constitue, avec Robert Campin (dont il fut l'élève) et Jan Van Eyck, un pôle d'une importance exceptionnelle dans l'art du XVe siècle. Sa production se caractérise par un réalisme de la description savamment allié à une émotion poétique et par une série de nouveautés iconographiques, qui auront d'amples conséquences. Citons, parmi ses œuvres les plus représentatives, la

▼ *Melchior Broederlam,* Fuite en Égypte, *détail, vers 1395, musée des Beaux-Arts, Dijon. Melchior Broederlam est une autre des personnalités mythiques de la période située entre le gothique et la Renaissance nordique. Sa technique délicate et intense a exercé une influence importante sur les artistes flamands et allemands.*

◄ *Stephan Lochner,* Vierge au buisson de roses, *vers 1440, Wallraf-Richartz Museum, Cologne. Le difficile équilibre réalisé entre la nouvelle conscience humaniste de la réalité et l'utilisation persistante de styles gothiques raffinés reflète la complexité du début du XVe siècle allemand.*

▼ *Claus Sluter,* Buste du Christ, *1396, Musée lapidaire, Dijon.*

européens. Il faut préciser que, avant 1420, les contacts entre peintres flamands, français et allemands ne sont pas connus de façon certaine ; pourtant, on décèle des analogies très ponctuelles laissant penser qu'il y eut des échanges de connaissances entre les artistes sous les différentes latitudes. Dans les pays de la zone germanique, par exemple, on ne peut faire abstraction de certaines personnalités exceptionnelles du Trecento si l'on veut découvrir les origines du langage nordique : le Maître Bertram, le Maître Theoderich, le Maître de Trebon et le Maître de Vyssi Brod. Plus tard seront actifs le Maître Francke, Konrad von Soest, Lukas Moser, Stephan Lochner et Konrad Witz. Ce dernier

Déposition de Croix du Prado (vers 1435), le triptyque du *Jugement dernier* (Beaune, vers 1445-1450) et le triptyque des *Sept Sacrements* (Anvers, vers 1459).

◆ **Van Eyck,** Jan (Maaseik ? vers 1390-Bruges 1441). Le « Masaccio des Flandres » entre en 1425 au service des ducs de Bourgogne. Entre 1428 et 1430, il se rend en Espagne et au Portugal, et en 1431, il s'établit à Bruges, où il restera jusqu'à sa mort. Le grand art de Van Eyck, de la *Vierge dans l'église* (1425) au polyptyque de *L'Agneau mystique* (1426-1432), jusqu'à la *Vierge du chanoine Van der Paele* (1436) et au *Triptyque* de Dresde (1437) se fonde sur une conception extrêmement originale du pouvoir mimétique de l'image, tirant profit d'une application parfaite de la perspective linéaire, d'une utilisation intense du clair-obscur et, surtout, d'une attention sans aucun précédent aux « microstructures » du visible.

◆ **Witz,** Konrad (Rottweil vers 1400-Bâle avant 1446). Il est l'auteur de plusieurs grands retables et panneaux. Sa culture, peut-être d'influence flamande, la précocité de son style renaissant en font un personnage de premier plan dans l'histoire de l'art allemand, s'opposant à Lochner par ses figures monumentales et par le refus de tout artifice esthétique.

◄ *Konrad Witz,* Annonciation, *vers 1434, Germanisches Nationalmuseum, Nuremberg. Dans ce tableau, Witz emploie avec une application tout à fait étonnante la perspective bifocale : le rapprochement de l'œil (point de vue) de la scène (objet vu) produit une courbure de l'espace qui se reflète sur les fentes du sol et les travées du plafond.*

se trouve dans la région subalpine vers 1430, et représente un autre exemple de peintre (incontestablement moins brillant) exploitant les exigences formelles de la Renaissance à l'époque de Masaccio. Son *Retable du Miroir du Salut,* dispersé dans les musées de Bâle, Dijon et Berlin, en est le meilleur exemple.
Un sens prononcé du monumental – une idée donc de l'espace comme de quelque chose qui doit être « agressé » par la figure humaine – était déjà présent chez les peintres de Bohême : les Maîtres Theoderich et Vyssi Brod... Ainsi, nous le retrouvons chez Konrad Witz et le Maître de Flémalle : aux trois sommets, donc, d'un triangle de mille kilomètres de côté ! Et tandis que Stephan Lochner cultive plutôt une « élégance graphique analogue aux styles italiens d'ascendance gothique (Stefano da Verona, Michelino da Besozzo), on distingue chez le Français Jean Fouquet la même adhésion à une conception nouvelle de la description de l'espace, un espace anthropocentrique. Mais ici, la leçon de Van Eyck est déjà assimilée. La peinture française du Quattrocento subit de façon persistante l'attrait des expériences de Bruges et de Gand, même si l'on fait abstraction des œuvres (nombreuses) exécutées en France, directement attribuables à des peintres flamands, comme l'*Annonciation* d'Aix-en-Provence. Un peintre de premier plan, comme le Maître de Moulins, pousse cette influence jusqu'aux dernières décennies du siècle, comme on peut le voir dans la *Nativité* d'Autun (vers 1480) ou le triptyque de la *Vierge en gloire* (1498) de la cathédrale de Moulins. Autant de preuves que l'envahissante « mode » italienne est alors presque entièrement ignorée.
Un parfait amalgame de styles, entre des suggestions grammaticales flamandes et une large syntaxe toscane, constitue en revanche l'originalité de Nicolas Froment, qui atteint, avec son triptyque du *Buisson ardent* (1475), un autre sommet de la peinture de l'époque.

◄ *Jean Fouquet,* Portrait de Charles VII, *vers 1450, Louvre, Paris. Point de rencontre idéal entre les peintures flamande et italienne, Jean Fouquet emprunte à la première le naturalisme plein de rudesse des détails, le réalisme de la lumière et de la matière, à la seconde la vigueur plastique, la sensibilité atmosphérique, toute la calme syntaxe de la composition.*

◄ *Maître de Moulins,* Nativité, *vers 1480, musée Rolin, Autun. Parmi les œuvres de jeunesse du maître anonyme de Moulins, actif en Bourgogne entre 1480 et 1500, il faut remarquer ce tableau aux superbes couleurs froides ; la composition est très moderne, avec le plan d'intersection très proche du sujet principal de la scène.*

L'ouvrage a été commandé par René d'Anjou pour la cathédrale d'Aix-en-Provence, où il se trouve encore aujourd'hui. La scène principale montre l'interprétation religieuse de l'épisode de la Bible : Moïse est enlevé dans la vision d'un buisson en flammes, au centre duquel apparaît la Vierge avec l'Enfant. Nombreux sont les éléments « italiens » : la douceur du paysage, l'ample souffle de la composition, la conception générale de la scène. Cependant, l'ensemble des choix iconographiques de même que l'utilisation symbolique de la perspective (la Vierge est aussi grande que Moïse et l'ange qui se trouvent au premier plan) déplacent l'accent vers cette expression fantastique et onirique, incomparable, qui constitue la prérogative de l'art nordique. Sans doute par sa puissance plastique (évidente, par exemple, dans l'*Annonciation* de Witz vers 1434), et surtout par son impérieuse spiritualité, cette peinture exerce souvent une fascination comparable à celle des expériences surréalistes, fantasmagoriques ou visionnaires. D'un style proche de Froment, Enguerrand Charonton est l'auteur d'un incroyable tableau mystique, le *Couronnement de la Vierge* (1453-1454), où la Trinité est représentée à travers l'image tout à fait spéculaire du Père et du Fils, identiques et opposés. Est également attribuée à Charonton la célèbre *Pietà d'Avignon,* aujourd'hui au Louvre. Mais ce mélange de styles mentionné plus haut est un phénomène existant en Italie après 1470. Davantage que Hugo Van der Goes (qui peint en 1475-1477 le *Triptyque Portinari* pour un agent des Médicis à Bruges), Hans Memling peut constituer pour les Italiens le point d'appui pour la fusion des « deux Renaissances ». Antonello de Messine, en effet, en tiendra compte, de même que Giovanni Bellini et les Vénitiens suivants. Déjà, l'œuvre de Memling n'est plus qu'un effort de synthèse prolongé, une tentative d'assimilation de la diffi-

◄ *Nicolas Froment,* Le Buisson ardent, *1475, cathédrale Saint-Sauveur, Aix-en-Provence. Selon la Bible, Moïse eut un jour la vision d'un buisson ardent, parfois interprétée comme un signe prophétique du Christ. Le tableau de Froment traduit à la lettre l'image, place la Vierge et l'Enfant au centre du buisson, transforme la scène en « conversation sacrée », où la perspective est le moteur ambigu d'hallucinations mystiques.*

▼ *Enguerrand Charonton,* Pietà d'Avignon, *vers 1450, Louvre, Paris.*

3 LE XVe SIÈCLE NORDIQUE

▼ *Hans Memling,* L'Adoration des mages *(panneau d'un polyptyque), vers 1480, musée du Prado, Madrid. Dans ce panneau central, qui présente la scène de l'adoration horizontalement devant le spectateur, l'influence des compositions de Van der Weyden, auquel Memling doit aussi beaucoup en matière de description précise des personnages, est évidente.*

cile leçon de Van Eyck et de fidélité obstinée aux diverses techniques et idéologies de la peinture de Van der Weyden, son maître direct. Il se propose donc comme exemple global de l'art flamand. Ses portraits constituent le meilleur de son œuvre, précisément parce qu'ils réunissent en un équilibre complexe toutes les composantes de cette culture. Le réalisme de la description y est toujours atténué par la continuité de tons que diffuse la lumière, et surtout par les mélanges de couleurs choisis en fonction de l'autonomie esthétique du tableau. L'artiste se concentre sur l'analyse psychologique, qui correspond à la vérité profane du thème traité ; mais il témoigne également d'une forte veine métaphysique, par exemple dans la *Résurrection* de Lübeck, caractérisée par un coucher de soleil hallucinant et invraisemblable, gelé et abstrait, qui n'en est pas moins magnifique. De manière générale, du moins après 1450, les idées venant des Pays-Bas trouvent en Europe un écho plus grand que les nouveautés italiennes. Dirck Bouts, Petrus Christus, Juste de Gand et Gérard David propagent un peu partout la leçon de Van Eyck. Dans la péninsule Ibérique naît une école qui s'exprime dans un dialecte hybride hispano-flamand. En Alsace, précédant les drames bouleversants de Grünewald, la scène est en revanche dominée par un acteur aux manières très aristocratiques, Martin Schongauer. Son chef-d'œuvre, *La Vierge au buisson de roses,* pour l'église Saint-Martin de Colmar, date de 1473. La merveilleuse image de la jeune mère aux longues boucles dorées, drapée de rouge, dans un jardin paradisiaque au milieu de papillons, semble inconsciente du choix qui tombe (littéralement) sur sa tête : cette responsabilité prend la forme d'une couronne que deux anges, presque badins, imposent d'en haut. Dans l'intelligence suprême de cette métaphore (qui renverse subtilement la « lettre » du dogme) est résumée toute la dignité d'une situation artistique trop souvent accusée d'arriération et de paresse culturelle. ■

► *Martin Schongauer,* La Vierge au buisson de roses, *1473, église Saint-Martin, Colmar. Le thème de l'« hortus conclusus » (jardin paradisiaque) est l'équivalent nordique de la « conversation sacrée » italienne. Schongauer décrit un espace imaginaire et symbolique, séparé de la réalité et rappelant vaguement l'Éden chrétien, où le mystère de l'Incarnation divine est le plus souvent reconstitué comme dans une dimension onirique.*

Lukas Moser, Retable de sainte Madeleine, *détail, 1431, Pfarrkirche, Tiefenbronn.*

Dans ce grand tabernacle, chef-d'œuvre de Lukas Moser, la division du support n'empêche pas l'existence d'un espace unitaire renaissant, qui est défini par la perspective et lisible lorsque les volets du retable sont fermés.

Rogier Van der Weyden, Sainte Madeleine, *vers 1452, Paris.*

Œuvre moderne, d'une profonde maturité, ce « portrait de jeune femme aux habits « quattrocento » compte parmi les objets les plus admirables qui nous soient jamais parvenus du XVe siècle. La pénétrante description psychologique de la jeune fille, plus encore que l'attribut iconographique du vase dans ses mains, permet de reconnaître le thème religieux.

Michael Pacher, Saint Augustin et saint Grégoire le Grand, *1482-1483, Alte Pinakothek, Munich.*

Le Retable des pères de l'Église, *dont ce panneau fait partie, a été peint pour la collégiale de Neustift peu après le* Retable de saint Wolfgang, *dans l'église du même nom, à Mondsee. Dans les deux cas, Pacher applique avec une suprême habileté la perspective italienne au goût nordique par l'extrême élégance graphique et chromatique « d'une autre définition ».*

Concile de Pise	Couronnement de Charles VII Concile de Bâle	Règne des Habsbourg en Allemagne Fin de la guerre de Cent Ans	Mariage de Ferdinand d'Aragon et d'Isabelle de Castille	Charles VIII roi de France Fin de la guerre des Deux-Roses	Charles VIII envahit l'Italie Ligue de Cambrai contre Venise
K. von Eichstatt : *Bellifortis*	Cabral découvre les Açores		Regiomontanus imprime l'*Almageste* de Ptolémée	N. Chuquet : *Triparty en la science des nombres*	N. Waldseemüller : *Introduction à la cosmographie*
G. Dufay chantre à Cambrai		S. Ockeghem à Paris	J. Des Prés à Milan	J. Obrecht maître de chapelle à Utrecht, Bruges et Anvers	J. Des Prés à Ferrare puis en France
Vergerio : *De ingenuis moribus et liberalibus studiis*	A. Chartier : *La Belle Dame sans merci*	N. de Cues : *De docta ignorantia*	F. Villon : *Le Grand Testament*	J. Lefèvre d'Étaples : *Introduction à la métaphysique d'Aristote*	Érasme : *Enchiridion militis christiani* S. Brant : *La Nef des fous*
	J. Van Eyck au service du duc de Bourgogne		Pierro della Francesca à la cour d'Este		
Frères Limbourg : *Les Très Riches Heures du duc de Berry*	**Maître de Flémalle :** *Triptyque de Mérode* **J. Van Eyck :** *Polyptyque de l'Agneau mystique*	**R. Van der Weyden :** *Triptyque des sept sacrements* King's College Chapel à Cambridge **L. Ghiberti :** *Porte du Paradis* du baptistère de Florence	**Fouquet :** *Diptyque de Melun* Bourse d'Anvers	**H. Memling :** *Mariage mystique de sainte Catherine* **Juste de Gand :** *La Communion des apôtres* **H. Van der Goes** *Triptyque Portinari*	**A. Dürer :** *Adoration des mages* **Maître de Moulins :** *Vierge en gloire* **C. Sluter :** Chartreuse de Champnol
1400-1418	1419-1436	1437-1454	1455-1472	1473-1490	1491-1508

Piero della Francesca, Annonciation, *vers 1455, église San Francesco,* Arezzo. *Parmi l'ensemble de fresques d'Arezzo inspirées de la* Légende dorée *de Jacques de Voragine, l'Annonciation est le pivot thématique entre l'histoire précédant et succédant à la légende de la « vraie croix ». La première partie du cycle rapporte les origines du bois sacré, tandis que la seconde raconte les aventures relatives à la découverte de la croix. C'est entre les deux que se situe justement cette seule évocation du sacrifice du Christ, symbolisée par l'Annonciation. Piero della Francesca souligne donc l'importance de cet épisode par une facture élémentaire mais qui se révèle très puissante, basée sur une distribution en quatre de l'espace, tout à fait inhabituelle dans la représentation contemporaine de ce thème.*

4 L'ART DE LA PERSPECTIVE

La deuxième innovation capitale de la Renaissance italienne coïncide avec l'apparition de Piero della Francesca, un des artistes les plus complets et les plus fascinants du Quattrocento. L'impulsion novatrice de sa peinture se diffuse tout d'abord en Ombrie (vers le milieu du siècle), puis en Toscane et dans les Marches, avant d'atteindre progressivement toute la péninsule. C'est grâce à son influence que sera partout admise la *codification* du système de la perspective : de moyen technique, issu de l'intuition imitative, il se fait élaboration scientifique rigoureuse, devenant la « méthode » par excellence, c'est-à-dire le langage de base de la culture plastique occidentale, jusqu'à l'avènement du cubisme et autres avant-gardes. En effet, les règles principales que Piero della Francesca applique dans ses œuvres sont exactement celles sur lesquelles se fondera, quelques siècles plus tard, la photographie : vision monoculaire, immobilité du spectateur, statisme de l'objet observé, centrage du point focal dans le champ visuel, distribution perpendiculaire du plan de représentation par rapport à l'axe visuel (c'est-à-dire par rapport à la ligne qui relie le spectateur à l'objet représenté). Pourtant, Piero della Francesca est davantage un excellent utilisateur de ce moyen qu'un pionnier dans son élaboration. Alors qu'il réalise, entre 1445 et 1465, le

▲ *Piero della Francesca,* La Flagellation du Christ, *vers 1455, Galerie nationale des Marches, Urbino.*

◄ *Piero della Francesca,* Retable de Brera, *1472-1474, pinacothèque de Brera, Milan. Achevé par un élève, ce retable est une des œuvres les plus intéressantes du peintre de Borgo San Sepolcro. On peut remarquer le symbole néoplatonicien de la coquille (Marie, la mer, la mère, la naissance), d'où descend l'œuf mystique (le Christ, l'origine, l'univers).*

Baptême du Christ (National Gallery, Londres) et le *Polyptyque de la Miséricorde* de Borgo San Sepolcro, plus de vingt années se sont déjà écoulées depuis les premières expériences de Brunelleschi et de Paolo Uccello à Florence, et, surtout, le texte de Leon Battista Alberti, *De pictura* (1435), est déjà célèbre. L'axiome auquel se tient scrupuleusement Piero della Francesca (auteur d'un traité fondamental, *De prospectiva pingendi*) est que la construction de l'espace ne peut finalement s'établir qu'à partir de lignes disposées selon trois possibilités : parallèles à la base du tableau, parallèles à sa hauteur, convergentes vers le « point de fuite ».

La Flagellation du Christ d'Urbino, réalisée vers 1455, illustre bien cette disposition rationnelle et en constitue presque le manifeste théorique. L'environnement architectural permet à l'artiste d'encadrer la scène dans une véritable « chambre optique » subdivisée en parallélépipèdes qui s'« échelonnent » avec une précision millimétrique. Les lignes de profondeur se regroupent toutes en un point crucial sur lequel est attiré le regard (juste au centre de l'œuvre, à gauche du flagellateur), et tout est scandé en fonction de valeurs mathématiques établies a priori. La colonnade, par exemple, divise l'espace en deux parties rythmées suivant la *section d'or* (que Luca Pacioli nommera « divine proportion » : le tout est à la plus grande partie ce que celle-ci est à la plus petite), considérée par Piero della Francesca comme garantie de la beauté harmonieuse. Il est d'ailleurs significatif que l'environnement soit de type classique, la découverte de l'harmonie des proportions géométriques remontant aux antiques et faisant, pour cette raison, autorité.

◄ *Maître des panneaux Barberini,* La Présentation de la Vierge au Temple, *vers 1470, musée des Beaux-Arts, Boston. Produits typiques de la culture de l'Italie centrale influencée par Piero della Francesca, les panneaux Barberini, aujourd'hui conservés dans des musées américains, présentent des décors inspirés de l'architecture d'Alberti, rendus avec une perspective très rigoureuse, entre des festons, renaissance, des bas-reliefs et d'autres éléments décoratifs.*

La rigidité de cette vision scientifique est toutefois modérée par la force unifiante de la lumière que l'artiste utilise comme élément actif, capable de donner vie aux formes presque abstraites de ses compositions. Cette conception (qui vient sans doute de son premier maître, Domenico Veneziano, artiste dont on ignore toujours les origines) est définie par Roberto Longhi comme « règle solaire exacte »,

LES PROTAGONISTES

◆ **Antonello de Messine,** Antonello di Antonio, dit (Messine vers 1430-1479). Il se forme dans l'atelier de Colantonio à Naples, où il découvre alors la peinture flamande. La connaissance de della Francesca lui permet cette synthèse du vérisme nordique et de l'espace italien qui caractérise son œuvre : de *Saint-Jérôme dans son cabinet de travail* jusqu'à la *Vierge de l'Annonciation* du musée de Palerme, du *Polyptyque de saint Grégoire* au *Retable de San Cassiano* ou à la *Crucifixion* d'Anvers.

◆ **Bellini,** Giovanni (Venise vers 1430-1516). D'une famille de peintres (son père Jacopo et son demi-frère Gentile sont connus), il subit l'influence de son beau-frère, Andrea Mantegna. Puis, à partir de 1470, il élabore un langage personnel, fondé sur la perspective et un chromatisme très inspirés de Piero della Francesca et d'Antonello de Messine. Enfin, grâce à la présence de ses successeurs, il réussit à se renouveler et à acquérir une très intéressante dimension du XVIe siècle.

◆ **Botticelli,** Sandro di Mariano Filipepi, dit (Florence 1445-1510). Inspiré formellement de Filippo Lippi, le style de Botticelli est idéologiquement sans aucun antécédent. Il se nourrit des conceptions esthétiques s'épanouissant dans le cercle néoplatonicien éclairé de Laurent le Magnifique, et relève bien davantage du symbolisme allégorique, tendant à l'abstraction, du « monde des idées », plutôt qu'à la simple description de la nature elle-même.

▼ *Ercole de' Roberti,* « Pala » Portuense, *1481, pinacothèque de Brera, Milan. Autre illustration remarquable de la « conversation sacrée », quelques années après le* Retable de Brera *de Piero della Francesca. Dans cette œuvre du Ferrarais Ercole de' Roberti, le détail le plus surprenant est le paysage fuyant entre les colonnettes qui soutiennent le trône.*

▼ *Francesco del Cossa,* L'Émondage, *détail du mois de* Mars, *vers 1470, palais Schifanoia, Ferrare. Des fresques de la salle des Mois du palais Schifanoia, la plus haute expression de la Renaissance dans la plaine du Pô, émergent d'authentiques tranches de vie, qui, à travers les siècles, s'offrent à notre conscience historique.*

exprimant ainsi l'extraordinaire combinaison de la précision, de la perspective et de la richesse des valeurs tonales, c'est-à-dire des rapports entre ombre et lumière. Pour Longhi, le rythme solennel et cérémonieux qui émane d'œuvres comme la *Résurrection*, la *Vierge de l'Espérance*, le *Retable de Brera*, n'est que l'inévitable effet de l'approche mathématique avec laquelle Piero della Francesca affronte le problème du visible. Ainsi, l'*Annonciation*, dans le cycle de l'*Histoire de la vraie Croix*, à San Francisco d'Arezzo, est fondée sur quatre rectangles égaux, obtenus par la disposition particulière du cadre architectural. Chaque figure (la Vierge, l'ange, Dieu le Père) occupe sa propre portion de la scène et y campe telle une statue. La froideur d'un regard immobile, l'instantané – en quelque sorte – qui capte le geste et le consume, la lumière qui enveloppe les éléments comme dans une gaine, tout

◆ **Carpaccio,** Vittore (Venise vers 1465-1525). Bien que se situant en grande partie dans le cours du XVIe siècle, la peinture de Carpaccio constitue l'extrême maturité du style vénitien du Quattrocento. Outre Giovanni et Gentile Bellini, ses modèles sont les peintres ferrarais et Antonello de Messine. Sont à signaler l'*Histoire de sainte Ursule* (1490-1496) et le cycle de *San Giorgio degli Schiavoni* (1501-1507).

◆ **Cima da Conegliano,** Giovanni Battista, dit (Conegliano vers 1459 - vers 1517). Sa peinture mêle des motifs de Bellini et d'Antonello de Messine, comme de Bartolomeo Montagna et d'Alvise Vivarini. Son œuvre est souvent d'une qualité lyrique et technique des plus élevées.

◆ **Cossa,** Francesco del (Ferrare vers 1436 - vers 1478). Continuateur de Cosme Tura, un peu plus jeune que ce dernier, il y greffe l'espace et l'ample respiration lumineuse de Piero della Francesca. Son génie s'impose dans les trois compartiments printaniers du cycle des *Mois* du palais Schifanoia (vers 1470). Il travaille plus tard à Bologne, avec Ercole de' Roberti.

◆ **Laurana,** Luciano (Zara vers 1420 - Pesaro 1479). Il est à Mantoue en 1465, où il étudie les édifices d'Alberti. L'année suivante, Federico di Montefeltro l'appelle à Urbino pour l'agrandissement du Palais ducal. Là, il entre en contact avec Piero della Francesca, dont l'apport est également visible dans la sculpture de son frère, Francesco Laurana.

concourt à bloquer l'image et à lui donner une dimension abstraite, de vie retenue, d'immortalité. Mais, ici, la méthode révèle aussi sa valeur symbolique : l'événement de l'incarnation, ratifié par la position « en giron » des mains de Dieu, représente une *stase* dans le cours de l'histoire, l'inexorable césure entre un avant et un après, l'abolition du temps comme continuité et progression. L'artiste est d'ailleurs explicite : la perspective est pour lui le reflet de l'harmonie qui régit le créé, elle est le produit d'une rationalité supérieure et divine qui consacre l'accord parfait entre l'homme et la nature.

L'exemple de Piero della Francesca porte presque immédiatement ses fruits : en Ombrie, la *Vie de Saint Bernardin* du jeune Pérugin ; à Florence, les suggestifs et mystérieux panneaux *Barberini*, les œuvres tardives d'Andrea del Castagno et celles de Giovanni di Francesco ; dans les Marches, les tableaux de Girolamo et de Giovanni de Camerino. Mais ce n'est pas sur une courte distance que doit en être mesurée la portée. Rapidement, les régions les plus lointaines en sont enrichies, ce qui montre toute sa capacité de persuasion. A Ferrare, la sensibilité déjà « Renaissance » de Cosme Tura se conjugue avec la sagesse « architecturale » de Piero della Francesca (qui séjourne à la cour d'Este vers 1450), pour donner naissance au grand art de Francesco del Cossa et, plus tard, d'Ercole de' Roberti. Les fresques des *Mois* du palais Schifanoia, réalisées en 1469-1470, sont l'une des plus hautes expressions de la culture de la Renaissance, pas seulement du point de vue pictural, car la base philosophique qui les sous-tend institue une sorte de « somme » des connaissances de l'époque. Les compartiments relatifs aux

La théorie de la perspective

*Léonard de Vinci, étude de perspective pour l'*Adoration des Mages, *1480, Offices, Cabinet des dessins et des estampes, Florence. Dans* De pictura *(1435), Leon Battista Alberti explique : « Là où je dois peindre, j'inscris un rectangle aussi grand que je veux, censé être une fenêtre ouverte par laquelle j'observe ce qui y sera peint. » L'artifice pictural consiste donc à créer sur une surface opaque l'illusion d'un lieu à trois dimensions qui rende très symboliquement cette surface transparente, en l'assimilant à une « fenêtre ouverte ». Cette définition fait de la projection géométrique la condition de la « vérité » du tableau, et elle est étroitement liée aux sept types de mouvement répertoriés dans le même traité : « Toute chose qui se déplace depuis un lieu peut prendre sept directions : vers le haut (un) ; vers le bas (deux) ; vers la droite (trois) ; vers la gauche (quatre) ; en profondeur, se déplaçant d'ici, ou d'ici venant là ; la septième effectuant un mouvement circulaire. Ce sont là tous les mouvements que je désire reproduire en peinture. »*

◆ **Lippi,** Filippino (Prato 1457 - Florence 1504). Il reprend de son père, Filippo, des aspects thématiques qui, dans plus d'un cas, le rapprochent de Botticelli. Ses œuvres évitent cependant la préciosité et la cérébralité de celles de Botticelli, offrant une expressivité formelle plus directe.

◆ **Piero della Francesca** (Borgo San Sepolcro vers 1416-1492). En 1439, il étudie à Florence auprès de Domenico Veneziano, mais il a également pour grandes références culturelles Masaccio, Fra Angelico et Leon Battista Alberti. Les idées de ce dernier le conduiront à la perfection géométrique de *La Flagellation du Christ.* Vers 1450, il est à Ferrare, puis il travaille à Urbino pour Federico di Montefeltro. Son œuvre maîtresse est le cycle de fresques de l'*Histoire de la vraie Croix*, qu'il exécute en l'église San Francesco d'Arezzo. Après le *Retable de Brera* (1472-1474), il abandonne la peinture pour se consacrer entièrement aux seules études de théorie artistique et mathématique, souvent en collaboration avec le savant Luca Pacioli.

◆ **Piero di Cosimo,** Piero di Lorenzo, dit (Florence 1461-1521). Les origines et l'activité de ce peintre aux

◄ *Giovanni Bellini,* Retable de San Giobbe, *1487, galerie de l'Académie, Venise. Anciennement dans l'église San Giobbe de Venise.*

mois de *Mars* et *Avril*, exécutés par Cossa, nous offrent un panorama unique de la vie dans la société italienne du Quattrocento : du travail des ouvriers et des agriculteurs (tissage, émondage...) aux divertissements oisifs de l'aristocratie de cour, des fêtes sur la place publique (la célèbre course du *palio*), aux réunions galantes dans de splendides jardins. L'ensemble a des significations occultes qui renvoient aux cycles de la terre et, donc, à des interprétations astrologiques et ésotériques. Cossa superpose son répertoire stylistique personnel, fait de rigueur linéaire et d'émaux cristallins, à l'artifice de Piero della Francesca, en en retenant surtout l'aspect de « machine optique » universelle. A travers cette lentille, foyer diurne de la raison, regarde également le « visionnaire » Ercole de' Roberti, très jeune et génial auteur, à Schifanoia, du mois de *Septembre* et, plus tard, d'œuvres fascinantes comme la *Pala Portuense* (1481) et la *Pietà* de Liverpool (1482). Le modèle de la « conversation sacrée » (Vierge sur un trône au centre, les saints disposés symétriquement à ses côtés) se répand

---

inventions épiques très suggestives sont mal connues. Pour l'originalité des thèmes et pour le style, nous citerons les deux séries de grands tableaux « archéologiques » des *Légendes de l'humanité primitive* (1490-1495) et des *Mésaventures de Silène* (1499-1515).

◆ **Roberti,** Ercole de' (Ferrare vers 1450-1496). Formé à partir des œuvres de Tura et de Cossa, il participe en 1470 à la décoration à fresques du palais Schifanoia (mois de *Septembre*). Il travaille ensuite à Bologne et exécute en 1481 la « *Pala* » *Portuense* à Ravenne ; c'est le fruit d'une synthèse des expériences ferraraise, vénitienne et de l'enseignement de Piero della Francesca.

◆ **Rossellino,** Bernardo (Settignano 1409 - Florence 1464). Disciple d'Alberti et frère du sculpteur Antonio, son nom est lié aux travaux d'urbanisme de la ville de Pienza, entrepris en 1459 sur une décision du pape Pie II.

◆ **Verrocchio,** Andrea di Francesco di Cione, dit (Florence 1435 - Venise 1488). Orfèvre et sculpteur aux intérêts multiples, il dirige un atelier florissant à l'époque de Laurent le Magnifique. Parmi ses élèves les plus célèbres figurent Pérugin, Lorenzo di Credi et Léonard de Vinci.

▼ *Antonello de Messine,* Retable de San Cassiano, *1476, Kunsthistorisches Museum, Vienne. Partie centrale d'une œuvre, aujourd'hui hélas incomplète, exécutée pour l'église San Cassiano de Venise.*

▼ *Vittore Carpaccio,* Saint ▼ Georges combattant le dragon, *vers 1507, église San Giorgio degli Schiavoni, Venise.*

dans la seconde moitié du Quattrocento comme un des schémas de composition les plus fréquents, se prêtant très bien à un retable d'autel. Cette nouvelle possibilité de relier les différents personnages par la perspective permet, en effet, de s'affranchir du polyptyque d'origine gothique, dont est conservée la disposition symétrique, mais non la séparation des parties. Les exceptions ne manquent pas (l'évolution du style et de l'esprit d'un peintre comme Carlo Crivelli, tendant à raisonner en termes « néogo-

thiques » jusqu'aux dernières années du siècle, en témoigne), mais on peut dire qu'à partir de Piero della Francesca, le premier but de l'art italien est la conquête d'un espace homogène, où chaque élément (figure humaine, objet, édifice, paysage) est amalgamé dans le creuset d'une cohérence linguistique fondée sur l'univocité de la lumière et la vérité radicale du point de fuite. En Vénétie, avec Giovanni Bellini sont atteints les plus importants résultats de cette réforme : Bellini rencontre Piero della Francesca probablement vers 1471, lorsqu'il peint le *Couronnement de la Vierge*, aujourd'hui au musée de Pesaro. Le goût classique, rigide et anguleux de Mantegna que Bellini avait accueilli avec beaucoup de réserves est désormais un souvenir lointain, et sa peinture devient cette heureuse fusion atmosphérique et tonale qui caractérise les « conversations sacrées » de sa période de maturité, comme le *Retable de San Giobbe* (1487) et le *Retable de San Zaccaria* (1505). Mais l'autre rencontre fondamentale, dans la vie de cet artiste aussi original que réceptif, survient en 1476, lorsque Antonello de Messine exécute, pour l'église San Cassiano, le *Retable de San Cassiano*, fruit merveilleux de l'alliance entre la géométrie de Piero della Francesca et le vérisme atmosphérique des Flamands, dont Antonello avait approfondi la leçon en Sicile et à Naples (où ils étaient déjà connus et appréciés). Pour la première fois, ce tableau présente le

▼ *Luciano Laurana, Palais ducal, 1466-1472, Urbino. On peut avec certitude attribuer à Laurana la façade encadrée des deux tourelles avec la loge de marbre sur trois niveaux.*

▼ *Bernardo Rossellino,* ▼ *vue de la place de Pienza, avec le dôme et le palais Piccolomini. Lorsque le pape Pie II décide de faire aménager son village natal par un grand architecte, il donne alors vie à l'une des utopies les plus significatives de la Renaissance : la cité comme prolongement rationnel de l'individu.*

▼ *Melozzo da Forli, coupole de la sacristie de Saint-Marc, 1477, basilique de Santa Casa, Lorette. Sa décoration anticipe de sept années celle de la chapelle du Trésor de cette basilique, de quarante-cinq ans les ouvrages de Corrège à Parme et de deux siècles les plafonds baroques des églises de Rome.*

schéma triangulaire de la conversation sacrée, obtenu par l'élévation sur le trône de la figure de la Vierge. Mais, surtout, il met en valeur des nuances homogènes et « nourries », élaborées à partir d'accords précis de tons, comme déjà dans la *Vierge de l'Annonciation* de Palerme ou l'*Autoportrait* de Londres. Ces accords semblent tenir compte de l'épaisseur de l'air et traitent la lumière comme un fluide physique concret, circulant autour des objets.

Filtrées par le chromatisme de Bellini, les innovations d'Antonello se projettent sur l'œuvre des Vénitiens suivants, parmi lesquels se détachent Vittore Carpaccio, Cima da Conegliano, Bartolomeo Montagna. Giorgione tirera les conséquences ultimes de la conjonction de Bellini et d'Antonello. Parallèlement à la lignée vénitienne qui se poursuit jusqu'à Titien et à Lotto, il convient de suivre, même brièvement, celle que Piero della Francesca fonde à Urbino, à la cour de Federico di Montefeltro. C'est là qu'à partir de 1466, Luciano Laurana travaille à l'ensemble prodigieux du Palais ducal, avant d'être remplacé à partir de 1477 par

Francesco di Giorgio Martini. L'influence de Piero della Francesca sur ces deux architectes (héritiers d'Alberti) est évidente, comme elle l'est sur le travail de Bernardo Rossellino à Pienza, ville que le pape humaniste Pie II décide d'aménager à partir de 1459. Luca Signorelli et Melozzo da Forli se sont également inspirés, mais avec une sensibilité différente, des théories et des œuvres du peintre de Borgo San Sepolcro. Comme Pérugin, Signorelli ne s'insère que partiellement parmi les successeurs de Piero della Francesca. Melozzo, au contraire, est son élève direct à Urbino ; en 1477, il inaugure la perspective « de bas en haut » dans la coupole de la sacristie de San Marco, à Lorette qui – avec les faux balcons de la *Chambre des époux*, peinte par Mantegna à Mantoue quatre ans auparavant sera une référence essentielle pour Corrège et les décorateurs de plafonds des siècles suivants.

▼ *Andrea Verrocchio,* Le Christ et saint Thomas, *vers 1483, Orsanmichele, Florence. Goût classique et grande puissance plastique sont adoucis, dans la sculpture de Verrocchio, par la fidélité au linéarisme traditionnel florentin. La présence de la « règle solaire exacte » de Piero della Francesca est ici flagrante.*

En sculpture, la règle d'or de la perspective pénètre de façon plus restreinte. Elle est visible dans les portraits de Francesco Laurana (frère de Luciano) et en partie dans les décorations en marbre de l'oratoire de San Bernardino à Pérouse (1457-1461), sculpté par Agostino di Duccio. Andrea Verrocchio, héritier direct de Donatello, en tient compte lorsqu'il exécute des sculptures en ronde bosse. Il est vrai, cependant, qu'il existe à Florence un puissant pôle réfractaire, ou en tout cas assez étranger à ces influences. Ce pôle tourne autour du néoplatonisme de Marsile Ficin et Pic de la Mirandole, dont le cercle (constitué de philosophes, d'artistes et de lettrés) jouit de la généreuse protection de Laurent de Médicis, lui-même poète et homme de grand savoir. En peinture, ce nœud culturel, résolument hostile au naturalisme, atteint des sommets avec l'œuvre de Sandro Botticelli. La tension mystique que Ficin dissimule sous un projet de relecture des textes antiques se manifeste, dans l'œuvre de Botticelli, comme la récupération de l'iconographie classique païenne, donnant lieu à des allégories très complexes : le *Printemps* (vers 1478), *La Naissance de*

◄ *Sandro Botticelli,* La Naissance de Vénus, *1482, Offices, Florence. Exemple fascinant de la récupération par la Renaissance de thèmes païens, cette œuvre célébrissime souligne l'utilisation allégorique (et donc chrétienne) que le néoplatonisme florentin en propose.*

▼ *Filippino Lippi,* Vierge et l'Enfant Jésus, adorés par saint Jérôme et saint Dominique, *National Gallery, Londres. Les œuvres de Filippino Lippi, Botticelli et Piero di Cosimo sont la démonstration que la peinture florentine suit alors une sorte de « ligne individuelle », étrangère à l'agencement philosophique de Piero della Francesca.*

▼ *Sandro Botticelli,* Nativité, *1501, National Gallery, Londres. Le style antinaturaliste, la présence symbolique des différentes cohortes d'anges, l'inversion très provocante de la perspective font de cette œuvre une remarquable proposition d'art néo-médiéval, due à l'intérêt de Botticelli pour le spirituel, le symbole et l'abstrait.*

▼ *Piero di Cosimo,* La Chasse primitive, *vers 1490, Metropolitan Museum of Art, New York. Sans doute inspirées de Vitruve, les « légendes de l'humanité primitive » fascinent alors l'esprit tortueux et imaginatif de l'artiste.*

Vénus (1482). S'il lui est possible de montrer un nu féminin sans le placer dans une vision infernale ou le condamner comme objet de luxure, c'est justement parce que, derrière l'ambivalence des significations typiques de l'allégorie néoplatonicienne, s'impose avant tout le symbole de l'âme purifiée sortant des eaux du baptême. Dans la partie de la première Renaissance de Donatello et de Masaccio, une tradition « interne » très forte fait obstacle aux conceptions plus récentes. Ainsi, alors que l'enseignement de Piero della Francesca se répand dans toute la plaine du Pô et atteint la France, avec Nicolas Froment, et l'Allemagne, avec Michael Pacher, à Florence, le parcours de l'art tourne autour des pierres miliaires constituées par Filippino Lippi, Sandro Botticelli, Domenico Ghirlandaio, Antonio Pollaiuolo et Andrea Verrocchio, jusqu'aux œuvres de jeunesse de Léonard de Vinci. La conception selon laquelle le dessin est l'élément clef de la composi-

▼ *Antonio Pollaiuolo,* Hercule et Antée, *1465, Offices, Florence. Ce tableau minuscule (16 × 9 cm) est lié, d'une part, à un cycle perdu sur les travaux d'Hercule, que l'artiste réalisa vers 1470 pour Pierre de Médicis, d'autre part, au groupe de bronze préparatoire, contemporain et homonyme, conservé au musée du Bargello.*

tion, et la couleur seulement une donnée supplémentaire, est un peu plus qu'un schéma simpliste pour expliquer le développement de l'art toscan. L'attrait pour la virtuosité graphique amène Ghirlandaio à une peinture purement décorative. Filippino Lippi, en revanche, parvient à des exaspérations de la forme qui transgressent volontairement le sentiment des proportions justes, anticipant les folies du maniérisme de Pontormo et de Bronzino : par exemple, dans l'*Apparition de la Vierge à saint Bernard*, de 1485-1486, où l'allongement des figures principales rappelle celui des tableaux presque monochromes de Pollaiuolo (l'*Enlèvement de Déjanire*, vers 1470). Avec ce dernier, nous sommes aux antipodes de la « règle solaire exacte » : les personnages luttent dramatiquement contre un espace qui leur semble étranger, incapable de les contenir. La tension de la ligne courbe ou brisée (rythmique, mais d'un rythme résolument syncopé) élimine tout motif de pacification mesurée de la surface peinte. Et l'on comprend alors comment il est possible qu'à Florence un artiste techniquement irréprochable comme Botticelli en arrive à rejeter les règles de la perspective dans sa *Nativité* de 1501.

Le climat qui règne en Toscane au début du XVIe siècle est assez confus. On s'y livre, dans le même temps, à des expériences presque réactionnaires et à des réalisations résolument « modernes », comme la formidable synthèse qu'accomplit Léonard de Vinci dans le domaine du savoir humaniste. C'est dans ce climat qu'apparaît la figure tourmentée de Piero di Cosimo, « génie abstrait et difforme », selon Giorgio Vasari. Son œuvre oscille entre la manière de Filippino Lippi (au moins dans ses premières réalisations) et le culte botticellien de l'allégorie mythologique. Par rapport à Botticelli, cependant, Piero di Cosimo met en avant une problématique essentielle, une sorte de négation dans le jugement lorsqu'il interprète le texte classique. Il rejette l'enseignement serein et positif des maîtres des générations précédentes et souligne plutôt les aspects obscurs et dramatiques de la « fable » antique, qu'il donne comme un document contradictoire sur les origines de l'homme (*Vulcain et Éole*, vers 1490, *Mésaventures de Silène*, 1499-1515). Et, même lorsqu'il se consacre au portrait, il le fait d'une manière subtilement intrigante (*Simonetta Vespucci*). Il dénonce ainsi une crise qui ne réside pas dans les thèmes traités, mais dans l'époque dans laquelle il vit. ■

▼ *Piero di Cosimo,* Simonetta Vespucci, *musée Condé, Chantilly. On ignore la date d'exécution de cette œuvre, de même que son origine. L'inscription la rapportant à cette jeune Florentine est apocryphe : elle a été ajoutée par un membre de la famille Vespucci à une époque tardive. Il est probable qu'il s'agit du portrait d'un personnage légendaire (Cléopâtre) ou encore mythologique, comme l'indiquent le serpent entourant le cou ou le détail, autrement inadmissible, des seins dénudés.*

Piero della Francesca,
Le Baptême du Christ, *vers 1449, National Gallery, Londres.*

Dans un merveilleux paysage et dans une aura d'immobilité hiératique est située la scène du baptême, rythmée (comme en une « suite » byzantine) sur les différentes positions des personnages et intensifiée par la beauté des visages méditatifs du Christ, de saint Jean et des trois jeunes anges philosophes.

Antonello de Messine,
L'Annonciation, *1470-1473, Alte Pinakothek, Munich.*

*Moins célèbre que l'*Annonciation *de Palerme, cette image très suave de jeune femme montre cependant toutes les qualités de portraitiste d'Antonello, mettant en évidence ses diverses composantes : ainsi l'extrême habileté descriptive des Flamands (Hans Memling en particulier), la science de la composition de Piero della Francesca, ou bien encore le sens très délicat de l'atmosphère de Giovanni Bellini et des peintres vénitiens.*

Cima da Conegliano, Madone à l'oranger, *1495, galerie de l'Académie, Venise.*

Dans le développement de la peinture vénitienne (avant l'avènement de Giorgione), Cima da Conegliano et Bartolomeo Montagna sont les auteurs des plus intéressantes applications de la manière de Bellini, à la recherche d'une esthétique fondée sur la beauté du paysage et l'utilisation raffinée de la couleur.

Royaume des Deux-Siciles Concile de Florence	Fin de la guerre de Cent Ans Guerre des Deux-Roses	Laurent le Magnifique et Julien de Médicis seigneurs de Florence	Mort de Charles le Téméraire	Fin de la guerre des Deux-Roses Venise s'empare de Chypre	Mort de Laurent le Magnifique Charles VIII envahit l'Italie
L.B. Alberti : *Ludi matematici, De re aedificatoria*	Ca' da Mosto et Usodimare explorent le Sénégal	Filarete : *Traité d'architecture*	Celse : *De medicina*	Diaz double le cap de Bonne-Espérance Édition imprimée de Galien	Benedetti : *Anatomia, sive historia corporis humani*
G. Dufay en Italie	J. Ockeghem à Paris		J. Des Prés à Milan		J. Obrecht à Ferrare J. Des Prés à Rome
L. Valla : *Elegantiarum linguae latinae libri sex*	G. Pontano : *Amorum libri*	F. Villon : *Ballade des pendus*	Laurent le Magnifique : *Les Chants carnavalesques*	J. Pic de la Mirandole : *Conclusiones philosophicae, cabalisticae et theologicae*	Savonarole : *Traité sur la façon de gouverner la cité de Florence*
			Antonello de Messine à Venise		
Donatello : *Maître-autel de Saint-Antoine-de-Padoue* **Fra Angelico :** Chapelle Niccolina	**Piero della Francesca :** *L'Histoire de la vraie Croix*	**Pollaiuolo :** *Portrait de femme* **L. Laurana :** Palais ducal d'Urbino	**A. Mantegna :** *La Chambre des époux* Chapelle Sixtine à Rome	**S. Botticelli :** *La Naissance de Vénus* **Pérugin :** Fresques de la chapelle Sixtine	**Léonard de Vinci :** *La Cène* **V. Carpaccio :** *L'Histoire de sainte Ursule*
1440-1450	1451-1460	1461-1470	1471-1480	1481-1490	1491-1500

Raphaël,
La Transfiguration,
1518-1520, pinacothèque du Vatican, Rome. Cette œuvre est fondée sur l'emphase réthorique de son contenu et sur l'équilibre harmonieux des formes : la distribution précise des masses chromatiques, des ombres et des lumières, des poids et contrepoids, le calme qui émane de toute la composition refroidissent cette représentation, la dépouillent du pathos *que le rythme ample du récit tendait à lui donner ; elle arrive à la perfection glacée, finalité de l'esthétique classique.*

5 LA SECONDE RENAISSANCE

A la fin du XVe siècle, Milan joue un rôle de premier plan dans le panorama artistique italien. Deux figures prépondérantes illuminent la scène lombarde, Donato Bramante et Léonard de Vinci, tous deux originaires du centre de l'Italie et aptes à exploiter les ferments existants aux cours des Gonzague et des Sforza. Bramante débute à Urbino, dans le cercle raffiné de Piero della Francesca et des Laurana ; grâce à un séjour à Mantoue, il peut étudier auprès de Mantegna et, surtout, de Leon Battista Alberti, dont il choisit de devenir le continuateur idéal. A la cour de Ludovic le More à partir de 1477, il entreprend des expériences fondamentales, conjuguant les artifices de la perspective et une puissante technique de construction. Plus que dans ses peintures (le *Christ à la colonne*, vers 1485), son génie s'exprime dans des ouvrages d'architecture, comme l'église Santa Maria presso San Satiro (vers 1480-1490), dont l'espace intérieur présente une impressionnante solennité, obtenue à partir de dimensions pourtant modestes. L'application, de manière illusionniste, de la perspective lui permet notamment de simuler une abside profonde là où des contingences urbaines ne le permettent pas en réalité. Au moment où Bramante édifie le presbytère de Santa Maria delle Grazie, Léonard de Vinci y peint *La Cène* (1495-1497), dans le réfectoire. Formé à Florence parmi les élèves d'Andrea Verrocchio, aux côtés de Pollaiuolo et de Botticelli,

◄ *Léonard de Vinci,* La Vierge aux rochers, *1483-1486, Louvre, Paris. Alors qu'il travaille à Milan pour Ludovic le More, durant les dernières années du Quattrocento, Vinci élabore la « perspective atmosphérique ».*

▼ *Léonard de Vinci,* La Cène, *1495-1497, église Santa Maria delle Grazie, Milan. Grâce à sa haute maîtrise technique, Vinci résout de façon très convaincante les divers problèmes de composition posés par le sujet et l'emplacement de la fresque.*

l'artiste-savant atteint avec cette fresque un des sommets de la peinture de la Renaissance ; il reprend une composition célèbre, *La Cène* de Sant'Apollonia, d'Andrea del Castagno, 1448, et la revitalise par la percée virtuelle de l'espace et l'extraordinaire mise en scène de la psychologie des personnages. Pour comprendre la nouveauté de l'art de Vinci, il faut aussi considérer une œuvre de sa première phase milanaise, qui prend fin en 1499 avec la chute de Ludovic le More : *La Vierge aux rochers* de 1483-1486. Ici, la technique du « fondu » est perfectionnée dans le rendu des effets atmosphériques et, en même temps, permet de raccorder la délicatesse du dessin à l'équilibre lyrique des proportions, comme on le retrouvera dans les œuvres de la maturité (*La Joconde*, 1503-1505 ; *La Vierge, l'Enfant Jésus et sainte Anne*, 1510). Vinci laisse à Milan une importante cohorte d'imitateurs ; parmi les artistes lombards les plus intéressants du XVIe siècle, il faut citer Bramantino (Bartolomeo Suardi, dont le surnom montre l'influence qu'a exercée sur lui Bramante) ainsi que les principaux représentants de l'école de Brescia : Romanino, Moretto, Savoldo, tous liés d'une certaine manière à la tradition vénitienne et aux racines locales (Foppa et Bergognone).

Vinci se rend ensuite à Florence, où se trouvent, en ce début de siècle, Raphaël et Michel-Ange. La cité toscane connaît, pour quelques années encore, les fastes de son apogée, même si elle doit bientôt renoncer à son titre de capitale culturelle au profit de Rome. Michel-Ange et Raphaël y sont appelés par le pape Jules II en 1508 : la décennie suivante va être cruciale, car elle représente la phase extrême de la Renaissance italienne. S'il n'est pas tout à fait juste de

Le classicisme en architecture

En architecture, le classicisme du XVIe siècle suit des parcours tortueux : on en trouve des signes dans le Petit Temple de San Pietro in Montorio de Bramante (commencé en 1502), dans l'œuvre architectural de Raphaël, dans les œuvres des familles Sangallo de Florence et Lombardo de Venise. Sa pleine maturité arrive plus tard, avec Jocopo Sansovino et, surtout, Andrea Palladio. Le premier, d'origine toscane, est vénitien d'adoption : l'aménagement de la place Saint-Marc à Venise (Libreria Vecchia et Loggia du Campanile). Le second, de Padoue, est l'un des plus grands architectes de tous les temps, auteur, entre 1540 et 1580, de palais et d'édifices publics à Vicence, de plusieurs églises à Venise (San Giorgio Maggiore, le Redentore) et de nombreuses villas dans les environs de la Sérénissime. La Villa Capra, dite aussi la Rotonda (ci-dessus : planche tirée des Quatre Livres d'architecture, *1570), est l'exemple le plus typique de la reprise par Palladio des modèles grecs et romains : quatre pronaos de temple, avec colonnades et frontons, enserrent le corps central en une unité harmonique tout en l'ouvrant sur la campagne environnante, dans une volonté de fusion parfaite entre architecture et milieu naturel.*

LES PROTAGONISTES

◆ **Bramante,** Donato di Pascuccio di Antonio, dit (Pesaro 1444 - Rome 1514). Il est peintre à Bergame à partir de 1477, et s'impose peu après avec ses premiers ouvrages d'architecture à Milan, révélant un esprit versatile et curieux, un théoricien expert et un audacieux innovateur. A la mort de Ludovic le More (1499), il se rend à Rome, où il étudie les vestiges antiques et présente notamment un projet puissant à plan centré élaboré pour la basilique Saint-Pierre.

◆ **Corrège,** Antonio Allegri, dit (Correggio 1489-1534). Sa vie se déroule dans sa ville natale, en dehors de quelques séjours à Parme où il exécute, entre 1519 et 1529, trois importants ensembles de fresques. Sa formation est mal connue, mais sa peinture est redevable à Mantegna, Lorenzo Costa, Léonard de Vinci, Giorgione et Raphaël.

◆ **Dürer,** Albrecht (Nuremberg 1471-1528). Il acquiert une solide expérience graphique dans l'atelier de Wilhelm

▼ *Donato Bramante, presbytère de Santa Maria delle Grazie, 1494-1497, Milan. L'architecte a très brillamment harmonisé son ouvrage avec les parties déjà existantes de l'église (façade, nef).*

▼ *Michel-Ange,* Pietà, *1497-1499, basilique Saint-Pierre, Rome. Il s'agit de la première version exécutée par le sculpteur sur le thème de la « Déploration du Christ ». Dans son œuvre de jeunesse, l'artiste est encore fidèle à l'esprit du classicisme : le drame reste très contenu, et l'expressivité est modérée par la sobre élégance des formes et l'harmonie des proportions.*

parler d'un *principe évolutif* par lequel l'œuvre de ces deux artistes serait l'aboutissement des recherches commencées par Giotto, la théorie humaniste de l'art aborde en tout cas, à cette période, sa pleine maturité. Michel-Ange développe les fruits de ses premières expériences sculptées (*La Vierge à l'escalier* de 1491, les personnages pour l'*Arca di San Domenico* de Bologne, en 1495, la *Pietà* de 1499 et son *David* de 1501-1504) et peintes (le *Tondo Doni* de 1504-1506). Il peut ainsi réaliser, entre 1508 et 1512, les fresques de la voûte de la chapelle Sixtine, considérées comme « la plus haute expression du dessin linéaire des Florentins » (Chastel). Si l'on veut se référer à des précédents illustres, il convient de parler d'une récupération des aspects les plus dramatiques de la peinture de Masaccio, contrastant avec l'extrême élégance graphique d'un Botticelli comme avec le souffle calme et solennel de Piero della Francesca. Dans les différents panneaux des *Sybilles* et des *Prophètes*, de même que dans les scènes de la *Genèse*,

---

Pleydenwurff. Divers voyages en Suisse et en Italie, entre 1490 et 1494, élargissent sa culture. En 1495, il ouvre un atelier à Nuremberg et se forge alors une excellente réputation de graveur. Les peintures de cette époque montrent une capacité géniale de synthèse des langages les plus disparates, à une dimension européenne et non plus strictement germanique. En 1505, il se trouve de nouveau à Venise, entouré de l'admiration des artistes locaux. Il entre en 1512, au service de Maximilien Ier et, à la mort de ce dernier, en 1520, de Charles Quint.

◆ **Léonard de Vinci** (Vinci, près de Florence, 1452 - Amboise 1519). Il entre en 1469 dans l'atelier d'Andrea Verrocchio, où se révèlent alors immédiatement ses remarquables capacités techniques. A Milan à partir de 1482, à la cour de Ludovic le More, il peint ses premiers chefs-d'œuvre. C'est alors que naît son intérêt pour les sciences naturelles, l'astronomie et la physique. En 1499, il quitte Milan pour suivre César Borgia comme architecte militaire. Il retourne à Florence en 1503 ; là se déroule sa deuxième période créative. De 1510 à sa mort, il ne s'occupe plus que très occasionnellement de peinture, et il se consacre pleinement à la recherche scientifique.

◆ **Lotto,** Lorenzo (Venise 1480 - Lorette 1536). Il commence à Trévise et dans les Marches, avec des œuvres annonçant son détachement de la ligne principale du classicisme vénitien, par une peinture plus froide, d'inspiration

◄ *Michel-Ange,* La Création d'Ève, *1509-1510, chapelle Sixtine, palais du Vatican, Rome. Les fresques consacrées à la Genèse offrent ainsi à Michel-Ange l'occasion d'exprimer toute la puissance de son génie plastique et imaginatif. Il réinvente alors l'iconographie des thèmes d'après sa propre interprétation (tendancieuse) du « concept » d'humanité.*

l'artiste traduit de façon bidimensionnelle une notion vigoureusement plastique de l'image, une « prise » sculpturale sur le visible, évitant les fondus atmosphériques de Vinci et n'utilisant le clair-obscur que pour intensifier la puissance expressive des volumes.
La sensibilité de Raphaël est différente et complémentaire. La composante sculpturale est pratiquement absente, tandis que sa maîtrise exeptionnelle du dessin lui permet d'obtenir des compositions parfaitement équilibrées. Dans *La Transfiguration* (1518-1520), un de ses derniers chefs-d'œuvre, chaque élément, chaque personnage a son poids spécifique dans la construction : les masses de couleur sont autant de chevilles d'un édifice dynamique, de telle façon que l'œuvre est calibrée sur un jeu harmonieux de poussées et contre-poussées, sur un ensemble de points focaux qui fonctionnent simultanément, comme éléments de la forme et du contenu. A l'intérieur de cette structure, la tension des événements se transforme en une composition sereine, en une sublime pacification du vocabulaire employé, comme c'était déjà le cas dans la *Déposition de Croix* de 1505.

presque nordique. En Lombardie, entre 1513 et 1525, il retourne à Venise, où il essaie une dernière fois de s'imposer. Mais ce seront les petites villes des Marches qui continueront à lui passer commande jusqu'en 1554, date à laquelle il décide d'entrer comme oblat à Santa Casa de Lorette.

◆ **Michel-Ange,** Michelangelo Buonarroti, dit (Caprese, Toscane 1475 - Rome 1564). A l'issue de ses humanités, il convainc sa famille et entre dans l'atelier de Domenico Ghirlandaio. Il s'enfuit pendant quelque temps pour des raisons politiques, puis il revient à Florence en 1501. Il accepte l'invitation du pape Jules II à le suivre à Rome en 1508, où il accomplira l'essentiel de sa longue carrière (chapelle Sixtine, basilique Saint-Pierre, etc.). Puis il travaille de nouveau à Florence, à l'extension de l'église San Lorenzo. Il s'établit définitivement à Rome en 1534. Parmi ses œuvres tardives figurent la fresque du *Jugement dernier*, les dernières statues pour le tombeau de Jules II, les fresques de la chapelle Pauline et la *Pietà Rondanini*.

◆ **Palladio,** Andrea di Pietro della Gondola, dit (Padoue 1508 - Vicence 1580). Il se rend encore très jeune à Vicence, où il rencontre l'humaniste Gian Giorgio Trissino, qui lui confie la construction de sa maison et devient son guide spirituel. En 1550, il commence la reconstruction du Palazzo della Ragione (la basilique), puis entre en contact avec Daniele Barbaro. Il est nommé architecte officiel de Venise en

▼ *Raphaël,* L'École d'Athènes, *1509-1510, palais du Vatican, Rome. Dans l'affrontement entre les deux plus grands philosophes grecs, on peut voir la dichotomie de la culture de la Renaissance : d'un côté, le pragmatisme d'Aristote, de l'autre, le spiritualisme mystique de Platon ; au centre, l'art classique, suprême tentative de synthèse.*

Pérugin, Nativité, *1498-1500, Collegio del Cambio, Pérouse. Les panneaux qui ornent la salle d'audience du Cambio, bien que très éloignés du caractère universel de Raphaël, constituent le précédent le plus illustre de la peinture classique de l'Italie centrale.*

C'est précisément cette capacité à faire coïncider les caractéristiques psychologiques du *représenté* avec les moyens concrets du *signe* qui fait de Raphaël un exemple unique pour les générations futures : de ses successeurs immédiats (Andrea del Sarto, Giulio Romano, Perin del Vaga) aux peintres académiques du XVIIe siècle et aux connaisseurs de l'époque romantique. De 1508 à 1514, il réalisa la décoration des *chambres* du Vatican, prenant une part active à l'immense chantier romain auquel travaillent aussi Michel-Ange et Bramante. Des analogies précises existent d'ailleurs entre la peinture de Raphaël et l'architecture de Bramante (Petit Temple de San Pietro in Montorio, 1502-1510). Tous deux originaires d'Urbino, ces artistes semblent s'accorder sur la valeur à assigner aux modèles de l'art grec et romain ; plus précisément, les références ponctuelles au monde classique, très évidentes chez Bramante, deviennent chez Raphaël des indications pour l'obtention d'une « modernité classique », c'est-à-dire d'un style actuel aussi définitif et paradigmatique que celui des Grecs.

Le classicisme de Raphaël est l'aboutissement – probablement le plus riche et le plus complexe – de la tendance « rétrospective » que l'humanisme italien a cultivée tout au long du Quattrocento. L'approche du monde grec s'est développée de la citation directe (et didactique) à la

1570. Son dernier chef-d'œuvre est le Théâtre olympique de Vicence, inspiré des théâtres grecs antiques.

◆ **Raphaël,** Raffaello Sanzio, dit (Urbino 1484 - Rome 1520). Fils du peintre Giovanni Santi, il s'impose, en seulement vingt années d'activité, comme un artiste très exceptionnel. Il marque, en effet, profondément tous les lieux où il passe : Città di Castello jusqu'en 1504, Florence et Pérouse de 1504 à 1508, Rome de 1508 à sa mort. Sa peinture, dont la réputation se propage dans toute l'Italie, est le point d'équilibre le plus élevé atteint par l'art de la Renaissance.

◆ **Titien,** Tiziano Vecellio, dit (Pieve di Cadore vers 1489 - Venise 1576). Le plus grand peintre vénitien du XVIe siècle débute comme élève de Giorgione, avant 1510. Son activité est le plus souvent subdivisée en trois périodes : le classicisme tonaliste de la jeunesse (1510-1530), puis l'époque triomphale et maniériste (1530-1550), enfin la phase dramatique et expressionniste de la vieillesse (1550-1570). Sa réputation s'étend progressivement dans toute l'Europe : parmi ses commanditaires figurent en effet les ducs de Mantoue, de Ferrare et d'Urbino, le pape Paul III, les empereurs Charles Quint et Philippe II.

▼ *Michel-Ange,* Pietà, *vers 1550, cathédrale Santa Maria del Fiore, Florence. Il s'agit d'un des sommets de toute la sculpture, par la poésie qui émane de la composition, dans laquelle se « lit » encore le bloc de marbre d'origine, comme par la déformation expressive des figures, un savant commentaire du grand mystère tragique de la mort.*

conquête d'une intériorisation esthétique globale. Entre 1510 et 1525, avant que le maniérisme en sonne le déclin, l'idéal de la beauté éternelle et immuable, directement inspiré de la civilisation antique comme reflet d'un ordre supérieur, suscite d'autres tentatives : le cycle de la *Vie de la Vierge* (vers 1514) d'Andrea del Sarto, les sculptures de Michel-Ange pour le tombeau de Jules II (notamment le célèbre *Moïse*) ou les derniers tableaux de Fra Bartolomeo. Le classicisme trouve en outre en Venise un centre d'une importance vitale grâce à la présence, au début du siècle, d'un personnage aussi apprécié de ses contemporains que mal connu de nos jours : Giorgione, probablement élève de Giovanni Bellini, certainement professeur de Titien. Les œuvres qui lui sont attribuées aujourd'hui avec quelque certitude (dont *La Tempête* et *Les Trois Philosophes*) révèlent un grand maître autonome, beaucoup plus qu'un simple maillon reliant les deux plus grands peintres vénitiens. Sa peinture est riche du chromatisme de Bellini, de la syntaxe ombrio-flamande d'Antonello de Messine, du fondu de Vinci, tirant aussi le meilleur des techniques de Pérugin comme le montre le *Retable de Castelfranco* exécuté dans sa jeunesse. Giorgione approfondit les recherches tonales entreprises par d'autres vingt ans plus tôt, et introduit au moins deux innovations surprenantes : d'un point de vue technique, il abolit le dessin (c'est-à-dire qu'il peint « uniquement avec les couleurs sans dessiner », comme le dit Vasari) ; en ce qui concerne le contenu, il élève le paysage au rang de thème principal, comme dans le tableau précédemment cité, *La Tempête*.

A la mort de Giorgione, en 1510, Titien a environ 20 ans. Plusieurs tableaux (le plus célèbre étant le *Concert champêtre* du Louvre) ont longtemps suscité des controverses sur leur attribution à l'un ou l'autre des deux artis-

◄ *Titien,* L'Amour sacré et l'Amour profane, *1515, galerie Borghèse, Rome. L'amour sacré est nu comme l'est la foi et comme doit l'être l'âme devant Dieu ; l'amour profane est, lui, richement drapé dans des vêtements (caducs) de la mode et du temps.*

◄ *Titien,* Le Supplice de Marsyas, *1510, Musée national, Kromeriz. Une des œuvres tardives les plus incroyables de Titien, modelée avec les doigts du peintre devenu presque aveugle et qui, par cette légende sanglante, nous parle de la fin des utopies : d'un dieu artiste défié par un sujet inculte qui fut puni de façon atroce.*

▼ *Giorgione,* La Tempête, *vers 1506, galerie de l'Académie, Venise. L'énigme du sujet, allégorique, n'ôte rien à la prédominance absolue du paysage (les détails de la foudre qui éclate au milieu du ciel et du paysage livide du fond), qui constitue la véritable innovation de ce petit tableau génial.*

tes. Il est certain que les premières œuvres de Titien sont la continuation logique de l'œuvre de Giorgione, même s'il paraît juste de souligner que la joie chromatique du disciple, la perfection des tonalités ne trouvent pas d'équivalent chez le maître. La superbe symphonie de couleurs de la plupart des œuvres de jeunesse de Titien (de *L'Amour sacré et l'Amour profane* de 1515 à *L'Assomption* de 1516-1518, des *Trois Ages* de 1515 au *Retable Pesaro* de 1519-1526) obéit à ces lois de l'harmonie qui sont désormais patrimoine commun de l'art italien, mais il l'enrichit d'une sensibilité « musicale » typique de l'atmosphère raffinée de Venise. La culture de l'époque se reflète d'ailleurs dans les thèmes traités : chez Titien, la mythologie païenne est matière aux plus heureuses métaphores de l'équilibre spirituel atteint par l'homme de la Renaissance (*Les Andriens,* 1518-1519, les deux Vénus de *L'Amour sacré et l'Amour profane*). Le style est de la qualité des messages véhiculés : on en verra la contre-épreuve bien des années plus tard, lorsque Titien, âgé, brouillera volontairement son coup de pinceau en une substance chromatique informe semblant anticiper Rembrandt ou même Monet. Il le fait dans des œuvres au contenu dramatique, où le mythe est utilisé pour raconter le désespoir d'une société alors ravagée par les conflits et orpheline de ses certitudes (*Diane et Actéon,* 1559, *Le Supplice de Marsyas,* 1570). A ce propos, il est intéressant de rappeler que Michel-Ange suit un parcours presque parallèle. A partir de 1525, la vigueur

▼ *Paolo Véronèse,* Le Repas chez Lévi, *1573, galerie de l'Académie, Venise. Le langage hyperbolique de Véronèse s'exprime de la façon la plus caractéristique dans ses très grandes représentations des « Cènes », véritables scènes (avec tous ces frontons et coulisses) où l'épisode chrétien est pur prétexte à de fastueuses descriptions de la vie de la noblesse.*

◄ *Corrège,* La Nuit, *1530, Gemäldegalerie, Dresde. Depuis* Le Songe de Constantin *de Piero della Francesca, du siècle précédent, il s'agit là de l'une des très rares tentatives de la Renaissance de représentation nocturne, d'où le surnom traditionnel donné à l'*Adoration des bergers de Dresde.

formelle de ses conceptions en peinture comme en sculpture, le caractère prométhéen et rayonnant de sa jeunesse laissent place à une expressivité exaspérée, presque de la fatigue dans les idées et l'exécution : les *Prisonniers* de l'Académie de Florence, *Le Jugement dernier* de la chapelle Sixtine (1537-1541), les fresques de la *chapelle Pauline* (1542-1550), la *Pietà* de Santa Maria del Fiore (vers 1550).

En Vénétie, le classicisme connaît un prolongement singulier avec la peinture somptueuse et triomphale de Paolo Véronèse, parfois même provocante dans l'adaptation des thèmes religieux à des cadres d'une mise en scène grandiose et d'une opulence laïque. Les impulsions données par l'art de Bellini et d'Antonello suscitent toutefois des alternatives à la noblesse d'expression de Titien et de Véronèse : chez Lorenzo Lotto, par exemple, narrateur génial d'événements intimes et mélancoliques, antiréthoriques et délicieux. Sa vie est marquée par un long exil volontaire en Lombardie et dans les Marches, à la poursuite de commandes non assujetties à la manière de Titien. Le *Polyptyque de San Domenico* (1508), les fresques de Trescore (1524), les *Conversations sacrées* de Bergame et des églises des Marches sont des œuvres d'une densité émotionnelle inédite, imprégnées

◄ *Albrecht Dürer,* Déploration sur le Christ mort, *vers 1500, Alte Pinakothek, Munich. Il s'agit d'une certaine façon d'une synthèse de l'art nordique du XVe siècle. Mais, alors que tous les détails rappellent les maîtres du premier classicisme allemand, malgré la présence de délicates citations « gothiques », la composition – qui ne repose pas sur des plans précis – est déjà presque maniériste.*

Lorenzo Lotto, L'Annonciation, *1527, Musée municipal, Recanati. Œuvre de climat culturel paysan, bien que formellement dérivée de modèles classiques critiqués « de l'intérieur », soit revus sous l'angle d'une antiréthorique de la spontanéité, de l'innocence, et de la vie domestique et quotidienne.*

▼ *Albrecht Dürer,* Mélancolie I, *1514, gravure sur métal. La célébrité de cette œuvre est, sans aucun doute, due à l'exceptionnelle maîtrise technique, et au charme exercé par le thème, lié d'une part à la symbolique de la créativité artistique et d'autre part à toutes ces sciences ésotériques très prisées des érudits de la Renaissance.*

d'un lyrisme intense. Elles évitent le triomphe des accords chromatiques, privilégiant les contrastes, les révélations mesurées de la diversité. Lotto se range du côté des humbles et des opprimés, de ceux pour qui le monde est fait de petits miracles, d'émerveillements intimes... comme celui entrevu, dans *L'Annonciation* de Recanati de 1527, sur le visage de la Vierge, presque enfant, réagissant à l'ange en lui tournant le dos, tandis que le chat s'enfuit en faisant le dos rond, montrant son peu de passion pour les visites surnaturelles.
D'un savant et habile mélange des styles de Vinci, Giorgione, Raphaël et des peintres émiliens de la fin du Quattrocento jaillit l'originalité des tableaux d'Antonio Allegri, dit le Corrège, qui réalise à Parme ses œuvres majeures : la *Chambre de Saint Paul* (1519), les fresques de l'église San Giovanni Evangelista (1520-1522), *L'Assomption de la Vierge* (1526-1528) de la coupole de la cathédrale. Le plus fascinant chez lui, c'est la richesse des constructions, la diversité des points de vue, l'exubérance de la couleur : caractéristiques qui le projettent au-delà de son époque et en font un précurseur du baroque. En Émilie encore, il convient de signaler Dosso Dossi, principal représentant de l'École ferraraise, dont les tableaux mythologiques figurent parmi les plus hautes manifestations de la pensée philosophique du XVIe siècle.
La phase de maturité de la Renaissance coïncide avec son expansion hors d'Italie. L'Allemagne, en particulier, produit des artistes de très haut niveau et d'une valeur indéniable. Albrecht Dürer est un intellectuel complet qui mène, parallèlement à son activité créative propre, des recherches théoriques, publiant un traité d'anatomie et un manuel de perspective. Sa peinture doit beaucoup aux expériences italiennes qu'il a connues au cours de différents séjours à Venise, mais elle témoigne d'une forte personnalité, modelée sur la synthèse de leçons variées : les Vénitiens, les Flamands, puis Michael Pacher et Martin Schongauer. Dans ses premières aquarelles, Dürer élabore une notion du paysage qui n'a aucun équivalent contemporain : visions romantiques des Alpes et des forêts bavaroises, lacs, bourgs et châteaux, manifestations du

▼ *Dosso Dossi,* Jupiter peintre, *vers 1530, Kunsthistorisches Museum, Vienne. Zeus-Jupiter, premier peintre, exécute un paysage : il a déjà peint trois papillons ! Une Vertu voudrait l'inviter à d'autres occupations profanes moins futiles. Mais Hermès-Mercure, esprit pourtant pratique, est lui-même subjugué par la magie de l'art : il impose un silence hermétique, religieux à cette postulante importune.*

merveilleux qui, plus tard, seront reprises comme fonds des œuvres sacrées (la *Déploration sur le Christ mort* de Munich, 1500 ; la *Fête du Rosaire* de Prague, 1506 ; l'*Adoration de la sainte Trinité* de Vienne, 1511). A son habileté de portraitiste il joint celle, immense, d'un graveur de génie.

Les surprenantes constructions spatiales du danubien Albrecht Altdorfer, doué d'une curiosité innovatrice et inquiète, appartiennent également à la sphère artistique allemande. Il porte ces qualités à leurs extrêmes conséquences dans les deux visions presque hallucinées de la pinacothèque de Munich, la *Nativité de Marie* (vers 1520) et *La Bataille d'Alexandre* (1529). Dans la seconde, le regard du spectateur est conduit à travers des mers et des fjords vers des côtes lointaines, des montagnes, d'immenses étendues d'eau et de terre, jusqu'à distinguer la courbure du globe sur un horizon transfiguré par un coucher de soleil féerique.

Mais un autre sommet de la peinture du XVIe siècle est atteint par Hans Holbein le Jeune avec *Les Ambassadeurs* (1533).

Ici, l'orgueil de l'humanisme, sa pleine conscience, comme la dignité convaincue de ses conquêtes, sont des valeurs remises en cause par l'acte même qui les décrit.

Au pied des deux dignitaires, sous les symboles des multiples disciplines du savoir, la monstrueuse effigie d'un crâne « anamorphique » – aisément reconnaissable en regardant le tableau de biais – rappelle au spectateur que tout passe, même les certitudes rationnelles de l'ère la plus lumineuse, et que la décomposition dans la mort est au fond la seule chose à laquelle nous ayons tous la certitude absolue de parvenir. ■

▼ *Albrecht Altdorfer,* La Bataille d'Alexandre, *1529, Alte Pinakothek, Munich. L'immensité irréelle de l'espace, la profusion de soldats, de campements et de paysages, la lumière sur les cimes perçant les nuages, les longues étendues marines et terrestres sont bien à l'origine du sentiment de panique et de poésie cosmique que cette vision d'astronaute suscite encore de nos jours.*

◄ *Hans Holbein le Jeune,* Les Ambassadeurs, *1533, National Gallery, Londres. Pour reconnaître le crâne, il faut regarder le bas du tableau à gauche, dans l'axe probable de la porte d'entrée de la pièce dans laquelle se trouvait initialement cette œuvre.*

Michel-Ange, La Vierge à l'escalier, *détail, vers 1491, Casa Buonarroti, Florence.*

Avec La Bataille des Centaures *(vers 1492), cette œuvre témoigne du génie précoce de l'artiste, âgé de 16 ans. Il est intéressant de noter la solution « graphique » du bas-relief, dépourvu de plasticité et de clairs-obscurs illusionnistes. L'éclectisme de Michel-Ange y est annoncé par sa composante idéaliste et platonicienne ; ailleurs, elle est plus dialectique, face à une urgence d'expressivité.*

Giorgione, Les Trois Philosophes, *détail, vers 1506, Kunsthistorisches Museum, Vienne.*

Le thème de cette œuvre demeure obscur : certainement allégorique, et très probablement lié à une représentation moralisante et mondaine des « trois âges de l'homme ». L'hypothèse des philosophes, légitimée par le choix iconographique, comporte une forme de syncrétisme culturel audacieux (uniquement possible chez un humaniste érudit tel que Giorgione) qui met sur le même plan – comme autant de symboles du savoir universel – le penseur grec, le savant oriental et le chercheur de la Renaissance.

Andrea del Sarto, La Madone des Harpies, *1517, Offices, Florence.*

Parmi les derniers grands artistes de Toscane, peu avant l'émergence du maniérisme de Pontormo, Rosso et Bronzino, Andrea del Sarto offre une leçon toute personnelle du classicisme, empreinte d'une recherche raffinée de l'image. Sa peinture est loin de susciter de nos jours l'enthousiasme existant pour Lotto, Titien, Corrège, Giorgione, Raphaël et Michel-Ange, mais elle n'en demeure pas moins originale et significative.

Pontificat d'Alexandre VI Borgia Charles VIII envahit l'Italie	Milan et Gênes sous domination française	Pontificat de Jules II Ligue de Cambrai contre Venise	Sainte Ligue contre la France Vente des indulgences en Allemagne	Luther affiche ses 95 propositions Charles Quint empereur	Guerre de la paysannerie Bataille de Pavie
Premier voyage de Christophe Colomb : Bahamas et Cuba	Vasco de Gama navigue autour de l'Afrique	A. Vespucci : *Mundus novus*	Premières montres : œufs de Nuremberg	Voyages de Magellan	L'Empire aztèque aux mains de Cortés
J. Des Prés à Rome J. Ockeghem à Paris	J. Obrecht à Ferrare	Mandoline et viole de gambe	Premier clavecin		A. Willaert à Ferrare
M. Boiardo : *Roland amoureux* S. Brant : *La Nef des fous*	N. Machiavel : *Description du comportement du duc Valentin*	P. Bembo : *Asolani* L'Arioste : *Comédies*	Érasme : *Éloge de la folie* Machiavel : *Le Prince*	Thomas More : *L'Utopie* L'Arioste : *Roland furieux*	Érasme : *Du libre arbitre* L'Arétin : *La Courtisane*
	Léonard de Vinci au service de César Borgia	Giorgione à Venise Jules II fonde le musée du Vatican	Galerie de sculptures au Vatican	Léonard de Vinci à la cour de François Ier	
Léonard de Vinci : *La Vierge aux rochers* **Michel-Ange :** *La Vierge à l'escalier*	**Léonard de Vinci :** *La Cène* **Michel-Ange :** *Pietà*	**A. Dürer :** *La Fête du Rosaire* **Léonard de Vinci :** *La Joconde* **Michel-Ange :** *David*	**M. Grünewald :** *Retable d'Isenheim* **Michel-Ange :** Chapelle Sixtine **Raphaël :** Chambres du Vatican	**Raphaël :** *La Transfiguration* **Titien :** *L'Assomption de la Vierge*	**Corrège :** Coupole de la cathédrale de Parme **L. Lotto :** *L'Annonciation*
1490-1496	1497-1502	1503-1508	1509-1514	1515-1520	1521-1526

Bronzino, Vénus et Cupidon entre le Temps et la Folie, *vers 1550, National Gallery, Londres. En raison de la lecture possible suivant un code complexe de symboles, cette œuvre a été tour à tour interprétée comme le triomphe de Vénus ou l'allégorie du Plaisir, la victoire du Temps sur l'Amour ou la Luxure démasquée. Vasari fait par ailleurs probablement allusion à cette toile lorsqu'il parle d'un tableau, « d'une beauté singulière », envoyé à François Ier, « dans lequel figure une Vénus nue qu'embrasse Cupidon ». Traité comme un véritable camée par l'étonnante opalescence des surfaces claires et l'assombrissement des tons du fond, il est un amalgame de citations classiques, d'allusions littéraires et de solutions formelles maniéristes par le dessin, la forme et la couleur.*

6 LE MANIÉRISME

Le terme de maniérisme se réfère habituellement aux expériences figuratives de quelques générations d'artistes qui, à partir de la deuxième décennie du XVIe siècle, face à une Renaissance imperfectible, expriment leur embarras : ils reprennent les schémas et les modèles des plus grands maîtres du passé et leur donnent un caractère bizarre, fantastique et foisonnant d'idées.

La notion de « maniérisme » a connu des fortunes diverses. Du XVIIe siècle au début du XXe siècle, elle est synonyme de manque de naturel, d'inspiration froide et cérébrale, de virtuosité stérile. Ce jugement critique va par la suite être progressivement revu ; le maniérisme jouira d'une considération particulière dans les périodes de crise sociale et culturelle, qui rendent sensible à des situations comparables du passé. Un usage très large sera alors fait de ce terme.

Les premiers signes d'une rupture de l'équilibre classique de la Renaissance, caractérisé par un idéal d'harmonie et de mesure, se manifestent en Toscane. Pontormo et Rosso travaillent à Florence, dans l'atelier d'Andrea del Sarto. Ils sont les premiers auteurs de la phase dite expérimentale du maniérisme, sans doute la plus instinctive et la plus audacieuse par sa capacité à s'opposer aux habitudes dominantes. La fréquence avec laquelle beaucoup de premières œuvres de la « manière » sont refusées par les commanditaires et le trouble que crée leur vue donnent la mesure de la portée révolutionnaire de ce nouveau langage figuratif. Elles scandalisent les traditionalistes, mais séduisent ceux qui, désireux d'un renouvellement, sont favorables aux recherches et aux expérimentations. Les jeunes peintres florentins sont très influencés par l'étude des cartons de Vinci et de Michel-Ange représentant des scènes de bataille pour deux fresques du Palazzo Vecchio. Le carton de Michel-Ange pour *La Bataille de Cascina* sera même détruit par le décalque auquel il est soumis.

L'Espagnol Alonso Berruguete est l'un des premiers à élaborer une imitation personnelle de Michel-Ange, et son anticonformisme stimule la volonté d'émancipation de Pontormo et de Rosso. *La Déposition de Croix* de ce dernier est une déclaration explicite et ostentatoire de son désaccord avec

◄ *Rosso,* La Déposition de Croix, *1521, pinacothèque, Volterra. L'assimilation par Rosso, d'influences nordiques, très visible dans cette œuvre, annonce sa disponibilité à un art cosmopolite qui sera réalisé à Fontainebleau.*

▼ *Bronzino,* Portrait de Lucrezia Panciatichi, *détail, vers 1540, Offices, Florence. De la pose du personnage jusqu'au moindre détail, tout est étudié pour exprimer la dignité d'un rôle social ressenti comme valeur transcendante, donnant à ce portrait étonnant cette atmosphère si raréfiée et si distante.*

la tradition et, par quelques références à Dürer, il évoque avec provocation la possibilité de puiser ailleurs des idées nouvelles. La composition repose sur des plans contradictoires, des équilibres incomparables et des éblouissements phosphoriques. A l'intellectualisme agressif de Rosso, qui quittera bientôt Florence pour Rome, puis Rome pour Fontainebleau, répond l'introversion maniaque de Pontormo. Ce que Vasari en écrit et laisse entendre dans son journal accrédite le cliché de l'artiste sauvage et asocial. En fait, Pontormo est de ceux, peu nombreux, qui sont conscients des tristes conditions de leur temps, et cela se traduit chez lui par une angoisse existentielle. Presque prisonnier de sa fureur créatrice, il travaille de façon solitaire en Toscane, où il développe des dons éblouissants de dessinateur et de portraitiste. Quelques années après *La Déposition de Croix* de Rosso, il se risque sur le même thème et donne la synthèse de son talent tourmenté, avec une technique stupéfiante et une fascination extrêmement distante. La matière est très légère, à peine retenue par le contour. La lumière irréelle immortalise un instant de désespoir absolu. Toujours en Toscane, avant Pontormo et Rosso, loin d'une Florence totalement déchirée entre république et restauration, le peintre et sculpteur siennois Domenico Beccafumi traduit dans l'esprit maniériste les leçons de Vinci et de Raphaël, donnant une dimension fantastique au classicisme florentin et à l'inquiétude innovatrice des générations nouvelles.
A Florence, on doit à Bronzino, unique élève de Pontormo et peintre de cour, la réalisation, au plus haut niveau de perfection formelle, de l'une des caractéristiques du maniérisme : l'élégance raffinée et

*Le portrait maniériste communique toujours plus que ce qu'il représente : caractère qui le distingue dans le contexte pictural du XVIe siècle et lui donne alors une spécificité fascinante et ambiguë. La volonté de l'artiste de pénétrer l'essence du sujet en fonction de sa projection idéale dans l'histoire, et la nécessité de le restituer physiquement et psychologiquement concentrent sur la représentation de multiples indices. Le portrait en acquiert une grande intensité émotionnelle qui provoque une vague inquiétude chez l'observateur. L'*Autoportrait au miroir *de Parmesan (Kunsthistorisches Museum, Vienne) illustre bien la façon dont le peintre maniériste sait aussi utiliser les artifices visuels pour créer un effet de dépaysement. Peint sur un panneau de bois circulaire et bombé, il imite l'image de l'artiste que renverrait un miroir convexe et oblige à représenter la main, disproportionnée et difforme dans la réalité de l'œuvre, comme le résultat objectif et élégant de la réflexion.*

LES PROTAGONISTES

◆ **Beccafumi,** Domenico (Arbia 1486 - Sienne 1551). Il débute vers 1515 avec des schémas classiques, puis, à partir de la leçon des grands maîtres, il applique à des compositions très complexes d'inquiétants effets de lumière.

◆ **Bronzino,** Agnolo Tori, dit (Monticelli 1503 - Florence 1572). Élève et collaborateur de Pontormo, il travaille à Pesaro à la cour du duc d'Urbino, et à Florence, où il vit principalement. Il est le peintre officiel de Cosme de Médicis et, en 1539, participe aux travaux de décoration réalisés en l'honneur de sa femme, Éléonore de Tolède.

◆ **Cellini,** Benvenuto (Florence 1500-1571). Sculpteur, orfèvre, graveur, également célèbre pour ses *Mémoires*. Banni de Florence, il est en 1516 à Sienne, puis à Bologne, Pise et Rome ; revenu à Florence, il en fuit de nouveau. A Rome, il bénéficie alors de la protection de Clément VII et prend part à la défense de la ville en 1527. Il se rend ensuite en France, à la cour de François Ier.

◆ **Fontainebleau, École de**. Centre artistique créé sur la volonté de François Ier. Y sont appelés de nombreux artistes

◄ *Pontormo,* Déposition de Croix, *1526, église Santa Felicita, Florence. Selon Vasari, Pontormo réalisa en trois ans et dans le plus grand secret cette œuvre, destinée à la chapelle que Ludovico Capponi avait acquise.*

distante d'une pure abstraction cérébrale. La « manière » florentine va s'organiser en un éclectisme académique, avec des artistes qui se conforment aux demandes de la cour des Médicis. Ainsi, Vasari et Salviati, Macchietti et Cavalori, Poppi, Naldini et Zucchi acceptent aussi les matières et les formes du maniérisme international. Le studiolo de François Ier au Palazzo Vecchio représente la synthèse d'un événement culturel parfaitement conforme à l'esprit du temps.

Les exigences de renouvellement et de liberté d'expression, qui à Florence et à Rome sont définies avant d'être codifiées en académie, donnent vie en Émilie et en Vénétie à de nouveaux chapitres de l'histoire du maniérisme. Ces exigences exerceront une influence véritablement décisive sur la sensibilité artistique de la deuxième moitié du XVIe siècle en Italie et en Europe. C'est le cas des choix formels de Parmesan et des thèmes aventureux et chevaleresques de Primatice et de Nicolò dell'Abate, comme des atmosphères féeriques de Lelio Orsi

---

italiens, dont Rosso, Luca Penni, Primatice, Nicolò dell'Abate, Cellini, Vignole, Serlio, notamment.

◆ **Jean de Bologne, ou Giambologna** (Douai 1529 - Florence 1608). Sculpteur flamand, marqué par l'Italie, il jouit d'une bonne réputation jusqu'à l'époque baroque. Expérimentateur de techniques diverses, il se consacre pendant la Contre-Réforme à des œuvres religieuses. Il travaille surtout pour les Médicis.

◆ **Jules Romain,** Giulio Pippi, dit (Rome 1499 - Mantoue 1546). A la mort de Raphaël, dont il était l'élève et le collaborateur, il achève la décoration des Chambres du Vatican. Il travaille ensuite à Mantoue pour le marquis de Gonzague, également comme architecte.

◆ **Greco,** Domenikos Theotokopoulos, dit (Candie 1541 - Tolède 1614). Il travaille à Venise aux côtés de Titien, mais subit fortement aussi l'influence de Tintoret. Il séjourne ensuite à Rome avant de s'établir à Tolède.

◆ **Nicolò dell'Abate** (Modène vers 1509 - Fontainebleau 1571). Il étudie Parmesan à Bologne, puis il travaille par la suite à Fontainebleau. Il réalise des fresques aux palais Poggi et Torfanini de Bologne.

◆ **Parmesan,** Francesco Mazzola, dit (Parme 1503 - Casalmaggiore 1540). Après s'être formé auprès de Corrège, il travaille à Parme, Rome et Bologne. A son retour de Rome après le sac, il reprend l'œuvre de Raphaël et de Michel-Ange dans un sens irréaliste et

6 LE MANIÉRISME

◀ *Tintoret,* La Découverte du corps de saint Marc, *1562-1566, pinacothèque de Brera, Milan. Tintoret montre ici une créativité et une capacité inouïes de compréhension du maniérisme tosco-roman.*

▼ *Michel-Ange, vestibule de la bibliothèque Laurentienne, à Florence, commencée vers 1524.*

ou de l'œuvre de Pellegrino Tibaldi, totalement exubérante et empreinte de la leçon de Michel-Ange, des compositions prodigieuses de Tintoret et de l'essentialité métaphysique de Luca Cambiaso.
Les études les plus récentes sur le maniérisme en déplacent les débuts de Florence à Rome, autour des années 30. Elles ne lui reconnaissent aucune signification de crise morale ou artistique et nient qu'il représente une rupture vis-à-vis de la Renaissance ; il en serait au contraire une évolution logique, avec des caractéristiques propres d'élégance aristocratique et de goût pour la recherche, l'artifice et l'affectation. Pour cette raison, la phase florentine (1515-1525), est de préférence définie comme une « expérimentation anticlassique » ou bien encore comme un « premier maniérisme ».
En fait, Rome qui avait connu une période de grande effervescence sous les pontificats de Jules II et Léon X, devient avec Clément VII un laboratoire culturel unique au monde par la convergence d'artistes de toutes origines, attirés par des perspectives concrètes de travail et par la possibilité d'échanger

précieux. Les estampes tirées de ses dessins connaissent une grande diffusion.

◆ **Pontormo,** Jacopo (Pontormo 1494 - Florence 1556). Élève d'Andrea del Sarto, il est particulièrement influencé par l'œuvre de Michel-Ange et connaît à la même époque les gravures de Dürer.

◆ **Primatice,** Francesco Primaticcio, dit (Bologne 1504 - Paris 1570). Il travaille à Mantoue avec Jules Romain. Appelé à Fontainebleau, il devient, à la mort de Rosso, le premier artiste de la cour. Il est également l'auteur de nombreuses fresques (dont beaucoup sont aujourd'hui perdues) et de stucs.

◆ **Rosso,** Giovanni Battista di Jacopo, dit (Florence 1494 - Fontainebleau 1541). Formé à Florence, où il est l'élève d'Andrea del Sarto et de Pontormo, il travaille ensuite à Rome avant de devenir le peintre officiel de François Ier à Fontainebleau.

◆ **Salviati,** Francesco de' Rossi, dit Cecchino S. (Florence 1510 - Rome 1563). Ami et condisciple de Vasari, il travaille à Rome, Venise et Florence. Il représente de façon parfaite la tendance profane du second maniérisme. Son œuvre influence et conditionne, au milieu du siècle, celle des artistes de l'oratoire de San Giovanni Decollato de Rome.

◆ **Spranger,** Bartholomeus (Anvers 1546 - Prague 1611). Il travaille à Paris et en Italie avant de devenir le peintre de cour de Maximilien II à Vienne, puis de Rodolphe II à Prague.

◄ *Jules Romain et assistants,* Salle des Géants, *détail, 1530-1535, palais du Té, Mantoue. Le merveilleux joue sur la virtuosité, et l'« illusion » intervient comme valeur dans le vocabulaire artistique.*

connaissances et expériences. Le sac de Rome, fatal pour l'Italie, au point que 1527 marque la fin de la Renaissance, provoque, en même temps que la dispersion de la plupart des artistes, la dissémination de la culture maniériste dans toute l'Europe. Chacun emporte avec lui, outre le souvenir de l'art de Raphaël et de Michel-Ange, une capacité consommée à en élaborer de manière très originale le répertoire stylistique et à faire ainsi à son tour école. Des disciples de Raphaël, Sansovino et Serlio seront à Venise, Perin del Vaga à Gênes, Polydore de Caravage à Naples, Parmesan à Bologne et à Parme, Rosso à Arezzo et Venise, puis en France. Jules Romain fait école en raison de son vaste répertoire inventif qui marque le développement ultérieur du maniérisme : en premier lieu par les fresques de la chambre de Constantin au Vatican, puis avec tous les ouvrages architecturaux et les peintures qu'il exécute à Mantoue. Érudit brillant en lettres et en archéologie, il interprète l'Antiquité classique en conservant le caractère terrible de Michel-Ange et en insistant surtout sur la stupeur et l'étonnement. L'impétuosité, les extraordinaires effets optiques et psychologiques et la puissance des citations classiques des fresques du palais du Té de Mantoue en apportent l'incontestable témoignage.
D'autres références à l'antique sont également proposées par Polydore de Caravage, avec ses décors de façades de palais et ses scènes de batailles, et par Perin del Vaga, qui raffine la maîtrise graphique de sa formation florentine avec les préciosités formelles dérivées des stucs et des grotesques de la Rome souterraine que les fouilles archéologiques mettent au jour. Ainsi, Rome recueille les sollicitations du maniérisme toscan dans une atmosphère avide de culture et

◆ **Tibaldi,** Pellegrino de' Pellegrini (Puria in Valsolda 1527 - Milan 1596). Peintre, sculpteur et architecte, il travaille à Bologne, Rome, Ancône et en Lombardie. Il se rendra aussi en Espagne pour diriger la décoration de l'Escurial.

◆ **Tintoret,** Jacopo Robusti, dit (Venise 1518-1594). Élève probable de Titien, il subit l'influence du style de Michel-Ange. Par sa façon très personnelle d'utiliser la lumière et le mouvement, le dessin, la forme et la couleur acquièrent une très grande expressivité. Il influencera profondément Greco.

◆ **Vasari,** Giorgio (Arezzo 1511 - Florence 1574). Peintre, architecte et historien d'art. Il enrichit son expérience acquise auprès du premier maniérisme toscan par les leçons de Raphaël et de Michel-Ange, ainsi que par les Vénitiens et l'exemple de Salviati. Il travaille à Rome et surtout à Florence, où il fonde l'Accademia del Disegno (1562). Il s'occupe en outre de la décoration du Palazzo Vecchio (salon des Cinq Cents et Studiolo de François Ier). Ses *Vies...* (1550 et 1568), définissent notamment les caractères du maniérisme et constituent une contribution fondamentale à l'histoire de l'art.

◄ *Domenico Beccafumi,* La Naissance de la Vierge, *1531-1536, Pinacothèque, Sienne. Les lumières diurne et nocturne disputent les personnages à l'ombre et rendent l'illusion de la profondeur complexe.*

les fait s'épanouir à l'occasion de commandes particulièrement importantes.

L'œuvre de Parmesan constitue presque une synthèse du maniérisme italien. Corrège, Raphaël et Michel-Ange ont été déterminants pour sa formation ; Rosso, Perin del Vaga et Jules Romain le seront pour son évolution. Mais cela ne suffit pas à expliquer l'exceptionnelle originalité de sa production : déformations, exagérations, torsions et distorsions se composent en une grâce vraiment exquise, une élégance simple, dont le naturel apparaît à la fois convaincant et improbable. Nicolò dell' Abate et Primatice laisseront son empreinte dans la peinture française.

Par l'affirmation que l'homme est mesure de lui-même, en face du principe de la Renaissance selon lequel il l'est de toute chose, le maniérisme pose les prémices de sa fin, aucun modèle ne pouvant se répéter sans s'user. En 1564, année de la mort de Michel-Ange, Andrea Silvio, dans les *Dialoghi*, écrit le réquisitoire de la « manière » de l'art italien et donne les raisons théoriques de la dépasser.

A Rome, des œuvres de première importance viennent d'être réalisées, comme la décoration de la salle Pauline au château Sant'Angelo, par Perin del Vaga, les fresques de l'oratoire de San Giovanni Decollato, par Francesco Salviati et Jacopino del Conte, et, par Salviati encore, celles des palais Ricci-Sacchetti et Farnese. C'est une phase du maniérisme qui se trouve déjà menacée par la Contre-Réforme et considérablement alourdie par la rigidité académique du stade ultime, marquée par un nivellement particulièrement important du langage et de la grandiloquence réthorique de vastes entreprises architecturales.

Un des aspects les plus visibles du maniérisme est la circulation des expériences. Une fois établie la légitimité de l'imitation, et celle-ci élevée au rang de norme, on assiste à une réélaboration fébrile des données acquises. L'emprunt devient une sorte de matière première transformée en un nouveau produit artistique, souvent d'une originalité indiscutable, mais où est toutefois encore reconnaissable dans sa composition, et parfois exhibée, la marque de sa provenance. La diffusion des gravures et des estampes – combien seront significatives celles de Dürer et de Lucas de Leyde en Italie, et celles de Parmesan partout – encourage beaucoup un échange d'informations d'une mobilité stupéfiante.

Au XVIe siècle, l'Histoire va très vite et son courant porte au loin hommes et idées. La diffusion du maniérisme et de ses procédés est également favorisée par ces artistes européens qui, à la recherche de la Rome antique ou des maîtres de la Renaissance trouvent de grands représentants du maniérisme. Greco séjourne en Italie, ainsi que Heemskerck, le « Michel-Ange du Nord », également Wtewael, Pieter de

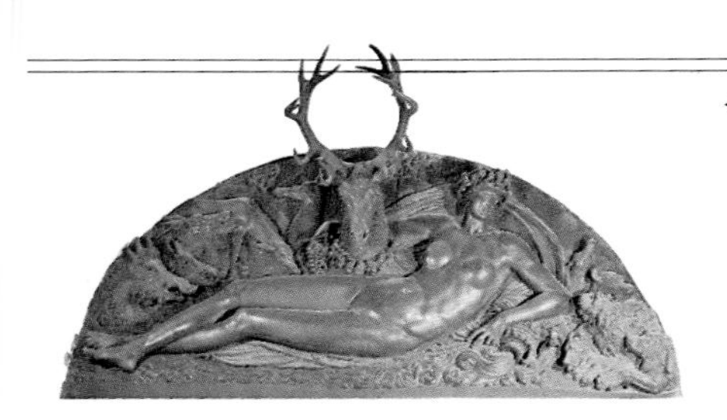

◀ *Benvenuto Cellini,* La Nymphe de Fontainebleau, *1543, Louvre, Paris. La prépondérance du décoratif témoigne de la parfaite adhésion de l'artiste aux choix formels de l'École de Fontainebleau.*

▼ *Giorgio Vasari, Studiolo de François Ier, 1570-1572, Palazzo Vecchio, Florence. Véritable écrin, il symbolise la synthèse du maniérisme toscan ultime.*

◀ *Primatice,* Alexandre et Bucéphale, *vers 1541-1545 environ, appartements de la duchesse d'Étampes, Fontainebleau. A la mort de Rosso, la direction des travaux de Fontainebleau est confiée à Primatice qui, avec l'aide d'artistes italiens, établit un répertoire de modèles vivifiant, dans un sens décoratif, l'art français de l'époque.*

◀ *Jean de Bologne,* L'Enlèvement d'une Sabine, *1583, Loggia dei Lanzi, Florence. C'est l'une des œuvres qui montrent le mieux la capacité du sculpteur à contraindre le spectateur à ne pas regarder d'un seul point de vue. L'espace est animé par deux forces qui s'opposent en spirale double : l'une favorise la fuite de la jeune fille ; l'autre descend en vrille comme pour bloquer la base.*

Witte, Sustris, Spranger et Heintz. La « manière » italienne, dans ses variantes les plus raffinées, est connue dans toute l'Europe à partir des années 30 et se combine avec les traditions artistiques locales, donnant naissance au maniérisme soi-disant international, c'est-à-dire à des formes d'art unies paradoxalement, différentes entre elles et pourtant uniformisées dans la bizarrerie, la déformation, l'ambiguïté, l'intellectualisme, l'élégance et l'artifice. Cet art plaît surtout dans les cours par sa facture raffinée, la richesse de ses citations culturelles, sa sensualité malicieuse, son jeu symbolique et allusif, son côté surprenant, son aspect merveilleux.

La France offre aux Italiens qui y ont été appelés l'occasion de démontrer, grâce à leur exceptionnelle versatilité, combien les formules maniéristes sont adaptables aux exigences des commanditaires. Rosso, Primatice, Luca Penni et Nicolò dell'Abate, Salviati, Serlio et Cellini donnent naissance à l'École de Fontainebleau, inventant un style répondant si bien aux attentes qu'il est naturalisé français et presque élevé à une philosophie décorative. Le maniérisme circule et fait des émules en France, aux Pays-Bas, en Bavière, en Espagne et à Prague. Se nourrissant de lui-même, il devient académisme et expression forcée, reflet d'un reflet, besoin d'étonner à tout prix, non plus réaction à un malaise mais malaise même de la vue, jusqu'à l'épuisement et la sophistication paroxystique. Quelle que soit l'évolution des formes de maniérisme au cours de la décennie, à leur base demeure l'insatisfaction

▼ *École de Fontainebleau,* Gabrielle d'Estrées et la duchesse de Villars au bain, *vers 1594, Louvre, Paris. Injustement ignorée, l'École française du XVIe siècle sera l'une des sources d'inspiration de Rubens.*

▼ *Bartholomeus Spranger,*
▼ Le Jugement dernier, *détail, 1567, galerie Sabauda, Turin. Il s'agit d'une libre interprétation d'une œuvre homonyme de Fra Angelico, exécutée par un Flamand conquis par la « manière » italienne.*

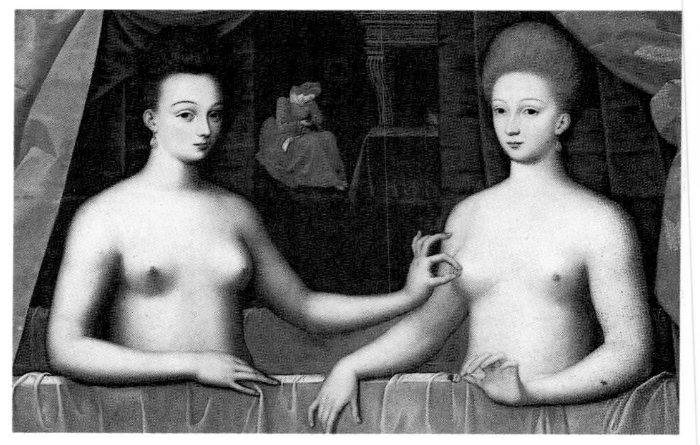

envers l'héritage du classicisme de la Renaissance.
En sculpture, Michel-Ange jette les prémices d'un renouvellement auquel s'appliquent, en Toscane, Baccio Bandinelli et Ammannati. Les principaux acteurs de la culture extrêmement raffinée du milieu du XVIe siècle sont Cellini et Primatice, qui rendent plastiquement la fluidité harmonieuse des formes de Parmesan et font école en Italie et à l'étranger. Parmi ces disciples se distingue tout particulièrement Jean de Bologne, qui réussit ce à quoi Cellini n'était pas complètement parvenu : la plurilatéralité de la vision.
Il faut encore se référer à Michel-Ange pour ce qui concerne l'architecture maniériste, en admettant que le concept qui déjà est appliqué à la sculpture par l'intermédiaire du langage pictural soit pertinent pour l'architecture. Il est significatif que l'un des prototypes, le vestibule de la bibliothèque Laurentienne de Florence, soit conçu avec la logique de la sculpture et avec la « licence » de traiter les éléments traditionnels et l'espace même par un étonnant renversement des fonctions : un tympan interrompu, des colonnes et des consoles qui ne servent pas à soutenir, des fenêtres aveugles et un escalier qui semble s'enfoncer dans le sol. Ce sont ensuite les bizarreries de Jules Romain avec les triglyphes du palais du Té, à Mantoue, décalés par endroits et feignant l'instabilité de l'architrave, ainsi que les monstres du palais Zuccari à Rome, ouvrant leurs bouches-fenêtres. A Florence, ce sont l'ambiguïté des volumes de la loggia du palais des Offices de Vasari, la répétition monotone du bossage de la cour du palais Pitti d'Ammannati, la folie de Bomarzo qui se situe entre enchantement et frayeur... au service de l'insolite et de l'étonnement.
Il serait beaucoup plus juste de parler d'architecture de l'époque maniériste, plutôt que d'architecture maniériste et il faudrait également citer Giacomo Della Porta (façade de l'église du Gesù à Rome), Pirro Ligorio (villa d'Este à Tivoli), Galeazzo Alessi (palais Marino à Milan), Pellegrino Tibaldi (cour du palais Poggi à Bologne). ■

Parmesan, La Madone au long cou, *vers 1535, Offices, Florence.*

Une altération raffinée des formes classiques et un symbolisme ésotérique complexe – principales caractéristiques de la première phase maniériste – constituent la réponse de Parmesan à l'idéal de perfection de la seconde Renaissance.

Francesco Salviati, David dansant devant l'arche, *vers 1553, palais Ricci-Sacchetti, Rome.*

La virtuosité et les innovations qui caractérisent les fresques du palais Ricci-Sacchetti sont le résultat d'expériences menées en premier lieu à Rome, puis dans le nord de l'Italie, notamment à Florence. Là, les solutions décoratives de Salviati (corniches en « trompe-l'œil », tapisseries feintes, festons...) trouveront le meilleur accueil.

Greco, La Résurrection, *1605-1610, musée du Prado, Madrid.*

Le style résolument novateur de Greco le place hors de tout schéma et école, mais il le lie cependant à l'art de Tintoret et donc à toute l'aventure maniériste.

Bataille de Pavie Sac de Rome	Retour des Médicis à Florence Schisme anglican	Bataille de Mühlberg Concile de Trente	Abdication de Charles Quint Traité du Cateau-Cambrésis	Régence de Catherine de Médicis Guerres de religion	Bataille de Lépante Saint-Barthélemy Révolte aux Pays-Bas
Magellan franchit le détroit qui porte son nom	Collège de France	Copernic : *De revolutionibus orbium coelestium*	Agricola : *De re metallica*	G. Fallope : *Observations anatomiques*	Université de Varsovie
A. Willaert à Venise	P. Verdelot : 1er et 2e recueils de madrigaux	Glareanus : *Dodekachordon*	R. de Lassus : *Psaumes de la pénitence*		C. Gesualdo de Venosa à Naples puis à Ferrare
B. Castiglione : *Le Parfait Courtisan* Machiavel : *Histoire de Florence*	F. Guichardin : *Histoire d'Italie* Rabelais : *Gargantua* et *Pantagruel*	P. de Ronsard : *Odes* G. Vasari : *Vies des meilleurs peintres...*	P. de Ronsard : *Amours de Cassandre* J. du Bellay : *Les Regrets*	B. Cellini : *Mémoires* Palladio : *Quatre Livres d'architecture*	Montaigne : *Essais* Le Tasse : *La Jérusalem délivrée*
	Alberti : *De re aedificatoria*	École de Fontainebleau		Saint Charles Borromée à Milan Naissance de la commedia dell'arte	Premier théâtre permanent à Londres
Rosso : *Descente de Croix* **Sebastiano del Piombo :** *Portrait de Clément VII*	**Parmesan :** *Madone au long cou* **Perin del Vaga :** *La Chute des géants*	**B. Cellini :** *Persée* **Primatice :** *Ulysse et Pénélope*	**Tintoret :** *Suzanne et les vieillards* **P. Bruegel l'Ancien :** *Les Chasseurs dans la neige*	**Véronèse :** Fresques de la villa Barbaro à Maser **Vignole :** Église du Gesù (Rome)	**Giambologna :** *L'Enlèvement des Sabines* **P. Véronèse :** *Allégories de Venise et des Vertus*
1520-1530	1531-1540	1541-1550	1551-1560	1561-1570	1571-1580

Federico Barocci, La Vierge du peuple, *1579, Offices, Florence. Ce retable met en évidence l'idéologie de la Contre-Réforme sur les œuvres sacrées. Il s'agit, en fait, d'une sorte de « texte populaire », tout à fait cohérent avec les préceptes du concile de Trente sur la dévotion, la simplicité et l'efficacité de l'image. La spatialité de l'œuvre, complexe, démontre l'extrême capacité de composition et la totale indépendance culturelle dont fait ici preuve l'auteur.*

7 RÉFORME ET CONTRE-RÉFORME

Au cours du XVIe siècle, parallèlement aux mouvements artistiques les plus sophistiqués du classicisme et du maniérisme, l'Europe est violemment bouleversée par la Réforme protestante, qui remet en cause le rôle de l'Église apostolique romaine et provoque un profond désarroi. L'art de la Contre-Réforme, qui se développe dans la seconde partie du XVIe siècle, apporte la réponse, pour l'iconographie religieuse, à ce très grave problème, qui s'était d'ailleurs déjà manifesté dès la fin du Moyen Age par diverses tentatives de renouveau interne et externe à l'Église. En 1517, Martin Luther affichant sur le portail de la cathédrale de Wittenberg ses 95 « thèses », manifeste ouvertement sa critique à l'égard de l'Église de Rome, et dénonce en particulier la vente des indulgences, qu'il considère comme un instrument de profit au bénéfice de la politique impériale du pape Jules II, dont les projets pharaoniques (avant tout, la cathédrale Saint-Pierre de Rome à laquelle Luther fait référence dans trois de ses thèses) exigent d'énormes dépenses. Tout aussi critiqués sont les éléments de l'apparat rituel catholique : pèlerinages, églises, saintes hiérarchies, images sacrées. En résumé, l'ensemble du comportement du clergé est accusé de déviation par rapport à l'essence la plus intrinsèque de la foi. D'où l'*iconoclastie* luthérienne, qui propose le renouveau du sacerdoce et la prédication dans la Vulgate de l'Évangile, afin que chaque fidèle puisse conquérir la « grâce divine ». Néanmoins, malgré la tendance iconoclaste, la Réforme apporte un mode d'expression artistique nouveau et approprié. Le livre imprimé, par exemple, devient pour les protestants un instrument important de lutte, capable d'exploiter les images dans un but aussi bien didactique que pro-

◄ *Lucas Cranach l'Ancien,* Crucifixion, *1503, Alte Pinakothek, Munich. Un esprit « désacralisant » et fortement « humanisant » imprègne le tableau. La croix semble percer l'espace alourdi d'obscurs nuages. La passion du Christ devient drame de la nature, souffrance cosmique peut-être privée de rachat.*

◄ *Mathis Grünewald,* Tentation de saint Antoine *(volet du* Retable d'Isenheim*), 1512-1516, musée d'Unterlinden, Colmar. Ce volet fait partie du retable exécuté pour l'église conventuelle des antonins, où venaient se faire soigner les malades atteints de syphilis et d'épilepsie. Il semble que l'œuvre ait eu également une valeur thaumaturgique, ce qui expliquerait l'acharnement du peintre à décrire les malformations et les symptomatologies médicales.*

pagandiste. Les imprimeurs allemands, poursuivant une tradition bien implantée en Europe du Nord, illustrent les *Bibles des Pauvres* de tableaux simples et efficaces, en harmonie avec l'esprit luthérien, tandis que la technique de la gravure, qui atteint, avec Albrecht Dürer, un niveau magistral, est désormais extrêmement répandue sur l'ensemble du continent. En Allemagne, Lucas Cranach l'Ancien joue un rôle actif dans le développement de la propagande de la Réforme, bouleversant avec Hans Holbein les schémas iconographiques traditionnels. Dans sa *Crucifixion* de 1503, le corps du Christ en raccourci, le pli tourmenté du drap, le paysage sacralisé et douloureux (qui reprend et souligne l'atmosphère de la scène principale) sont des motifs qui feront « école » au-delà même des pays germaniques.
L'artiste cherche, visiblement à dépasser la réthorique des images catholiques en introduisant une émotivité de type expressionniste, hautement dramatique, analogue à celle de la peinture très surprenante de Mathis Grünewald.
Dans le *Retable d'Isenheim*, que Grünewald réalise entre 1512 et 1516 (aujourd'hui au musée de Colmar), l'accent expressionniste se déchaîne, le réalisme très dur est imprégné d'esprit visionnaire et mystique. Les deux peintres travaillent pour l'archevêque Albert de Brandebourg, et pourtant Cranach est un ami intime de Luther, et Grünewald est écarté de la cour de l'archevêque en raison de ses sympathies et de ses contacts avec le mouvement protestant et la « révolte des paysans ». Le climat révolutionnaire de cette époque apparaît dans l'œuvre

◄ *Mathis Grünewald,* Crucifixion, *1523-1525, Staatliche Kunsthalle, Karlsruhe. L'intensité émotive et le sentiment tragique atteignent leur paroxysme dans cette œuvre de Grünewald, qui représente l'apogée de la douleur du Christ, le moment clé de sa venue sur terre et le sens le plus profond de la foi chrétienne.*

LES PROTAGONISTES

◆ **Aspertini,** Amico (Bologne 1474-1552). Après une première expérience dans le cercle partisan des classiques de Lorenzo Costa et Francesco Francia, il étudie à Florence l'art de Filippino Lippi et (sans doute) celui de Piero di Cosimo. Dès ses œuvres de jeunesse, sa peinture se situe, avec des accents souvent étranges, entre des références nordico-expressionnistes et des inventions originales, constituant un cas tout à fait à part dans l'histoire de la Renaissance italienne.

◆ **Barocci,** Federico (Urbino vers 1535-1612). Au cours d'un séjour romain, il remporte un vif succès pour ses fresques du pavillon de Pie IV. De retour à Urbino, il poursuit sa recherche formelle raffinée, envoyant souvent des œuvres à Rome. Ses compositions très mobiles en font un peintre original assez isolé dans le panorama de l'époque.

◆ **Bosch,** Hieronymus, Jeroen Anthoniszoon Van Aeken, dit (Bois-le-Duc vers 1450-1516). Le manque d'informations sur sa vie empêche de déterminer l'origine linguistique de l'œuvre de Bosch, l'une des plus surprenantes de tous les temps. Des hypothèses de toutes sortes (sociologiques, psychanalytiques, ésotériques, mystiques, et parfois même pharmacologiques) ont été avancées pour expliquer l'imagination absolument débordante et peu humaine qui caractérise des travaux comme le *Triptyque du Jardin des délices,* le *Triptyque de la Tentation* et les *Triptyques du Jugement dernier,*

◄ *Hieronymus Bosch,* Le Jugement dernier (Triptyque du Jugement dernier), *après 1504, Akademie der Bildenden Kunste, Vienne.*

de Grünewald : sa fantastique fureur, sa féroce veine descriptive, populaire et tragique, son médiévisme raffiné presque grotesque (le volet de *La Tentation de saint Antoine* à Colmar) en font un cas unique dans l'histoire mondiale de l'art. Dans ses diverses *Crucifixion* (celles de Bâle, Karlsruhe, Washington et Colmar), le drame moderne dénoncé par la Réforme se reflète dans le drame ancien incarné par la Passion : les croix craquent sous le corps martyrisé du Christ, sous le poids de l'homme trahi par ses fidèles, sous son cri de désespoir.

Dans les Flandres des premières années du siècle, un artiste extraordinairement imaginatif, Hieronymus Bosch, peint des œuvres grouillantes de symboles néomédiévaux. Les thèmes qu'il traite – la tentation, le péché, la rédemption, le châtiment, les vices de l'homme et de la société – partagent et interprètent les obsédantes préoccupations morales du nouveau mysticisme. Une telle poétique transparaît, deux générations plus tard, dans les tons paisibles de l'œuvre de Pieter Bruegel l'Ancien. Anciens dictons, paraboles, l'univers de la terre et des fêtes paysannes constituent pour lui le point de départ métaphorique pour mettre en évidence les aspects dénaturés et caducs de la vie et les dénoncer.

Dissensions et inquiétudes marquent particulièrement l'art septentrional européen, l'incitant à adhérer fortement au réel. Mais quelques artistes lombards du XVIe siècle se trou-

la *Nef des fous* et bien d'autres encore.

◆ **Bruegel,** Pieter, dit l'Ancien (Breda ? vers 1525 - Bruxelles 1569). Il accomplit dans sa jeunesse un long voyage en Italie. A partir de 1551, son activité artistique est documentée, mais il éprouve très peu les influences italiennes. Son plus grand mérite, du point de vue historique, est d'avoir donné une grande dignité à la peinture de genre, qui deviendra typique de l'art flamand et hollandais du XVIIe siècle.

◆ **Carrache,** Ludovico (Bologne 1555-1619). Élève de Prospero Fontana, il est l'un des fondateurs (en 1585, avec ses cousins les frères Annibale et Agostino) de l'Accademia dei Desiderosi (académie des Désireux), devenue par la suite (1590) l'Accademia degli Incamminati (académie des Acheminés). La peinture de Ludovico, empreinte de règles d'une simplicité élégante et naturaliste, trouve une très large diffusion et devient l'un des points de référence de l'art du XVIIe siècle.

◆ **Cerano,** Giovanni Battista Crespi, dit (Cerano 1575 - Milan 1633). C'est le meilleur peintre lombard de l'époque de Frédéric Borromée. Avec les Procaccini, Morazzone, et plus tard Tanzio da Varallo et Francesco del Cairo, il représente la dernière expression significative de la Contre-Réforme en Italie.

◆ **Cranach,** Lucas, dit l'Ancien (Kronach 1472 - Weimar 1553). Après l'apprentissage dans l'atelier de son père Hans, il part pour Vienne en 1501. Là,

Dans L'Annonciation *de Ludovico Carrache (1585), la problématique de la peinture religieuse trouve ici son développement complet. A travers le sujet sacré, on retrouve le naturel des choses quotidiennes : l'événement se place dans un espace très défini, presque typique du XVe siècle. A l'intérieur de la « boîte perspective » se situe la maison de la Vierge, modeste et austère dans la tonalité des couleurs ; l'annonce est tranquille, humaine, chuchotée entre l'ange et la Vierge (tous deux très jeunes), comme un dialogue privé ; et une telle solution facilite l'implication du spectateur et lui propose une histoire plausible en mesure de l'émouvoir. Décorum, clarté, vraisemblance, incitation à la piété et à la réflexion : tous les aspects des prescriptions du concile de Trente sont traités de manière formellement irréprochable. L'artiste est conscient que le tableau sera regardé par les très jeunes familiers de l'oratoire de Saint-Grégoire à Bologne, et il est très probable qu'il en a tenu compte.*

vent en harmonie avec la dimension « laïque » des Nordiques. Dégagés de toute grandiloquence et de tout filtre aristocratique, ceux-ci proposent dans leurs tableaux une intime fidélité aux « choses », à la digne condition du travail et de la vie quotidienne. C'est ce qui unit la dimension naturaliste de Romanino et de Moretto au luminisme lyrique de Gerolamo Savoldo et au réalisme dépourvu d'affectation de Vincenzo Campi et Giovanni Battista Moroni ; autant de résultats comparables aux limpides inventions formelles et iconographiques de Lorenzo Lotto. De tels exemples émerge une nouvelle représentation du sacré, anticipant, cette fois, quelques prérogatives de la Contre-Réforme : parce qu'il s'agit d'images claires, pieuses, modestes, où le sentiment religieux est intense, sans le clinquant qui détourne l'attention du message spirituel.

La répercussion des batailles religieuses se manifeste vite en Italie, où arrivent de nombreux fugitifs dans les régions subalpines et à Venise. Le phénomène se manifeste à travers divers courants hérétiques, tous originaires du Nord. Évangélistes, anabaptistes, et les nombreux sympathisants de la *devotio moderna* sont la preuve tangible d'une conscience bouleversée, traumatisée par la guerre et l'écroulement des valeurs les plus anciennes. La physionomie apparemment homogène de l'art se nourrit de voix dissidentes à l'égard du faste de la culture romaine. A Bologne, Amico Aspertini propose un art anticlassique, qui refuse l'empreinte raphaëlienne. Les humeurs tranchantes du jeune maniérisme et les références culturelles nordiques qui le caractérisent soutiennent une sensibilité différente, en fait une approche de la foi et de la vie qui n'a rien de canonique. La *Pietà* d'Aspertini (1519) est

---

son travail (le *Saint Jérôme pénitent*, de 1502, la *Crucifixion*, de 1503) jette les bases pour le développement de l'« École du Danube ». En 1505, il s'établit à Wittenberg, et là sa peinture prend un ton moins dramatique, davantage lié à des valeurs de type courtois.

◆ **Grünewald,** Mathis Neithardt Gothardt, dit (Würzburg vers 1480 - Halle 1528). Il est le plus grand représentant de l'expressionnisme nordique. Très probablement formé dans l'entourage d'Holbein l'Ancien, il travaille de 1511 à 1526 à la cour de l'archevêque de Mayence. De 1512 à 1516, il peint en Alsace son plus célèbre chef-d'œuvre, le grand *Retable d'Isenheim.* En 1525, il choisit la religion protestante et, en parfaite cohérence avec les prescriptions de l'iconoclasme luthérien, il cesse de peindre.

◆ **Moretto,** Alessandro Bonvicino, dit il (Brescia 1498-1554). Sa formation lombarde s'effectue dans l'entourage de Romanino et Savoldo, et s'ouvre vite aux influences vénitiennes (Titien, Lotto) et

▼ *Peter Bruegel l'Ancien,* Le Triomphe de la mort, *1562-1563, musée du Prado, Madrid. L'intention didactique accompagne toute l'œuvre de l'artiste, qui donne une voix nouvelle à l'esprit de Bosch, par la projection de scènes nourries de visions outrées ambiguës – entre inspiration mystique et superstition populaire – et une fantasmagorie héritée du Moyen Age et caricaturale.*

▼ *Gian Savoldo,* La Nativité, *vers 1540, pinacothèque Tosio-Martinengo, Brescia. La profonde poésie qui émane de cette scène idyllique rappelle, comme dans l'ensemble de l'œuvre de cet artiste, le caractère humble et le naturalisme de la culture protestante, et, en général, des artistes septentrionaux depuis le Maître de Flémalle.*

plus proche de Grünewald que du courant principal de la Renaissance italienne.
Pour contrecarrer sa perte de pouvoir, l'Église romaine convoque en 1545 un concile à Trente, qui s'achèvera en 1563. Lors de la vingt-cinquième session (3 décembre 1563) est promulgué un décret relatif aux images, qui fait le

point sur l'attitude à tenir vis-à-vis de l'art sacré et de son application. C'est le début de la Contre-Réforme. En Italie, le maniérisme n'est certes pas en harmonie avec les rigides exigences du concile de Trente : « clarté, vraisemblance et dévotion » ; l'assimilation de telles règles par les artistes est en réalité lente et graduelle, tandis que les événements se succèdent et que les échanges et mélanges culturels entre les populations européennes se poursuivent sans cesse, sous les insignes unificateurs des nouveaux empereurs, les Habsbourg d'Espagne.
A Rome, les dernières phases du maniérisme doivent en quelque sorte se réconcilier avec les complications des nouveaux préceptes papaux. Mais les tentatives de mélange stylistique ou le respect pédant des normes ecclésiastiques ne produisent presque jamais de renouvellement. La décoration

aussi toscanes (les maniéristes florentins). Grand portraitiste, il crée son chef-d'œuvre avec la série de peintures réalisées pour la chapelle du Sacrement de Saint-Jean-l'Évangéliste, à Brescia, où l'engagement religieux et doctrinal est évident.

◆ **Polzone,** Scipione, dit il Gaetano (Gaeta vers 1550 - Rome 1598). Très jeune, il s'affirme à Rome comme un portraitiste de renom. Entré en contact avec le jésuite Giuseppe Valeriano, il collabore à la décoration de l'église du Gesú, y interprétant de façon très efficace les préceptes du concile de Trente.

◆ **Savoldo,** Gian Girolamo (Brescia vers 1480 - Venise ? après 1548). Probablement élève de Foppa, il en hérite l'empreinte naturalisto-populiste, tandis que, sur l'exemple de Titien, il construit son propre répertoire technique. L'esthétique de Savoldo est cependant très originale, soutenue par une grande habileté formelle et aussi de remarquables qualités narratives. Dans des œuvres comme la *Madeleine* de la National Gallery, il anticipe de façon évidente le style de Caravage.

◆ **Zuccaro,** Federico (Sant'Angelo in Vado 1542 - Ancône 1609). Très réputé et très recherché de son vivant pour son activité de décorateur, il occupe un rôle historique important par son traité d'esthétique (1607) : *L'Idée des sculpteurs, peintres et architectes.*

7 RÉFORME ET CONTRE-RÉFORME

▼ *Giovanni Battista Moroni,* Le Tailleur, *1570, National Gallery, Londres. La peinture est représentative d'un nouveau type de portrait, à mi-chemin entre l'influence flamande et le respect du décorum contre-réformiste. Le métier du tailleur est transcrit avec une attention particulière pour l'aspect humain et psychologique de l'homme et pour sa quotidienneté.*

▼ *Vincenzo Campi,* Les Mangeurs de ricotta, *musée des Beaux-Arts, Lyon. Le peintre crémonais tire son inspiration de quelques œuvres nordiques envoyées par Alexandre Farnèse, gouverneur des Pays-Bas, ce qui explique une peinture de petites dimensions, au sujet profane. Le fétichisme de la marchandise et sa valeur sont célébrés et, à leur tour, célèbrent les principes moraux sous-jacents.*

de l'oratoire de San Lucia del Gonfalone, exécutée entre 1573 et 1575, reste symbolique. L'un des auteurs en est Federico Zuccaro. Prince de l'académie de Saint-Luc, Zuccaro est le champion de l'art romain de cette période, auteur de la « regolata mescolanza » conforme aux traités de la Contre-Réforme (c'est-à-dire respectueux de l'orthodoxie iconographique au moyen d'un art simple). Mais il est davantage connu aujourd'hui pour son travail rigoureux de théoricien que pour ses entreprises créatives, pas toujours convaincantes.

Un autre peintre en conformité avec son temps, remarquable, est Scipione Polzone. Portraitiste en vogue, il est très stimulé par les contacts qu'il a avec la très importante institution de la Compagnie de Jésus, fondée en 1540. Les jésuites sont l'un des principaux instruments de la Contre-Réforme, notamment parce que leur fondateur, saint Ignace de Loyola a donné, dans ses *Exercices spirituels,* des instructions précises sur les modalités à suivre dans la démarche religieuse individuelle, et également sur la « visualisation » des thèmes mystiques. Se fondant sur ces conseils, Polzone construit une formule picturale qui se détache des expressions contingentes et qui le pousse à épurer l'œuvre jusqu'à ses éléments essentiels.

Refusant les formules toutes faites, même convaincantes, et donc aux antipodes de Polzone, Federico Barocci peint des tableaux pleins de mouvement et de vitalité. Son dynamisme formel – évident, par exemple, dans la *Présentation de la Vierge au Temple,* ou bien dans ses peintures pour la cathédrale d'Urbino – s'oriente vers une expression plus immédiate des contenus narratifs. Barocci est proche des conceptions des oratoriens de saint Philippe Néri, et en partage l'idée de « grâce joyeuse » et de beauté vue comme projection de l'amour divin. Peinture émotive et limpide, propre à créer des spectacles de lumière, couleurs, vibrations, support parfait pour des visions extatiques.

Au même titre, on doit évoquer ici un autre très grand peintre,

Moretto, Le Christ et l'ange, *1550, pinacothèque Tosio-Martinengo, Brescia. L'œuvre est innovatrice et déconcertante par la composition et la couleur livide. Elle atteste de manière tout à fait éloquente l'engagement intense de Moretto vis-à-vis des problèmes religieux de l'époque.*

▼ *Federico Barocci,* Repos pendant la fuite en Égypte, *1570, pinacothèque du Vatican, Rome. La douceur et la passion que l'artiste parvient à insuffler dans ses œuvres religieuses annoncent bien les manières des Carrache et, plus tard, de Guido Reni. L'art de Barocci se projette ainsi au cœur du XVIIe siècle.*

▼ *Jacopo Bassano,* L'Adoration des Mages, *1559-1561, Kunsthistorisches Museum, Vienne. Cette œuvre occupe une place de choix dans la production de l'artiste, tant elle illustre son langage raffiné (en même temps que naturaliste). On voit comment l'élongation « maniériste » des personnages et le traitement très étudié des lumières n'ôtent rien au caractère populaire, presque paysan, de cette représentation.*

Jacopo Bassano, lié en partie seulement à l'histoire de la Contre-Réforme. Bassano traverse d'abord la version la plus populiste du naturalisme vénitien (provenant de Bellini et de Lotto), puis un maniérisme très personnel, différent de celui de Tintoret, et enfin, dans des œuvres comme le *Baptême de sainte Lucile*, de 1570 environ, il anticipe de manière décisive les expériences expressives du XVIIe siècle. Sont à énumérer diverses autres approches du problème de l'art sacré en cette fin de siècle. A Bologne, Bartolomeo Passarotti conjugue portrait et nature morte, et traduit parfois la vraisemblance contre-réformiste en un réalisme cru. Dans la ville de l'État pontifical, le cardinal Paleotti se fait l'actif porte-parole des directives du concile de Trente, en éditant en 1582 le *Discours sur les images sacrées et profanes*. Interprète génial et passionné à la fois des conseils du cardinal et des exigences de rigueur que l'Église impose à l'art : Ludovico Carrache. Avec ses cousins Agostino et Annibale, il se montre conscient de l'importance de restituer le naturel à la peinture. Sa propre dévotion le guide et lui permet d'exprimer mysticisme et intense réflexion à travers un vocabulaire compréhensible, qui narre des vicissitudes authentiquement humaines, dans lesquelles le fidèle peut se reconnaître pleinement. Ajoutée à cela, la spatialité réalisée par Ludovico est ouverte, lumineuse et captivante, comme dans la *Conversion de saint Paul*, une œuvre construite en terme de vue

7 RÉFORME ET CONTRE-RÉFORME

▼ *Ludovico Carrache,* La Conversion de saint Paul, *1587-1588, Pinacothèque nationale, Bologne. La scène est ici traitée comme un incident météorologique : la foudre cause l'emballement du cheval du saint, qui est projeté au sol et roule presque hors du tableau. La syntaxe inscrit à l'intérieur du cadre celui qui regarde et introduit la spatialité baroque.*

instantanée, où l'épisode biblique devient incident physique et météorologique, passionné et passionnant dans sa circularité spatiale, ou dans *L'Annonciation* de 1585, où authenticité et décorum sont dans un équilibre parfait.
Le rôle exercé à Bologne par le cardinal Paleotti est tenu à Milan par Charles Borromée, et plus tard par son cousin Frédéric, tous deux cardinaux et défenseurs acharnés du concile de Trente. Frédéric Borromée a le mérite d'avoir largement contribué, entre la fin du XVIe siècle et le début du XVIIe, au développement culturel de sa ville, fondant diverses académies et favorisant la formation d'un remarquable cercle d'artistes. La première phase de ce « mouvement » – d'où se détachent Cerano, Morazzone et la famille Procaccini – est un produit extrême de la Contre-Réforme : il suffit de penser à la valeur idéologique des peintures sur *La Vie de saint Charles Borromée* pour la cathédrale de Milan (1610). La seconde phase, au contraire, avec Tanzio da Varallo, Daniele Crespi, Francesco del Cairo, se ressent déjà des influences du caravagisme, en essayant cependant de les concilier avec l'expérience précédente. Par ailleurs, il faut dire que, dans de nombreuses régions d'Italie, la survivance, en matière religieuse, du climat contre-réformiste sert partiellement d'antidote aux nouveaux « venins » du XVIIe siècle. ■

◄ *Giulio Cesare Procaccini,* Saint Charles en gloire, *1610, Dôme, Milan. La composition compacte est animée pourtant par la présence des chérubins, un élément que l'artiste utilise dans toutes ses œuvres pour en adoucir l'effet.*

Lucas Cranach l'Ancien, Portrait de Martin Luther, *1543, Offices, Florence.*

L'absence de fond naturaliste concentre l'attention sur le visage du personnage, accentuant sa sévérité d'expression. L'appartenance de Cranach au climat psychologique de la Réforme s'exprime pleinement dans la dureté de l'impact de l'image.

Jacopo Bassano, Crucifixion, *1562, Musée municipal, Trévise.*

Les recherches maniéristes de ce retable sont à leur paroxysme, tandis que commencent à apparaître les lumières froides de la dernière période de Bassano.

Cerano, Saint Charles renonce à la principauté d'Oria pour en offrir le bénéfice aux pauvres, *1603, Dôme, Milan.*

C'est une œuvre pleinement contre-réformiste, symbolisant l'esprit des nouveaux défenseurs de l'Église et de l'iconographie didactique qui leur est liée.

Début du règne de François Ier Luther affiche ses 95 propositions	Schisme anglican Fin des « guerres d'Italie »	Traité de Cateau-Cambrésis Concile de Trente	Massacre de la Saint-Barthélemy Bataille de Lépante	Indépendance des Pays-Bas Exécution de Marie Stuart	Édit de Nantes Assassinat d'Henri IV
A. Achillini : *Observations anatomiques*	Paracelse : *Chirurgia magna* A. Vésale : *De corporis humani fabrica libri septem*	Nostradamus : *Centuries* G. Fallope : *Observations anatomiques*	Tycho Brahe : *Nouveau Catalogue des étoiles* Projection de Mercator	G. Della Porta : *Magiae naturalis lib. XX* Galilée : observations sur le pendule	J. Kepler : *Astronomia nova* Galilée : *Sidereus nuncius*
Mort de J. Des Prés	Premiers chorals en allemand	A. Gabrieli à Munich, puis à Venise Diffusion du violon	A. Gabrieli : *Sacrae cantiones* G. Palestrina : *Missa brevis*	L. Marenzio : *Madrigaux*	Gesualdo de Venosa : *Repons*
	Calvin : *Institution de la religion chrétienne*	*Book of Common Prayer*	Thomas More : *Dialogue entre Confort et Tribulation*	Jean de la Croix : *Le Cantique spirituel*	Compagnie de Jésus : *Ratio studiorum*
Saint Ignace de Loyola : *Exercices spirituels*				Accademia dei Desiderosi	
Moretto : Chapelle du Sacrement **M. Grünewald :** *Retable d'Isenheim*	**Michel-Ange :** Coupole de Saint-Pierre **Salviati :** *Déposition de Croix*	**Salviati :** Décoration du palais Sacchetti **J. Bassano :** *L'Adoration des bergers*	**Barocci :** *Déposition* **F. Zuccaro :** *Flagellation*	**L. Carrache :** *La chute de saint Paul* **S. Polzone :** *La Sainte Famille*	**Cerano :** *La Vie et les miracles de saint Charles Borromée*
1515-1531	1532-1547	1548-1563	1564-1579	1580-1595	1596-1611

Diego Velázquez, Les Ménines, *1656, musée du Prado, Madrid. Ce tableau est un théâtre de miroirs et de multiples perspectives renvoyées. Au centre de la composition, l'infante Marguerite est entourée, et en partie regardée, par sa petite cour, comme par nous, spectateurs ; mais elle regarde ses parents, visibles dans le pâle reflet du miroir du fond ; la narration se complique, car l'artiste, ici représenté, regarde son sujet : les souverains Philippe IV et Marie-Anne d'Autriche. L'œuvre est calibrée sur plusieurs niveaux se renvoyant les uns les autres et englobant les spectateurs à l'intérieur, les laissant désorientés et fascinés par l'illusion artificielle baroque. La structure perspective du tableau demeure comme incomplète : elle demande avant tout au spectateur d'entrer dans le rôle d'observateur et protagoniste de la scène.*

8 LE BAROQUE

L'origine du terme baroque est controversée. En portugais, il a le sens de irrégularité, en espagnol (barrueco), il indique un type de perle qui n'est pas parfaitement ronde. Ce mot fut d'abord utilisé par les joailliers, et devint ensuite synonyme d'un art ciselé, précieux, extravagant : l'art de la malice et de l'insolite. Le baroque explose, fantasmagorique et novateur, au XVIIe siècle, époque du déclin de l'Empire espagnol en Europe, de la formation progressive du concept de nationalité, des découvertes dues à la « nouvelle science » qui, de Kepler à Galilée, modifient profondément la conception de l'univers. Avec la chute du géocentrisme biblique, la dimension humaine s'efface devant la vision de l'infiniment grand, le macrocosme de Giordano Bruno qui introduit alors des valeurs philosophiques inédites. La crise de conscience provoquée par la réforme protestante constitue une force de dissuasion ultérieure pour la transformation du rapport homme/univers : la culture baroque inaugure une nouvelle perception de l'incommensurable « dessein divin » et une nouvelle mythologie religieuse.

Au début du XVIIe siècle, Rome est le lieu de confrontation des expressions artistiques les plus variées, siège du gouvernement pontifical, source de la restauration du pouvoir et des images de l'Église. Au moment où les oratoriens de saint Philippe Néri et la Compagnie de

◄ *Caravage,* Mort de la Vierge, *1605, Louvre, Paris. Bien que traitant d'une mort « sacrée », l'œuvre est empreinte d'une intense observation du réel et d'un sentiment de désespoir devant un événement insondable.*

▼ *Caravage,* Conversion de saint Paul, *1600-1601, Santa Maria del Popolo, Rome. Le saint est foudroyé par la vision, l'action est suspendue, comme dans un photogramme aux caractéristiques iconographiques très nouvelles.*

Jésus représentent les principaux instruments de réaffirmation et de propagande de l'Église de la Contre-Réforme, Caravage peint à Rome. Protégé du cardinal Francesco Maria del Monte, grâce à qui il obtient la commande de la série de tableaux de Saint-Louis-des-Français (1599-1602), Caravage est au courant des nouveautés culturelles touchant les multiples facettes du savoir. Elles stimulent en lui un grand intérêt pour « la nature intrinsèque des choses ». De telles mises à jour se greffent sur sa formation lombarde (utilisant les suggestions naturalistes de Savoldo et de Moroni, de Lotto et de Campi) et le conduisent à s'éloigner de l'orthodoxie iconographique prônée par les traités, préférant la rigueur d'une observation aiguë et attentive de la réalité, approche qui l'amène à concevoir la plus retentissante révolution artistique depuis la Renaissance. Dans les tableaux de Caravage, la lumière rasante, l'instant crucial, la nature, qu'elle soit vive ou morte, tout est saisi sans jugement de valeur. Le regard de l'artiste se pose sur les choses, les caresse et les scrute, indépendamment des conventions formelles. Le bien et le mal ressortent comme les faces d'une même médaille, point d'appui unique pour remonter aux aspects les plus insondables de l'existence. Il suffit d'observer la *Mort de la Vierge* (1605), où le drame très humain est parfaitement récupéré dans sa valeur absolue, de perte et de douleur, de véritable défaite : un destin irrémédiable, que la tête renversée de Madeleine, au premier plan, nous décrit comme « actuel » et pas du tout consolateur.

Il n'est pas étonnant que la nouvelle esthétique de Caravage ait fait rapidement école. On retrouve un climat analogue chez le Lorrain Georges de La Tour, esprit cartésien mû

L'idéologie baroque de l'implication psychologique s'exprime pleinement dans la chapelle Cornaro de Sainte-Marie-de-la-Victoire, à Rome, réalisée entre 1644 et 1651 par Bernin. Toute l'organisation de l'espace tourne autour du groupe sculpté L'Extase de sainte Thérèse, *qui traduit ici l'inexprimable d'un grand événement mystique à travers toute une série d'inventions formelles. La sainte est saisie dans un étonnant moment d'évanouissement, défaillant sur un nuage flottant d'où elle semble sur le point de glisser, tandis qu'un ange ambigu s'apprête à la transpercer d'une flèche d'amour. La sculpture est entourée de marbres aux couleurs brillantes, de fresques, de stucs dorés. Les coulisses de la « mise en scène » sont occupées par les membres de la famille Cornaro, qui assistent alors au miracle comme depuis les loges d'un théâtre. Le spectateur actuel est de cette façon assimilé à la fiction, et saisit l'immanence de l'événement, sa présence stimultanée dans l'espace de l'illusion et dans celui de la réalité.*

LES PROTAGONISTES

◆ **Bernin,** Gian Lorenzo Bernini, dit (Naples 1598 - Rome 1680). Sculpteur, architecte, urbaniste, peintre. L'un des fondateurs du baroque, il est, dès 1624, en rapport étroit avec les autorités pontificales, pour lesquelles il travaille toute sa vie. L'activité débordante et multidirectionnelle ainsi que le très grand nombre de commandes font de son atelier un des centres de la culture romaine du XVIIe siècle. La marque de sa présence imprègne l'aspect de la capitale.

◆ **Borromini,** Francesco Castelli, dit (Bissone 1599 - Rome 1667). Son long apprentissage de sculpteur sur marbre auprès de Carlo Maderno ne cesse qu'à la mort de celui-ci, en 1629. Il acquiert ensuite une bonne réputation d'architecte et obtient alors de très prestigieuses commandes, comme la restauration de Saint-Jean-de-Latran et la construction du collège de la Propagation-de-la-Foi. Là et dans diverses autres de ses œuvres, il se révèle, avec Bernin, comme le plus grand représentant de l'architecture baroque.

◆ **Caravage,** Michelangelo Merisi, dit (Caravaggio 1573 - Porto Ercole, Grosseto 1610). Après un

◄ *Pierre Paul Rubens,* Henri IV reçoit le portrait de Marie de Médicis, *1622-1625, Louvre, Paris.*

▼ *Rembrandt,* La Ronde de nuit, *1642, Rijksmuseum, Amsterdam. Le tableau s'insère dans la typologie du portrait collectif, très cher à la société protestante.*

par une intime réflexion religieuse. Il crée des œuvres où la suspension temporelle et l'immobilité des géométries calibrées expriment un langage déroutant, d'une intense méditation.
Bien qu'appartenant au XVIIe siècle, les « caravagistes » sont les représentants d'une génération déchirée et intolérante, étrangère à l'amour par les complications mentales typiques de la sensibilité baroque. Le caravagisme fleurit, exploitant tantôt les caractères intrinsèques, tantôt les aspects plus extérieurs et seulement techniques de l'art du maître. Il est assez bien représenté par des peintres comme, notamment, Orazio Gentileschi, Carlo Saraceni, le Franco-Italien Valentin de Boulogne, le Hollandais Gerrit Van Honthorst (dit Gérard de la Nuit). A l'époque où Caravage peint pour les églises Saint-Louis-des-Français et Sainte-Marie-du-Peuple, Pierre Paul

apprentissage initial en Lombardie, il se rend à Rome en 1590, où il se fait connaître par des tableaux profanes. Vers la fin du siècle, il obtient des commandes pour divers retables d'églises. Mais le scandale que suscitent ses œuvres, et encore plus sa vie extrêmement tumultueuse, l'oblige à s'exiler le long de toute la péninsule. Recherché par la police pour l'assassinat d'un adversaire de jeu, il est en 1606 à Naples, en 1608 à Malte, puis à Messine et à Palerme, et de nouveau à Naples. Il meurt alors qu'il tente de rentrer à Rome, en 1610.

◆ **Carrache,** Annibale (Bologne 1560 - Rome 1609). Très jeune, il participe, à Bologne, à la grande aventure de l'Accademia dei Desiderosi, et il se signale alors par la réalisation d'œuvres au ton très populiste. Entre 1597 et 1605, il travaille à la décoration du palais Farnèse à Rome, considérée à juste titre comme son chef-d'œuvre : il y anticipe, de façon très convaincante, le langage et la sensibilité spatiale du baroque.

◆ **Cortone,** Pietro Berrettini da Cortona, dit Pierre de (Cortona 1596 - Rome 1669). Sa venue – jeune – dans la capitale est fondamentale pour lui, car il peut y étudier le classicisme de Raphaël et aussi le baroque d'Annibale Carrache et de Bernin, mettant à profit le fruit de ces « lectures » dans de nombreuses œuvres exécutées pour le pape Urbain VIII.

◆ **Guerchin,** Giovanni Francesco Barbieri, dit (Cento 1591 - Bologne 1666). Sa formation est issue de la culture de la plaine du Pô, au

▼ *Rembrandt,* La Leçon d'anatomie du professeur Tulp, *1632, Mauritshuis, la Haye. La leçon est l'occasion, réaliste et inquiétante, de célébrer le fameux anatomiste et sa profession, dans la ligne du puritanisme protestant très apprécié des bourgeois, des commerçants et des « guildes » d'artisans.*

Rubens est à Rome. Le peintre flamand acquiert pour le duc Vincent de Gonzague la *Mort de la Vierge,* refusée par les commettants, qui considèrent scandaleux le modèle choisi : une jeune femme noyée. Rubens apprécie énormément la peinture italienne ; expérimentateur cultivé et raffiné, il donne à ses propres peintures une grande valeur plastique, un langage sensuel et fastueux, tels qu'on peut le placer à juste titre dans l'olympe de l'art baroque.

Parmi les sujets préférés et les plus répandus dans son pays, Rubens cultive particulièrement le portrait, genre que son compatriote Antoon Van Dyck développe avec élégance, mais qui trouve en Frans Hals son meilleur représentant. Celui-ci fait le plus souvent le portrait des représentants des classes montantes – le monde des bourgmestres, marchands, artisans –, qui voient dans le portrait collectif une reconnaissance de la dignité sociale conquise.

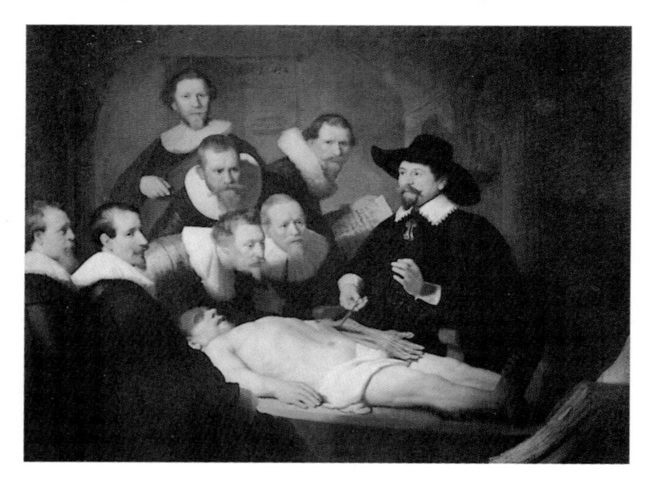

Des exemples de portraits de groupe se trouvent chez le plus grand artiste hollandais du siècle, Rembrandt, auteur de tableaux comme *La Leçon d'anatomie du professeur Tulp* (1632) et *La Ronde de nuit* (1642). Son style semble pouvoir concilier Caravage (interprété de façon très personnelle) et certains aspects du baroque. Il va cependant bien au-delà des portraits, paysages, scènes de taverne, thèmes habituels de la peinture hollandaise, pour atteindre des résultats d'une profonde analyse spirituelle, presque une narration « privée », qui devient peu à peu plus intime et difficile avec les années. L'hégémonie de la matière picturale est vraiment intense dans les dernières œuvres de Rembrandt,

---

contact du cercle des Carrache. En 1621, le pape Grégoire XV l'appelle à Rome, où il réalise quelques œuvres remarquables. De retour à Bologne, son art prend un ton paisible et religieux.

◆ **Poussin,** Nicolas (Les Andelys 1594 - Rome 1665). Il est le représentant majeur du classicisme du XVIIe siècle. Son intérêt pour le monde antique le conduit bientôt à Rome où il peut se consacrer à l'étude de Raphaël. Ces références lui permettent de conjuguer nature et Histoire, mythe et société, langage et idéologie dans des œuvres d'une impressionnante perfection formelle.

◆ **Rembrandt,** Harmensz Van Rijn, dit (Leyde 1606 - Amsterdam 1669). Bien que fils de meunier, il fréquente l'école latine, puis l'université. La maîtrise dont il fait preuve en tant que sculpteur et peintre lui vaut une renommée précoce. Mais les difficultés économiques dont il est victime l'éloignent du goût de l'époque et lui font perdre sa clientèle. Il termine sa carrière quasiment isolé et inconnu.

◆ **Reni,** Guido (Bologne 1575 - 1642). Élève de Denis Calvaert, il complète sa formation à l'académie des Carrache. De 1601 à 1613, il travaille à Rome, puis il rentre à Bologne, salué désormais comme l'inventeur d'une « manière » qui aura de nombreux adeptes jusqu'au romantisme et au-delà.

◆ **Rubens,** Pierre Paul (Siegen 1577 - Anvers 1640). Après quelques années de travail à Anvers, il se

▼ *Diego Velázquez,* Le Christ chez Marthe et Marie, 1619-1620, *National Gallery, Londres. La scène religieuse est encadrée dans la petite fenêtre et, en fait, est l'illustration de la « vision que la femme, au premier plan, a de l'épisode évangélique.*

dans sa façon de laisser à peine « émerger », un peu comme une ombre qui persiste, le sujet représenté, qui se transforme toujours davantage en prétexte.
Plus encore que dans le Nord, l'empreinte de Caravage est reconnaissable dans la « colonie espagnole » catholique de l'Italie méridionale. José de Ribera est fulguré par l'œuvre du Lombard, à Naples en 1606 : il en accentue les effets de clair-obscur et pousse le réalisme jusqu'à la narration crue. Invité de Ribera, Diego Velázquez, le peintre préféré de Philippe IV d'Espagne, passe à Naples. Sa formation est liée aux relations qui unissent le monde espagnol aux Flandres, y compris dans le domaine économique. Dans *Le Christ chez Marthe et Marie* (1619-1620), la composition est de style flamand, avec cette découpe exceptionnelle de la scène au-delà de la fenêtre (comme un tableau dans le

rend en Italie et entre au service du duc de Mantoue. Là, il peut étudier les œuvres de la Renaissance et du maniérisme. En 1609, il rentre dans son pays comme peintre officiel du gouverneur des Pays-Bas. Sa très riche production se caractérise par une aisance technique et réthorique suggestive.

◆ **Velázquez,** Diego Rodriguez de Silva y (Séville 1599 - Madrid 1660). En 1623, Philippe IV le nomme peintre de la cour ; en 1629-1630, il fait un premier voyage en Italie, où il peut observer de près les Vénitiens du Cinquecento et Caravage. Excellent portraitiste et inventeur génial d'astuces visuelles (*Les Ménines, Les Fileuses*), il obtient de son vivant diverses reconnaissances, notamment la charge (après 1649) d'acquérir des œuvres d'art pour la couronne espagnole.

◆ **Vermeer,** Jan (Delft 1632-1675). Le peu d'informations que l'on a sur la vie de Vermeer contraste avec la gloire posthume dont jouit son œuvre. La critique actuelle lui reconnaît environ soixante tableaux, dont seulement seize sont signés et deux datés. Ce qui a contribué – étant donné la haute qualité des œuvres connues – à créer autour de son nom un véritable mythe, confirmé aussi par le rôle que lui donne Marcel Proust dans les très célèbres pages de *A la recherche du temps perdu.*

▼ *Annibale Carrache,* Polyphème et Galatée, *1597-1604, palais Farnèse, Rome. L'étude de la nature, et de l'Antiquité, de l'œuvre de Raphaël et de Michel-Ange, est traduite par l'artiste dans un style grandiose et désinvolte qui constitue un point de référence pour l'art ultérieur.*

tableau), mais la leçon de Caravage est déjà présente dans le vérisme des traits et des expressions. Et pourtant, la servante assiste à l'événement évangélique dans la pure tradition des écrits de saint Ignace de Loyola, c'est-à-dire qu'elle voit, car il n'est interdit à personne de « voir » avec les yeux de l'âme. Chez Velázquez, il y a une espèce d'obsession de l'espace, conçu comme un principe déroutant et non une certitude rationnelle. Ce n'est pas la perspective de la Renaissance qui l'intéresse, malgré le réalisme de ses œuvres, mais plutôt – comme dans le célèbre tableau *Les Ménines* – une représentation scénographique, baroque à sa façon, un théâtre de miroirs et d'illusions où celui qui regarde est en même temps celui qui est regardé.

▼ *Andrea Pozzo,* Allégorie de l'œuvre missionnaire des jésuites, *1691-1694, église Saint-Ignace, Rome. Cette œuvre résume les précédentes expériences faites sur la perspective, et elle les intègre dans une quadrature très rigoureusement architecturale et démesurément agrandie.*

Le goût pour les natures mortes atteint en Espagne de splendides résultats, avec l'objectivisme « concentré de Francisco de Zurbarán, autre génial interprète du langage de Caravage. Dans quelques régions d'Italie, ce style arrive filtré, et donc atténué, à travers les modèles néorenaissants des protagonistes de la Contre-Réforme. Déjà les Émiliens Annibale, Agostino et Ludovico Carrache ont créé, en 1590, à Bologne, l'Accademia degli Incamminati (Académie des Acheminés), dont le programme est concentré sur l'étude de la nature et le dessin comme préambule indispensable à tout acte créatif. Dans

▼ *Guido Reni,* L'Aurore, *1613-1614, palais Rospigliosi-Pallaricini, Rome. Le tableau propose le thème du cortège, qui est propre à la Renaissance, imitant les décorations d'Annibale Carrache à la galerie Farnèse. L'esprit joyeux, typique de l'art septentrional, se conjugue avec celui, classique et clair, des artistes romains.*

► *Bernin, Fontaine des Quatre-Fleuves, détail, 1648-1651, place Navona, Rome. Le centre de la place est mis en relief par Bernin de manière scénographique : la roche abrite l'allégorie des quatre parties du monde et, en même temps, des fleuves du paradis au pied de la croix. Au centre se découpe l'obélisque couronné de la colombe, symbole du Saint-Esprit et du pape Innocent X.*

sa grandiose décoration de la galerie Farnèse, à Rome, Annibale s'inspire des exemples de Raphaël et de Michel-Ange. Le thème de l'amour est traité dans une tonalité classique et libre, la composition répartie en tableaux, à la manière du XVIe siècle, ou suivant des solutions désinvoltes et novatrices. Quelques artistes émiliens suivent Annibale à Rome, retrouvent Francesco Albane et Dominiquin, et, plus tard, Guido Reni, Lanfranco, Guerchin. De retour à Bologne, Guido Reni approfondit l'interprétation du sacré, stimulé par l'enseignement de son ancien maître, Ludovico Caravage, et par sa propre et authentique dévotion. A travers une complexe recherche formelle d'équilibre, de pureté et de sens du rythme, Reni divinise la forme et suspend l'action, donnant lieu à de véritables archétypes représentatifs, repris de très nombreuses fois après lui. C'est aussi dans le sillage de ces démarches que l'art va trouver les éléments significatifs du baroque. Les inventions de la galerie Farnèse facilitent la mise au point du concept d'« espace infini » : représenter l'ampleur et la grandeur du dessein divin signifie proposer une union retrouvée entre la sphère ultra-terrestre et la sphère humaine. La catégorie de l'infini, qui a effrayé les consciences et a été synonyme de perte du centre, est récupérée comme une valeur émotionnelle, spectaculaire, exaltante. La nature et l'extérieur

◄ *Pierre de Cortone, façade de Sainte-Marie-de-la-Paix, 1656-1657, Rome. L'architecture baroque se caractérise par son goût pour la mise en scène et par sa prédilection pour l'animation de l'espace.*

▼ *Francesco Borromini, coupole de l'église Saint-Charles-des-Quatre-Fontaines, 1638-1641, Rome.*

offrent une image impliquante, riche de charme et de pouvoir persuasif. Avec l'*Aurore* (1621), fresque peinte par Guerchin au casino de la villa Ludovisi, s'écroulent les premières barrières architectoniques délimitant la vision picturale. La représentation de l'éternel et de l'immense apparaît peu après, aux plafonds des demeures et des églises. Giovanni Lanfranco célèbre la nouvelle mythologie catholique en peignant sur la coupole de Sant'Andrea della Valle, à Rome (1625-1627), un kaléidoscope tourbillonnant qui submerge d'émotion celui qui le regarde. Pierre de Cortone crée, au plafond du palais Barberini (1633-1639), un véritable magma de figures et de faits, transformant la perspective, instrument de domination par la raison, en artifice pour

◄ *Guarino Guarini, coupole de San Lorenzo, 1668-1687, Turin. L'élément « coupole » représente une partie fondamentale dans l'architecture de Guarino Guarini. Contrairement à Borromini, il tend à créer des inventions dissonantes : ici, la coupole a perdu de sa compacité pour arborer de nombreuses anfractuosités et de trompe-l'œil.*

le bouleversement des sens. Et le jésuite Andrea Pozzo, auteur de l'extraordinaire plafond de Saint-Ignace, à Rome (1691-1694), en théorise les prodiges dans son traité sur la nouvelle représentation en trompe-l'œil. Avec Luca Giordano et Pierre de Cortone, il emploie à son maximum la notion de *vision extatique* introduite par saint Ignace de Loyola.

La poétique de l'art enveloppant, communicatif et spectaculaire est magnifiquement développée par le génie créatif de Bernin. Sa sculpture est un ensemble de suggestions plastiques, dynamiques et sensuel-

▼ *Giuseppe Zimbalo, façade de l'église du Rosaire, commencée en 1691, Lecce. A Lecce, l'architecture baroque se développe selon une conception particulière des valeurs esthétiques, fondée sur la grande richesse des étages et des façades plutôt que sur le seul dynamisme de l'espace.*

les, où sont mises en œuvre les techniques les plus raffinées, afin d'obtenir un art incisif et choral, populaire et aristocratique en même temps, qui fait de l'esthétique un synonyme de la séduction. A Rome, capitale du monde, berceau de l'Église et de ses origines, Bernin intervient avec un esprit scénographique sur le tissu urbain, créant des perspectives, de vastes espaces aptes à la circulation, des fontaines triomphantes (du Triton, des Quatre-Fleuves) et surtout des places : celle du Peuple, avec ses trois avenues qui partent en un jeu visuel sans précédent, et la majestueuse place Saint-Pierre, inscrite entre des colonnades qui servent d'enclos fonctionnel à la liturgie, mais encore plus symboles de l'universalité de l'Église et de son embrassement maternel. Si Bernin est un formidable urbaniste et un auteur génial d'édifices (on pense à l'église Saint-André du Quirinal), l'architecture baroque la plus radicale et la plus violente se trouve dans l'œuvre de Francesco Borromini, dans les églises Saint-Yves-de-la-Sapience et Saint-Charles-des-Quatre-Fontaines. Ici, la complexité géométrique, dominée par les modules de l'ellipse et de la spirale, devient signe d'inquiétude et de dépaysement. Il considère le tourbillon dynamique comme le commencement et la fin d'un regard qui tourne sur lui-même, ne sachant plus où trouver de solides points d'ancrage. Le potentiel émotif que

Bernin investit dans la sculpture est, chez Borromini, confié au rythme de contraction et d'expansion des structures architectoniques. L'expressivité de l'œuvre coïncide ainsi avec la défaillance de la vision. Mais, comme dans les constructions analogues turinoises de l'astronome Guarino Guarini (San Lorenzo, la coupole du Saint-Suaire), une telle défaillance est compensée par la joie profonde d'une fantaisie effrénée, d'une liberté peut-être encore jamais goûtée, d'un art qui crie par chaque anfractuosité sa fureur sacrée créative. Mais les mutations touchent également le contexte urbain, l'architecture prend de nouvelles connotations, ne considérant plus les façades comme des limites aux espaces intérieurs, mais les démembrant voluptueusement en mouvements courbes, mixtilignes, qui englobent l'espace extérieur pour l'y enchevêtrer. Ces typologies se répandent dans toute l'Europe, du baroque joyeux de Lecce, à celui,

▼ *Nicolas Poussin,* L'Automne, *1660-1664, Louvre, Paris. Le thème de l'automne peut également être lu comme une allégorie de l'épisode biblique du raisin de la Terre promise. Dans cette œuvre, le souvenir de l'art classique se manifeste dans la conception ample et paisible du paysage et dans la composition très équilibrée.*

▼ *Jan Vermeer,* Vue de Delf *1658-1660, Mauritshuis, La Haye. Ce tableau constitue une nouveauté pour la précision avec laquelle sont saisies les valeurs atmosphériques, à un moment de la journée, par ailleurs indiqué sur le cadran d'une horloge. Mais il faut situer le présumé « réalisme » de Vermeer dans les limites d'une peinture préromantique, dans laquelle la vision du monde répond toujours,* également, *à un sentiment intérieur.*

funèbre et symbolique de Prague, pour ne citer que deux exemples, les plus significatifs. Mais, naturellement, le siècle de l'extravagance contient en lui une antithèse dialectique, le classicisme, et la cohabitation provoque des querelles.
La théorie classique, initialement formulée par Giovan Battista Agucchi (le meilleur ami de Dominiquin), reprise ensuite par Giovanni Bellori, est largement suivie. Elle compte, parmi ses défenseurs, le Français Nicolas Poussin, qui utilise la mythologie comme source de thèmes moraux. Son langage pictural rappelle la bienheureuse sérénité de Raphaël – en opposition à Michel-Ange, au maniérisme, au baroque – et cependant la rend compatible avec les contenus idéologiques du XVIIe. En dehors de Poussin, Andrea Sacchi, Alessandro Algardi, François Duquesnoy sont d'irréductibles défenseurs du classicisme.
L'exemple de rigueur formelle antibaroque probablement le plus intéressant ne se trouve pas en Italie, mais en Hollande. De la fenêtre de sa maison à Delft, Jan Vermeer enregistre un panorama spirituel laïc et protestant, qui constitue la principale antithèse historique de la culture catholique romaine. Alors que ce regard – à la fois mystique et profane – pénètre dans les cabinets d'études des musiciens et des astronomes, dans les ateliers privés des dentellières, dans les intérieurs bourgeois des jeunes filles de bonne famille, il ne peut restituer les drames des crises religieuses du siècle, mais plutôt la cadence rythmée de la vie dans une société fière de ses valeurs et d'elle-même. ■

Guerchin, L'Aurore, *détail, 1621, villa Ludovisi, Rome.*

L'audacieux raccourci perspectif de cette fresque marque une étape inéluctable dans le développement de la décoration des plafonds baroques, prêts à s'ouvrir sur des vues toujours plus vastes et plus stupéfiantes. L'art se met à investir le fantastique, l'esthétique du merveilleux l'emportant sur l'amour du vraisemblable, si cher à la Renaissance.

Francesco Borromini, *Saint-Yves-de-la-Sapience : lanterne de la coupole, 1642-1650, Collège de la Sapience, Rome.*

Dans la spirale de la lanterne, il faut probablement lire un emblème du lieu, c'est-à-dire un audacieux symbole de la connaissance et de ses processus de formation.

Jan Vermeer, La Lettre d'amour, *1670, Rijksmuseum, Amsterdam.*

Spécialiste de « scènes d'intérieur » comme celle-ci, résolues avec une grande maîtrise technique et une sensibilité poétique, l'artiste enregistre les rythmes de la vie avec un esprit analytique très original pour l'époque : une curiosité qui d'ailleurs lui permet d'atteindre des résultats très élevés sur le plan du langage pictural rigoureux et pur.

1592-1610	1611-1628	1629-1646	1647-1664	1665-1682	1683-1700
Henri IV roi de France Famille Stuart en Angleterre	Guerre de Trente Ans Famille Romanov en Russie	Richelieu : paix d'Alès Guerre civile en Angleterre	Paix de Westphalie Fronde Louis XIV roi de France	Guerre entre la France et l'Espagne et la Hollande Paix de Nimègue	Guillaume III d'Orange roi d'Angleterre
Galilée : *Sidereus nuncius* J. Kepler : *Astronomia nova*	J. Kepler : *Harmonices mundi* Tables rodolphines	Galilée : *Discours sur les deux principaux systèmes du monde* Académie française	W. Harvey : *De generatione animalium*	I. Newton : calcul infinitésimal Académie royale des sciences de Paris	I. Newton : théorie de la gravitation universelle Académie des sciences de Berlin
D. Rinuccini et J. Peri : *Daphné* *C. Monteverdi : Orphée*	G. Frescobaldi à Rome	C. Monteverdi : *Le Couronnement de Poppée*	G. Carissimi à Rome P. Cavalli à Venise J.-B. Lully : *La Nuit*	J.-B. Lully : *Alceste*	M.-A. Charpentier : *David et Jonathas* H. Purcell : *Didon et Énée*
T. Campanella : *La Cité du soleil*	Cervantès : *Don Quichotte* F. Bacon : *La Nouvelle Atlantide*	Descartes *Discours de la Méthode*		Spinoza : *Éthique* Pascal : *Pensées*	J. de La Bruyère : *Caractères* J. de la Fontaine : *Fables* (fin)
W. Shakespeare : *La Mégère apprivoisée, Jules César, Hamlet*		P. Corneille : *Le Cid*	Molière : *Les Précieuses ridicules, Tartuffe*	Racine : *Phèdre*	
A. Carrache : Fresques du palais Farnèse **Caravage :** *La Conversion de saint Paul*	**Guerchin :** *L'Aurore* **Bernin :** *Apollon et Daphné*	**P. de Cortone :** *Triomphe de la Divine Providence* **Rembrandt :** *La Ronde de Nuit*	**Bernin :** Chapelle Cornaro **F. Borromini :** Saint-Yves-de-la-Sapience	**F. Borromini :** Saint-Charles-aux-Quatre-Fontaines **B. Murillo :** Hôpital de la Charité à Séville	**Fischer von Erlach :** Palais de Schönbrunn

Antoine Watteau, L'Indifférent, *1717, Louvre, Paris. Ce tableau, dont le titre n'est pas de Watteau, mais vient d'une gravure de 1729, représente un joueur de diabolo.* L'Indifférent *est aussi le titre d'un récit de Marcel Proust, qui a dédié à Watteau une composition poétique (faisant partie des* Portraits de peintres et de musiciens*), où il décrit les caractères de sa peinture, miroir d'un monde à son crépuscule, avec tous ses charmes, ses amours et ses masques.*

9 LE XVIIIe SIÈCLE

Au cours du XVIIIe, le monde aristocratique et absolutiste se consume, après avoir dominé l'Europe pendant des siècles, marquant la politique et les mœurs, la pensée philosophique et l'esthétique.
Grâce au mouvement éclairé des *philosophes* vont apparaître des personnages et des idées modernes (citoyens et bourgeois, raison et nature, liberté, recherche du bonheur) destinés à modifier de façon décisive le cours de l'Histoire. Ainsi, dans la seconde moitié du XVIIIe siècle, éclatent la révolution américaine (1776), qui garantit l'indépendance et le droit à l'autodétermination des territoires anglais d'outre-Atlantique, puis la révolution française (1789) qui, avec l'exécution capitale du roi et l'abolition des privilèges féodaux séculaires, marque aussi symboliquement le début du monde contemporain.
Dans la première moitié du siècle, l'art illustre les modes de vie de l'aristocratie : il décore palais et théâtres, salons et parcs, dans un style appelé « rococo », du terme *rocaille,* qui indique un type de décoration particulièrement utilisé dans l'arrangement des grottes et pavillons, et fondé sur la forme de la coquille et d'autres éléments naturels. Les intérieurs, théâtre de jeux mondains et de ruses sentimentales décrites plus tard par Choderlos de Laclos et Vivant Denon, se remplissent de meubles à la ligne sinueuse,

► *Canaletto,* Caprice architectural, *1765, galerie de l'Académie, Venise. L'œuvre date des dernières années de l'activité de l'artiste qui, alors de retour d'Angleterre, est admis en 1763 à l'Académie de Venise, cinq ans avant sa mort.*

▼ *Giambattista Tiepolo,* Thétis console Achille, *1757, villa Valmarana, environs de Vicence. L'artiste exécute la décoration de la villa avec son fils, après avoir travaillé à la résidence de Würzburg.*

▼ *Jean Honoré Fragonard,* La Résistance inutile, *vers 1770, Musée national, Stockholm. L'artiste participe à la phase ultime de l'époque rococo, poursuivant les thèmes (l'érotisme, les jeux, les poses intimes et opulentes) et le style caractérisé par des lignes sinueuses qui ondulent et un coloris délicat et estompé. Comme chez Boucher, les scènes intimes se déroulent souvent dans un boudoir.*

ressentie comme la plus apte à exprimer une beauté sensible, de miroirs (pavillon d'Amalienburg, dans la résidence de Nymphenburg, en Bavière), de tapisseries et surtout de porcelaines qui, grâce à la découverte de la formule par J.F. Böttger, ne sont plus importées de Chine, mais fabriquées dans les célèbres manufactures de Meissen et Nymphenburg, Capodimonte et Sèvres.

Le centre de rayonnement du goût rococo se trouve dans la France de Louis XV et du régent Philippe d'Orléans, qui déplace la cour du château de Versailles à Paris, la dispersant dans salons et hôtels particuliers. De France, le style se propage rapidement en Europe centrale et en Italie, grâce à la diffusion de recueils d'ornements (Meissonnier, « Livre d'ornement ») et à la circulation des artistes et artisans, ébénistes, décorateurs.

La peinture trouve encore sa place, comme à l'époque baroque, aux plafonds et dans les grands escaliers, agrandissant, au moyen de trompe-l'œil, l'espace architectural, mais dans un style plus léger et très éphémère. Les allégories solennelles du XVIIe cèdent la place aux scènes pastorales de l'Arcadie, au royaume de Vénus et de Pan, aux thèmes érotiques et sensuels, qui glorifient la recherche du plaisir d'une classe sociale au seuil de son déclin.

Un sujet est particulièrement en vogue, celui des « fêtes galantes », variante XVIIIe des concerts champêtres et « Jardins d'Amour », où excelle Antoine Watteau. Dans des paysages-jardins, des dames avec leurs chevaliers entremêlent jeux et menuets, assistent à des concerts et pièces de théâtre, habillés en protagonistes d'une mythologie pasto-

LES PROTAGONISTES

◆ **Bellotto,** Bernardo (Venise 1720 - Varsovie 1780). Élève de son oncle Canaletto, il travaille dans de nombreuses villes italiennes et étrangères (Dresde, Vienne, Munich, Varsovie), dont il exécute de vastes et minutieuses « vedute » peintes ou gravées.

◆ **Boucher,** François (Paris 1703-1770). Influencé par Watteau, il part pour l'Italie en 1727. Parmi ses œuvres décoratives : l'hôtel de Soubise, les châteaux de Crécy et de Bellevue. Il dirige la manufacture de tapisseries de Beauvais et réalise des modèles pour la manufacture de Sèvres. Parmi ses tableaux : *Femme nue, Le Bain de Diane.*

◆ **Boullée,** Étienne Louis (Paris 1728-1799). Professeur d'architecture aux Écoles Centrales, Boullée construisit peu d'édifices, pour la plupart de goût classique. Sa force d'innovation réside dans des projets non réalisés et qui constituent les illustrations de son ouvrage *Essai sur l'art.*

◆ **Canaletto,** Giovanni Antonio Canal, dit (Venise 1697-1768). D'abord scénographe puis peintre de « vues », Canaletto fige sa ville natale dans des compositions amples et lumineuses (*Place Saint-Marc, Le Grand Canal vu du Campo San Vio, Les Régates sur le Grand Canal*). Connu et très apprécié des Anglais, Canaletto s'établit à Londres en 1746 pendant une dizaine d'annés.

◆ **Canova,** Antonio (Possagno 1757 - Venise 1822). Il entre en contact avec le néo-

◄ *Thomas Gainsborough,* William et Élisabeth Hallet *ou* La Promenade matinale, *1785, National Gallery, Londres. C'est la parfaite fusion des figures et de l'ambiance chère à la culture anglaise du XVIIIe.*

▼ *John Trumbull,* La Déclaration de l'Indépendance, *1797, Yale University Art Gallery, New Haven. Est représenté, entre autres, Thomas Jefferson, qui a fourni à Trumbull l'esquisse de la salle.*

rale. Avec *L'Enseigne de Gersaint,* Watteau fixe un autre lieu de la vie du XVIIIe : la boutique d'un marchand de tableaux. Et, dans de nombreuses toiles, il représente des scènes d'intérieur, où la figure féminine, en train de s'habiller ou de se dévêtir, est prétexte à une peinture aux teintes délicates et estompées, à la touche rapide et sensible. Dans la même ligne se situent d'autres représentants de la peinture française : de François Boucher, protégé de Madame de Pompadour et directeur de la manufacture de tapisseries des Gobelins, à Jean-Honoré Fragonard, auteur également de fêtes galantes et de scènes domestiques et érotiques, de portraits et d'esquisses de paysages recueillies au cours de ses voyages en Italie et en Hollande.

Parallèlement, les idées « éclairées » progressent : entre 1751 et 1772 sont publiés les volumes de l'*Encyclopédie* de Diderot et d'Alembert, les valeurs de l'expérience et de la raison s'affirment, tandis que le public de la littérature, des journaux et de l'art s'élargit aux classes bourgeoises et aux intellectuels d'origines sociales diverses.

Dans le sillage d'une revalorisation de la technique et des facultés humaines, le genre de la « veduta » acquiert de l'importance. Il devient la spécialité de nombreux artistes, qui s'aident d'une « chambre noire », instrument équipé de lentilles et de miroirs permettant de refléter l'image du monde extérieur et d'en suivre les contours de manière très

---

classicisme à Rome, où il se rend en 1779. Il est l'auteur de monuments funéraires, de portraits (*Pauline Bonaparte Borghese en Vénus triomphante*), de figures dérivées de la mythologie classique (*Les Trois Grâces, Amour et Psyché)* cherchant à atteindre l'idéal de la grâce.

◆ **David,** Jacques Louis (Paris 1748 - Bruxelles 1825). Il connaît la culture classique ainsi que le néoclassicisme à Rome, où il se rend une première fois en 1775. Parmi ses œuvres : *Le Serment des Horaces, La Mort de Socrate* (1787), le *Portrait du chimiste Lavoisier et de sa femme* (1788). *Marat assassiné,* le *Triomphe du peuple français* et *La Mort de Bara* sont des œuvres centrales de l'époque révolutionnaire. Après la Terreur, il peint *Les Sabines* et, à partir de 1800, est le peintre de Napoléon, glorifiant ses hauts faits de général, premier consul et empereur.

◆ **Fragonard,** Jean Honoré (Grasse 1732 - Paris 1806). Il subit l'influence de Chardin et de Boucher. Il va deux fois en Italie, exécute de nombreuses études sur la commande de l'abbé de Saint-Non, dont il reste un recueil de gravures. A rappeler, *La Chemise enlevée, Les Jardins de la villa d'Este.*

◆ **Gainsborough,** Thomas (Sudbury 1727 - Londres 1788). Attiré essentiellement par les paysages, Gainsborough réalise, pour satisfaire toutes les demandes de la « clientèle », de nombreux portraits en plein air, où il affirme son goût marqué pour le pittoresque et les valeurs atmosphériques de la nature.

*A l'origine du mouvement néoclassique se trouvent les œuvres théoriques de l'Allemand Johann Joachim Winckelmann (*Réflexions sur l'imitation des œuvres d'art grecques en peinture et en sculpture*, 1755, et* Histoire de l'art de l'Antiquité*, 1764). Il y affirme la nécessité d'imiter l'art classique et définit les caractères esthétiques de la sculpture grecque (« noble simplicité et tranquille grandeur »). Répondent à cet appel Antonio Canova (dont le* Persée *s'inspire de l'*Apollon du Belvédère*) et Louis David, qui recherche dans les modèles classiques les images que ses contemporains pourront lire comme le reflet de la situation présente. Le néoclassicisme représente une étape de plus de cet incessant rapport que la culture occidentale a instauré avec le langage antique, des renaissances médiévales, et la Renaissance, au XIXᵉ, notamment avec Ingres (ci-dessus :* La Source, *musée d'Orsay, Paris), aux reprises monumentales de l'architecture classique dans les années 30 du XIXᵉ.*

exacte. Les grands maîtres de la « veduta » et de la fantaisie (caprice) sont les Vénitiens Canaletto et Bellotto, demandés par l'Europe entière, et Francesco Guardi, qui substitue à leur netteté photographique une conception plus sensible du paysage-sujet, déjà « romantique », et une touche plus vive et hachée.

L'attention portée aux coutumes de la société et la stigmatisation de certains caractères, l'intérêt pour le théâtre, les masques et le spectacle moderne en général, le goût de la critique ironique et globale, sont autant de qualités de la peinture du XVIIIᵉ, que l'on retrouve, sous des aspects divers, chez des artistes comme Gian Domenico Tiepolo et William Hogarth, Pietro Longhi (lié à Goldoni) et Thomas Gainsborough.

Vers le milieu du siècle, de pair avec les découvertes archéologiques faites à Pompéi et Herculanum, à Rome et Athènes, s'affirme une nouvelle considération de l'art antique. Les pièces grecques, étrusques, romaines et même égyptiennes sont répertoriées et analysées historiquement et stylistiquement.

Pour de nombreux artistes du XVIIIᵉ siècle désireux de dépasser les formes du rococo, l'art antique et, de manière générale, toutes les valeurs liées à la civilisation classique sont alors pris comme modèles d'inspiration, dans la vie et dans l'art. Le répertoire des sujets peints et sculptés change à nouveau : Vénus et Pan sont remplacés par les héros de l'histoire romaine, et par des thèmes extraits des vases et des reliefs antiques. Le néoclassicisme se propage à travers toute l'Europe, témoignant un désir de l'art de participer aux mutations sociales, à la moralisation des mœurs, à l'avènement des révolutions, à une nouvelle conception du beau.

◆ **Guardi,** Francesco (Venise 1712-1793). D'une famille de peintres vénitiens, Guardi développa en particulier le thème de la « veduta ». A la fidélité documentaire, l'artiste substitue une interprétation fantastique des lieux, qui donne à ses tableaux une allure de vision, à la touche rapide et hachée.

◆ **Hogarth,** William (Londres 1697-1764). Il représente, en peinture et en gravure, les caractères les plus typiques de la société anglaise de son époque, avec toute l'acuité et l'extrême complexité du roman bourgeois contemporain. Parmi les œuvres de sa série moraliste : *La Carrière d'une prostituée, La Carrière d'un roué, Le mariage à la mode.* Il est l'auteur d'un traité : *L'Analyse de la beauté* (1753).

◆ **Ingres,** Jean Auguste Dominique (Montauban 1780 - Paris 1867). Il étudie à l'Académie de Toulouse et est à Paris l'élève de David. Il vit longtemps en Italie, où il s'efforce de tirer le maximum de profit du contact direct avec la peinture de la

Antonio Canova, Amour et Psyché, *1787-1793, Louvre, Paris. Le thème est tiré de l'*Ane d'or *d'Apulée. Plusieurs fois représenté par Canova il est la substance même de l'iconographie néoclassique.*

L'Europe n'est pas l'unique théâtre de ce renouvellement du langage ; les colonies d'Amérique aussi, à la recherche de l'indépendance, ressentent les formes néoclassiques comme étant les plus aptes à exprimer les valeurs, par de nombreux aspects inédits, qui tendent à s'affirmer. Les édifices représentant l'État (tribunaux, capitoles, musées) et les maisons privées se conforment aux temples grecs, avec tympans, portiques et colonnades dont l'acanthe classique des chapiteaux est remplacée par la feuille de tabac ou de maïs. En France également, le peintre Louis David utilise fréquemment le langage antique pour exprimer des valeurs

François Boucher, Triomphe de Vénus, *1740, Musée national, Stockholm. Dans ce tableau, Boucher célèbre Vénus, reine de la mythologie rococo.*

Renaissance. Parmi ses œuvres, rappelons le portrait de *Napoléon Ier sur le trône impérial, Œdipe et le Sphinx, Le Songe d'Ossian,* la *Grande Odalisque* et *L'Apothéose d'Homère.*

◆ **Longhi,** Pietro Falca, dit (Venise 1702-1785). Il est principalement le peintre de scènes de la vie vénitienne, des milieux aristocratique et bourgeois : *Le Rhinocéros, Vendeuse de savarins, Concert à la maison.*

◆ **Tiepolo,** Giambattista (Venise 1696 - Madrid 1770). Il est l'auteur de très importantes décorations à fresque, qui marquent le passage de la tradition illusionniste baroque à une nouvelle sensibilité teintée d'ironie et consciente de l'artifice pictural. Parmi les œuvres les plus importantes, citons les fresques de l'archevêché d'Udine (1726-1728), les *Histoires d'Antoine et Cléopâtre* (Venise, palais Labia), le plafond et les murs de la Kaisersaal et le plafond du grand escalier d'honneur de la résidence de Würzburg, le plafond de l'église de la Piété, à Venise, les fresques de la villa Valmarana, près de Vicence (1757). Il passe les dernières années de sa vie à Madrid, au service de Charles III, où il décore le palais royal. Il est également l'auteur de toiles, dessins et eaux-fortes.

◆ **Watteau,** Antoine (Valenciennes 1684 - Paris 1721). Parmi ses œuvres majeures : *L'Indifférent, L'Amour désarmé, La Toilette, Fêtes vénitiennes,* où prévalent les types, les diverses situations et le style de la peinture rococo.

▼ *Ingres,* Le Songe d'Ossian, *1813, musée Ingres, Montauban. Ce tableau unit le style poli et sculptural d'Ingres à un thème décidément romantique, et qui est celui d'Ossian, barde légendaire, et ses chants « redécouverts », mais en réalité inventés par l'Écossais James Mac Pherson entre 1760 et 1765.*

▼ *Giambattista Piranesi,* Vues de Paestum, *1778, eau-forte. La sensibilité néoclassique se nourrit des vestiges du monde antique restitués à la lumière de l'archéologie et diffusés dans toute l'Europe grâce à des recueils de gravures. Les fouilles à Rome, en Campanie, et en Grèce sont documentées par de nombreux artistes.*

► *Étienne Louis Boullée,* Projet de cénotaphe à Newton, *1780-1790, Bibliothèque nationale, Paris. Le savant de la raison fut l'objet d'un véritable culte au siècle des Lumières. Boullée lui dédie le projet d'un temple-cénotaphe-monument, conçu comme une énorme sphère, symbolisant l'univers, les astres et leurs mouvements cosmiques.*

liées au jacobinisme *(Le Serment des Horaces, Brutus)*, ou des jugements sur le développement de la révolution *(Les Sabines)*. Il lui arrive aussi d'aborder le présent sans écran archaïsant, décrivant avec fidélité *Le Serment du Jeu de Paume* ou *Le Sacre de Napoléon.* Mais le plus grand interprète de l'esthétique néoclassique est Ingres, qui réutilise la grande leçon de la fin de la Renaissance (Raphaël en particulier), en en personnalisant de façon significative les caractères stylistiques et idéologiques. Dans ses tableaux, l'extrême perfection formelle se nourrit d'une surprenante habileté dans le dessin et la construction, qualités supportées par une non moins considérable précision des idées. Mais le parcours de l'œuvre d'Ingres se situe au XIXe siècle et se rapproche – par certains aspects – de la sensibilité romantique : dans *Le Songe d'Osian* (1813, musée de Montauban), l'audace visionnaire évoque déjà certains tableaux de Goya, Blake et Füssli. Les dernières décennies du XVIIIe voient dans tous les domaines de l'art une simplification des formes, une recherche de l'essentiel : dans la sculpture de Canova et de Thorvaldsen, dans l'architecture visionnaire de Boullée et de Ledoux, dont les projets d'édifices sont à base de volumes géométriques réguliers (cubes, sphères), dans le graphisme de Flaxman ou de Carstens, dans le mobilier et les arts appliqués. ■

Antoine Watteau, L'Enseigne de Gersaint *(détail), 1720, palais de Charlottenbourg, Berlin.*

Peint peu avant sa mort, ce tableau (en deux panneaux) représente la boutique du marchand Gersaint. Aux murs sont accrochées des toiles imaginaires ; clients et vendeurs s'entretiennent, non plus sur les thèmes d'amour des fêtes galantes, mais sur l'art et les tableaux. Après tant de scènes de parcs et jardins, Watteau change le scénario pour le situer dans un lieu réel, la boutique d'art, où se confrontent les représentations de la vie.

William Hogarth, Le Charlatan *(détail), de la série* Le Mariage à la mode, *1745, National Gallery, Londres.*

Hogarth peint des séries, ensuite gravées, où il stigmatise à sa façon la « morale moderne », à l'instar des plus grands auteurs de la littérature anglaise de son époque : Pope, Fielding, Swift. Du point de vue de la composition, le recours à la série lui permet une présentation romancée et riche en informations, variée comme la nature et la vie sociale. Quant au jugement moral, il n'est jamais univoque ni escompté, mais il tend à montrer la nouvelle complexité des valeurs et du système éthique.

Louis David, Le Serment des Horaces *(détail), 1784-1785, Louvre, Paris.*

Dans ce grand manifeste du néoclassicisme français, David, peu de temps avant que n'éclate la Révolution, exhorte les Français à jurer fidélité aux valeurs éthiques (refus du luxe, discipline et sacrifice) qui auraient renversé l'ancien régime. Pour cela, l'artiste choisit un épisode de l'histoire romaine, raconté par Livius et bien connu de la culture de l'époque, et lui donne une forme claire ; le monde des sujets et des formes du rococo est ici totalement dépassé.

Guerre de succession espagnole	Saint-Pétersbourg capitale de la Russie Traités d'Utrecht et de Rastatt	Guerre de succession autrichienne	Guerre de Sept Ans	Guerre d'indépendance américaine	Despotisme éclairé à Vienne Révolution française
D. Papin : bateau à vapeur	Fahrenheit : thermomètre à mercure	Vaucanson : métier à tisser automatique	G. Morgagni : *De sedibus et causis morborum*	A. Smith : *Essai sur la richesse des nations*	A. de Lavoisier : *Traité élémentaire de chimie*
Cristofori : pianoforte H. Purcell : *The Fairy Queen*	Bach : *Concertos brandebourgeois* G. Haendel : *Jules César*	G. Haendel : *Le Messie* J.-B. Pergolèse : *La Servante maîtresse*	G. Tartini : *Le Trille du diable* Glück : *Orphée et Eurydice*	G. Paisiello : *Le Barbier de Séville* F.J. Haydn : *Messe en sol*	Mozart : opéras et symphonies L. Cherubini : *Médée*
Fénelon : *Télémaque* G. Berkeley : *Théorie de la vision*	G. Leibniz : *La Monadologie* Montesquieu : *Lettres persanes* J. Swift : *Les Voyages de Gulliver*	D. Hume : *Traité de la nature humaine*	Diderot et d'Alembert : *L'Encyclopédie* J. Winckelmann : *Réflexions sur l'imitation des Grecs...*	Goethe : *Les Souffrances du jeune Werther* E. Kant : *Critique de la raison pure* (1re édition)	Casanova : *Mémoires* Sade : *Justine* F. Hölderlin : *Hypérion*
	Marivaux : *La Double Inconstance*	Rastrelli architecte à Saint-Pétersbourg	Ouverture du British Museum	Ouverture de la Scala de Milan	
H. Rigaud : *Portrait de Louis XIV*	**A. Watteau :** *L'Embarquement pour Cythère* Belvédère à Vienne	**F. Boucher :** *Le Triomphe de Vénus*	**G.B. Tiepolo :** Décoration de la résidence de Würzburg	**Fragonard :** *La Fête à Saint-Cloud* **Guardi :** *Fêtes ducales*	**Canova :** *Amour et Psyché* **David :** *Le Serment des Horaces*
1692-1710	1711-1728	1729-1746	1747-1764	1765-1782	1783-1800

Caspar David Friedrich, Voyage devant le mur de nuages, *1818, Kunsthalle, Hambourg. Durant toute sa vie, Friedrich a observé et dessiné (pour ensuite réaliser ses tableaux dans son atelier) la nature de l'Allemagne du Nord, la campagne des environs de Dresde, les côtes septentrionales, la belle Suisse saxonne, dont on reconnaît un paysage dans ce tableau. Cependant, l'artiste ne s'arrête pas ici à la représentation de la nature en tant que telle, mais lui superpose un contenu supplémentaire, exprimé à travers des symboles (la figure de dos, les nuages, la brume, l'horizon) et à travers la composition et les couleurs. L'homme de dos est comme l'emblème de l'expérience romantique de la nature : seul, sur une hauteur, il regarde en direction d'un point inaccessible, et ce qu'il contemple est en même temps quelque chose d'extérieur et la projection de son identité, de son individualité.*

10 LE ROMANTISME

Baudelaire écrit en 1846 : « Qui dit romantisme dit art moderne, c'est-à-dire intimité, spiritualité, couleur, aspiration vers l'infini, exprimées par tous les moyens propres à l'art. » A cette époque, les thèmes du romantisme sont désormais affirmés ; ils constituent même l'art moderne. Il est nécessaire de revenir en arrière, au début du XIXe, pour assister à la naissance et à l'expansion du romantisme, en rappelant toutefois que ce terme, à l'instar de beaucoup d'autres en histoire de l'art, n'est qu'une définition globale qui regroupe artistes et situations divers, réunis par une nouvelle atmosphère culturelle, une nouvelle sensibilité, un nouveau panorama de l'Histoire. Au XIXe siècle, l'artiste n'a plus devant lui un commanditaire précis, il se met à travailler pour lui-même, à réaliser des œuvres de sa propre initiative, qui pourront ou non être achetées. C'est le début de l'époque des expositions et de la critique d'art « journalistique » ; le public cherche particulièrement des lectures et des œuvres qui sollicitent l'imagination et la fantaisie, il discute des styles et de la mode.

Les sujets traditionnels de la peinture – dieux et nymphes, allégories aux concepts abstraits, scènes bibliques, épisodes de l'histoire ancienne – cèdent le pas au monde intérieur de l'artiste, à ce qui l'émeut dans le présent comme dans le passé historique, dans le mythe comme dans la nature qui l'entoure, dans le réel comme dans l'imaginaire, dans le rêve, dans la contemplation du fantastique. Historiquement, c'est l'époque de l'aventure napoléonienne, conclue par la Restauration, les années des mouvements nationaux dans les États italiens et germaniques, de la guerre entre Grecs et Turcs, des premières manifestations de luttes de classes en Europe. Et l'Amérique, indépendante depuis peu, cherche son identité nationale dans la politique et dans l'art.

Comme dans la philosophie de l'individu et de la nature de Kant et Schelling, dans la poésie de Goethe, Foscolo et Leopardi, dans la musique de Schubert et Beethoven, en peinture aussi s'affirme nettement la primauté du sujet et du sentiment.

C'est en Allemagne que se manifeste en premier la nouvelle esthétique de l'intériorité, qui voit en l'art l'instru-

▲ *Thomas Cole,* La Partie de chasse. Lune et feux de nuit, *vers 1828, collection Thyssen-Bornemisza, Lugano. Anglais de naissance, Cole est le fondateur du paysagisme américain.*

▼ *Philipp Otto Runge,* La Nuit, *1803, Kunsthalle, Hambourg. Cette œuvre fait partie des* Heures du jour, *série de gravures sur les significations symboliques du matin, de midi, du soir, de la nuit.*

▼ *John Constable,* La Baie de Weymouth, *vers 1824, National Gallery, Londres. Naturaliste romantique, ses tableaux rentrent dans la poétique du pittoresque, et ils représentent la variété des phénomènes naturels.*

► *Théodore Géricault,* Le Radeau de la Méduse, *1819, Louvre, Paris. Géricault participe de la « maladie du siècle » décrite par Musset : la chute des valeurs de la Révolution et de l'ère napoléonienne.*

ment pour arriver au cœur de la création, pour entrer en contact avec la nature infinie, à travers le sentiment du sublime. Des sphères philosophique et poétique (Novalis), ces idées se répercutent sur la peinture de Caspar David Friedrich et sur le graphisme de Philipp Otto Runge, deux artistes nordiques qui refusent le traditionnel voyage en Italie et les non moins traditionnels sujets classiques, pour ne peindre que la nature et ses reflets sur leur sensibilité. C'est le début de la peinture moderne de paysage, considérée comme un genre noble, capable d'exprimer mieux que tout autre certains aspects de la sensibilité de l'homme au XIXe siècle.
Friedrich est sans doute l'un des plus grands artistes du siècle ; ses œuvres conjuguent une technique réellement exceptionnelle et la capacité de projeter des réflexions sublimes sur la nature et sur l'homme. Son *Voyageur devant le mur de nuages* de la Kunsthalle de Hambourg (1818) constitue un véritable « manifeste » du romantisme. Un homme solitaire plonge son regard – et son âme – dans le spectacle grandiose du paysage naturel ; et, à partir de cet instant, il s'y confond : il se perd dans un milieu sublime qui est grandeur et puissance des éléments, qui est donc d'esprit divin, pensée insaisissable de Dieu. Face à cela, l'homme se trouve à la fois anéanti et réaffirmé, subjugué et cependant éclairé par la grâce intime de sa propre « participation ».
En Angleterre aussi, la nature devient le centre d'intérêt du public et des artistes, de John Constable, qui cherche à pénétrer la matière et les formes de la campagne et du ciel, à

LES PROTAGONISTES

◆ **Blake,** William (Londres 1757-1827). Poète, peintre et graveur, il illustre lui-même ses livres et tente de traduire en images la grande force visionnaire de son inspiration poétique et linguistique, contribuant à ce renouveau de la sensibilité typique du romantisme.

◆ **Church,** Frederick E. (Hartford, Connecticut, 1826 - New York 1900). Élève de Cole, il élargit la gamme des paysages américains, en peignant les *Andes de l'Équateur* (1855), les *Icebergs* (1863) et l'*Aurore boréale*, le *Cotopaxi* (1862).

◆ **Cole,** Thomas (Bolton-le-Moor, Angleterre, 1801 - Catskill, New York, 1848). Il peint de très nombreux paysages de la vallée du fleuve de l'Hudson, qui lui valent alors la réputation de fondateur de l'École de l'Hudson (Hudson River School), et également des paysages symboliques et allégoriques, comme ceux de la série de tableaux *Le Voyage de la vie* (1840) et *Le Destin de l'empire* (1836).

◆ **Constable,** John (East Bergholt, Suffolk, 1776 - Londres 1837). Il étudie les maîtres du paysage français et hollandais, et élabore son propre style, attentif à l'émotion et à l'atmosphère, peignant plusieurs fois un sujet, comme la cathédrale de Salisbury, la vallée de la Stour, la charrette de foin.

◆ **Delacroix,** Eugène (Charenton-Saint-Maurice 1798 - Paris 1863). Durant sa longue vie, il peint des thèmes littéraires (Dante, Byron), des

▼ *Francisco Goya,* Les Exécutions du 3 mai 1808, *1814, Prado, Madrid. Le tableau commémore les Espagnols fusillés après la révolte contre les Français. La victime illuminée est calquée sur le Christ.*

Joseph Turner, qui transforme ce qu'il voit au moyen de la lumière, à John Martin, qui situe dans de sublimes panoramas de montagne des sujets tirés de la poésie de Byron ou des légendes nordiques.
Le cas de Turner mérite une attention particulière. Dans ses œuvres, la fusion entre sujet et nature est poussée jusqu'aux limites de la destruction de l'image figurative, car la « pénétration émotive » du paysage implique, pour lui, la perte de toute certitude rationnelle et de tout repère culturel. C'est ce qui se passe, par exemple, dans les aquarelles (de sa maturité) conservées au British Museum de Londres : l'élément naturel semble se fondre à l'intérieur d'un creuset d'une lumière aveuglante et changeante. Le sentiment d'une perte irrémédiable de l'identité prévaut sur toute objectivité de la donnée phénoménale, et l'effet pictural atteint devance (comme l'a souligné en son temps le critique Francesco Arcangeli) les résultats de l'art « informel » de notre siècle. Dans l'œuvre de la maturité, Turner réalise cette identité de l'espace et de la lumière, que l'artiste avait pressentie et recherchée au cours de sa longue activité, expérimentant techniques et assemblages chromatiques dans des milliers de dessins et d'aquarelles, dans des cours sur la perspective donnés à l'Académie royale, dans la peinture à l'huile, qui modifie

---

sujets d'histoire contemporaine (*Les Massacres de Scio,* 1824, *La Liberté guidant le peuple* 1830), des allégories (palais Bourbon, galerie d'Apollon au Louvre). Il laisse un journal de 1822 à 1824 et de 1847 à l'année de sa mort.

◆ **Friedrich,** Caspar David (Greifswald 1774 - Dresde 1840). Né en Poméranie, il étudie à l'Académie de Copenhague, puis se rend à Dresde. Parmi les œuvres les plus significatives : le *Moine sur le rivage* (1809), l'*Abbaye dans un bois* (1809), *Rochers blancs de Rügen* (1818) et *Le Naufrage de l'espérance* (1822). Carl Gustav Carus et le Norvégien Johan Christian Dahl figurent parmi ses élèves.

◆ **Füssli,** Johann Heinrich (Zurich 1741 - Londres 1825). Il étudie la théologie en Suisse et part pour Londres, où il prend le nom de Henry Fuseli. Lié au courant préromantique du Sturm und Drang, Füssli peint le *Serment du Rütli* (1780). Il traduit en peinture son admiration pour les plus grands poètes (Homère, Dante, Shakespeare, Milton).

◆ **Géricault,** Théodore (Rouen 1791-Paris 1824). Très lié au milieu des vieux jacobins et des anciens combattants napoléoniens, il peint des sujets militaires, des chevaux (*Capture du cheval sauvage,* 1817), des suppliciés, des portraits d'aliénés mentaux. Il séjourne un temps en Italie et en Angleterre.

◆ **Goya,** Francisco (Fuendetodos, Saragosse, 1746 - Bordeaux 1828). Peintre de cour (*La*

les habitudes d'identification du paysage et pose les bases d'une façon de voir moderne « par grandes masses d'ombres et de lumière ».
En Amérique aussi, les jeunes peintres se rendent compte que la nature locale est le meilleur sujet pour se différencier de la tradition européenne. Ainsi sera reproduit (avec un souffle formel qui prélude au cinéma) le caractère grandiose réel des chutes du Niagara, ou celui, visionnaire et imaginé, du monde primitif dans l'œuvre de Thomas Cole, fondateur de l'École de l'Hudson.
A côté du mythe moderne de la nature « subjective », les images intérieures font leur apparition dans le répertoire romantique. L'artiste moderne, qui peint ce qu'il ressent, pousse son investigation vers les zones les plus cachées du moi, vers le rêve, le fantastique, l'inconscient, l'irréel qui filtre de la réalité. C'est le cas du Suisse Johann Füssli, auteur du *Cauchemar* (qui met en scène la dormeuse et son oppression onirique) et de libres interprétations de scènes de Shakespeare, du chant des Niebelungen, de l'œuvre biblique de Milton, atteignant de hauts niveaux de force inventive. Il s'agit de la composante la plus visionnaire de la culture romantique, qui comprend aussi, en littérature, le soi-disant « roman gothique » (M.G. Lewis, E.T.A. Hoffmann). L'œuvre poétique et picturale de William Blake y participe de plein droit, par son style marqué de mysticisme onirique, et capable d'anticiper de plus d'un demi-siècle les divers aspects du symbolisme. On retrouve une attitude analogue dans les tableaux, les fresques, les gravures à l'aquatinte de Francisco Goya ; il représente ce qu'il voit (scènes de guerre ou de cour, violences ou jeux populaires), le déforme, en révèle

La renaissance gothique

Pour diverses raisons, on assiste dans toute l'Europe « romantique », à côté du retour au classique, à un phénomène de renaissance du gothique. Probablement par goût du romanesque et de l'étrange – ou parce que le Moyen Age représente les origines des nations européennes mais aussi de l'authentique esprit religieux –, on construit ou on restaure les monuments de style médiéval : de l'Angleterre (Augustus Pugin, revêtement extérieur du palais du Parlement à Londres) à la France (Eugène Emmanuel Viollet-le-Duc, restaurations des cathédrales Notre-Dame de Paris, Amiens, Reims, Chartres), de l'Allemagne (œuvres et projets de Karl Friedrich Schinkel, achèvement de la cathédrale de Cologne) à l'Italie (Giuseppe Jappelli, Café Pedrocchi à Padoue). Et, en peinture, le Moyen Age, évoqué par les costumes et les décors, dissimule souvent une signification patriotique et nationaliste, comme dans le tableau de Francesco Hayez, Le Baiser *(1859, pinacothèque de Brera, Milan), représenté ici, dont le thème n'est qu'apparemment « général ».*

Famille de Charles IV, 1800), il réalise de nombreux cartons pour la manufacture royale de tapisseries. Outre ses tableaux à l'huile, il est l'auteur de suites de gravures (les *Caprices*, 1799 ; les *Désastres de la guerre*, 1810) et de fresques dans sa maison, connues sous le nom de « peintures noires », à présent conservées au Prado.

◆ **Hayez,** Francesco (Venise 1791 - Milan 1882). Auteur des portraits de Cavour, d'Azeglio, de Rossini, de Manzoni et autres, il peint de nombreux tableaux d'histoire médiévale ayant un contenu patriotique (*Vêpres siciliennes*, 1821-1846).

◆ **Martin,** John (Haydon Bridge, Hexham, 1789 - Douglas, île de Man, 1854). Auteur de paysages visionnaires, il illustre des scènes de la Bible et de Milton. Parmi ses œuvres : *Le Déluge* (1828), *Le Jugement dernier* (1853).

◆ **Minardi,** Tommaso (Faenza 1787 - Rome 1871). En 1813, il peint son *Autoportrait dans la mansarde*, symbolisant la condition sociale de l'artiste romantique.

◄ *Johann Heinrich Füssli,* Le Cauchemar, *1790-1791, musée Goethe, Francfort. Avec cette œuvre, fondée sur des modèles maniéristes, Füssli ouvre la voie à la peinture moderne de l'inconscient, en montrant en même temps le sujet de la vision (la femme à la renverse) et ses motifs (l'incube et la jument). Une reproduction de ce tableau se trouvait dans le bureau de Freud, à Vienne.*

◄ *Friedrich Overbeck,* Italie et Germanie, *1811-1828, Neue Pinakothek, Munich. Pour tous les artistes nordiques qui, au XIXe siècle, sur les traces de Goethe, souffriront de la nostalgie de l'Italie, ce tableau est comme un manifeste. Il rapproche l'Allemagne de Dürer de l'Italie de la pureté Renaissance.*

▲ *Eugène Delacroix,* Femmes d'Alger dans leur appartement, *1834, Louvre, Paris. Subjectivité, affrontement de forces opposées et exotisme : Baudelaire, dans ses écrits sur l'art romantique, désigne en ces termes l'ensemble de l'œuvre de Delacroix, où l'on respire la couleur des « paysages et des intérieurs orientaux », qui auront tant de succès.*

les côtés invisibles, utilisant la matière de façon expressive et non pas descriptive, par des contrastes de zones indéfinies. En France aussi, où la culture néoclassique était forte et intégrée à la Révolution, une même modification des formes survient, avec Théodore Géricault, qui dépeint l'horreur des têtes de suppliciés, des carcasses des abattoirs, et

En 1834, il signe le manifeste du purisme, qui défend une peinture aux lignes pures, inspirée de l'art du Quattrocento italien.

◆ **Nazaréens.** En 1809, un groupe d'artistes, guidé par Friedrich Overbeck et Franz Pforr, en totale opposition avec l'Académie de Vienne, se réunit à la Confrérie de Saint-Luc, inspiré par des principes religieux et aussi patriotiques. L'année suivante, les peintres du groupe (P. von Cornelius, P. Veit, W. Schadow, J. von Führich, J. Koch) s'établissent à Rome. Parmi leurs œuvres romaines : les fresques du Casino Massimo (1817-1827) dont les thèmes sont tirés de la *Divine Comédie*, de la *Jérusalem délivrée* et du *Roland furieux*.

◆ **Runge,** Philipp Otto (Wolgast 1777 - Hambourg 1810). Il étudie dans un premier temps à Copenhague, séjourne à Dresde et s'établit finalement à Hambourg. Il est l'auteur d'écrits théoriques sur l'art romantique et d'une théorie des couleurs (Farbenkugel). Parmi ses œuvres les plus remarquables, citons les gravures des *Heures du jour* (1803), les tableaux *Le Matin* (1808), *La Leçon du rossignol*.

◆ **Turner,** Joseph Mallord William (Londres 1775-1851). Il débute sa carrière comme aquarelliste et topographe, reproduisant les lieux visités au cours de ses voyages. Il modifie progressivement son style, s'éloignant de la reproductibilité naturelle. Parmi ses œuvres : *Tempête de neige : Hannibal traversant les Alpes* (1812), *L'Incendie du Parlement* (1835).

▼ *William Turner,* Pluie, vapeur et vitesse. Le Grand Chemin de fer occidental, *1844, National Gallery, Londres. Ce tableau témoigne de l'inexorable érosion des peintures de Turner, après 1840.*

▼ *Francisco Goya,*
▼ Un Chien, *1820-1821, Prado, Madrid. Comme l'affirme le critique Rosenblum : « Ici, le monde apocalyptique de l'œuvre tardive de Goya atteint son sommet le plus dévastateur. »*

s'inspire d'un fait divers tragique (le naufrage du radeau de la *Méduse,* durant lequel eurent lieu des actes de cannibalisme) pour exprimer sa condition existentielle, son attirance pour les exclus. Eugène Delacroix affirme d'autres aspects de la personnalité romantique : la participation au présent, avec son tableau sur la révolution de 1830, et l'attrait pour l'exotisme, dont témoignent le journal de ses carnets de voyage en Afrique du Nord et des œuvres qui

étendent la gamme de couleurs de la peinture moderne. Un autre élément du monde romantique est la récupération du Moyen Age, ressenti comme une époque de religiosité pure, à opposer à l'Antiquité païenne. De là le courant néo-gothique, dans les romans et le théâtre, dans l'architecture et l'art figuratif. Le groupe de peintres nordiques appelé Nazaréens, réuni à Rome en 1810 en une sorte de confrérie (on en rencontrera d'autres au cours du siècle, preuve chez les artistes d'un détachement conscient du monde), se propose de vivre suivant les principes du catholicisme originel et de retrouver en peinture la pureté d'expression du Quattrocento italien et de Dürer. Ces artistes sont attirés par les sujets patriotiques, liés au sentiment national allemand. Les romantiques italiens aussi (d'Antonio Fontanesi à Francesco Hayez et à Tommaso Minardi) s'engagent dans les mêmes thèmes. ■

Tommaso Minardi, Autoportrait dans la mansarde *(détail), 1813, Offices, Florence.*

Est représenté ici le sentiment d'inquiétude du jeune artiste du XIXe, qui, ayant désormais coupé le cordon ombilical avec les modèles classiques et ainsi interrompu le lien organique avec la société, cherche tout seul la route à suivre, portant sur lui tout le poids des tentatives, des choix et des éventuelles défaites.

John Martin, Manfred au bord du gouffre *(détail), 1837, City Museum and Art Gallery, Birmingham.*

Le protagoniste du Manfred *de Byron pousse au-delà de toute limite humaine le désir de connaissance et d'expérience, engageant une lutte titanesque avec les esprits du cosmos, les puissances de la nature et son « moi », dans le panorama*

Frederick E. Church, Les Chutes du Niagara *(détail), 1857, Corcoran Art Gallery, Washington.*

Church est l'interprète de l'esprit d'aventure et de frontière de la culture américaine, poussant ses voyages jusqu'en Afrique du Sud et au Labrador, et fixant sur la toile les paysages (et les phénomènes naturels) rencontrés, des icebergs aux volcans, aux aurores boréales.

Austerlitz Napoléon à Madrid	Congrès de Vienne Waterloo	Doctrine de Monroe contre toute ingérence des États européens dans les affaires américaines	Abolition de l'esclavage en Angleterre	Insurrection « de février » à Paris	Guerre de Crimée
A. Volta : pile électrique	G. Stephenson : locomotive à vapeur	F. Wöhler : synthèses organiques	L. Daguerre : daguerréotypes Télégraphe électrique	J. Galle : découverte de la planète Neptune	Câble transatlantique Mise en chantier du canal de Suez
Beethoven : 23 sonates pour piano	G. Rossini : *Le Barbier de Séville*	C. von Weber : *Der Freischütz*	H. Berlioz : *Requiem*	F. Chopin : *Sonate op. 58*	R. Wagner : *Lohengrin*
Goethe : *Faust* (1re partie) U. Foscolo : *Les Dernières lettres de Jacopo Ortis* (2e édition)	Hegel : *Science de la logique* P. Shelley : *Prométhée délivré*	G. Leopardi : *Les Petites Œuvres morales* Lamartine : *Nouvelles méditations poétiques*	H. de Balzac : *La Peau de chagrin* E. Poe : *Les Aventures de Gordon Pym* V. Hugo : *Notre-Dame de Paris*	S. Kierkegaard : *Ou bien ... ou bien* N. Gogol : *Les Âmes mortes* A. Schopenhauer : *Fondement de la morale*	V. Hugo : *Les Contemplations* G. Flaubert : *Madame Bovary* C. Baudelaire : *Les Fleurs du mal*
Diffusion du style Empire Apparition du néogothique	Musée du Prado à Madrid	C. Corot : premières expériences de peintre « en plein air »	Affirmation du réalisme	Naissance du groupe préraphaëlite	Éclectisme en architecture
P.O. Runge : *La Nuit* **J. Constable :** *Chalands sur la Stour*	**T. Géricault :** *Le Radeau de la Méduse* **Goya :** *Exécutions du 3 mai 1808*	**T. Cole :** *Les Chutes du Niagara* **J. Martin :** *Le Festin de Balthazar*	**E. Delacroix :** *Femmes d'Alger dans leur appartement* Arc de Triomphe de l'Étoile à Paris	**W. Turner :** *Pluie, vapeur et vitesse*	**G. Courbet :** *L'Atelier* Crystal Palace à Londres **F. Hayez :** *Le Baiser*
1800-1810	1811-1820	1821-1830	1831-1840	1841-1850	1851-1860

Gustave Courbet, L'Atelier du peintre. *Allégorie réelle, 1854, musée d'Orsay, Paris. Delacroix admire et définit comme « œuvre singulière » ce tableau qui réussit à rester solidement ancré à une forme expressive réaliste malgré son incursion dans l'allégorie. Courbet y représente tous les personnages – réels ou symboliques – qui ont contribué à former sa conscience d'homme et d'artiste : du poète Charles Baudelaire à la mendiante irlandaise, de l'amateur d'art au petit pastoureau de Franche-Comté qui contemple, extasié, l'artiste peignant les lieux de leur origine commune.*

11 LE RÉALISME DU XIXe SIÈCLE

Entre 1830 et 1870, la culture française est traversée par un courant unitaire qui s'imbrique dans les événements sociaux et politiques, les frémissements scientifiques, une morale et des habitudes nouvelles. Le progrès des sciences exactes, naturelles, historiques crée une confiance dans les méthodes de recherche utilisées, l'économie industrielle se consolide, donnant la primauté au capital financier, aux dépens de la propriété foncière, et ouvre la porte au prolétariat naissant et à sa prise de conscience en tant que classe ; les révolutions scandent la route des idées démocratiques et marquent l'inévitable engagement de l'homme de la rue dans la politique.

Dans ce contexte, le réalisme du XIXe acquiert une physionomie autonome par rapport aux précédentes formes d'art fondées sur la vraisemblance, pour s'affirmer comme un mouvement historiquement original. Les prémices qui mèneront le réalisme français au grand bourgeonnement successif à la révolution de 1848, et enfin à sa maturité (correspondant à la désillusion du Second Empire), partent de la révolution de 1830, aussitôt trahie par Louis-Philippe qui instaure la monarchie, née de principes démocratiques, au service d'une bourgeoisie apparaissant de plus en plus maîtresse de la politique française.

La fracture qui s'ensuit, entre les artistes et la classe dominante, s'explique suivant deux lignes directrices.

▲ *Honoré Daumier,* La Rue Transnonain, *lithographie, 1834, Bibliothèque nationale, Paris.*

◄ *Honoré Daumier,* La Blanchisseuse, *1863, musée d'Orsay, Paris. Chez Daumier existe un intérêt constant pour les vicissitudes humaines, liées à la férocité répressive du régime ou aux difficultés de la vie quotidienne.*

D'une part se dessine l'engagement politique très actif d'un artiste comme Honoré Daumier : choisissant la lithographie comme moyen d'expression principal, il se met au service de la lutte antimonarchique à travers les dessins réalisés pour *La Caricature,* publication républicaine légendaire fondée par Charles Philippon en 1830. Dans ces feuillets se succèdent jusqu'en 1835 les images (parfois féroces) auxquelles Daumier confie son message moral : *Gargantua, Le Ventre législatif, La Rue Transnonain* sont directement hérités de la leçon de Goya. Le travail de lithographe est prépondérant dans la vie de Daumier, et représente un exemple tellement exceptionnel de cohérence qu'il fait oublier une activité picturale tout aussi extraordinaire. Les thèmes du peintre, bien que moins liés à la dénonciation civile, sont également tirés de la vie quotidienne ; mais l'expression, abrégée et nerveuse, est éloignée de celle de la grande peinture réaliste de Millet et Courbet : elle dénote la volonté de saisir les traits essentiels d'un personnage ou d'une scène, sans se disperser dans les détails.

D'autre part, on assiste à une sorte de fuite de la réalité urbaine et de l'engagement politique qui lui est lié, de la part d'un groupe d'artistes qui, à différents moments – mais surtout autour de 1849 –, se réunit à Barbizon, dans la forêt de Fontainebleau. Là, ils théorisent une peinture de paysage « en plein air » et cherchent le contact avec la nature en tentant d'en analyser chaque manifestation et chaque secret le plus intime.

La nature des artistes de Barbizon, parfois divinisée (en particulier dans les œuvres de Théodore Rousseau, le plus illustre représentant de cette école), est le plus souvent familière et accessible, en tout cas déjà éloignée de la mythification romantique. Ce n'est pas un hasard si la référence la plus directe pour ces artistes est la peinture de Constable, qui, au Salon de 1824, avait profondément frappé par sa « vérité » la génération romantique française, la dirigeant dans un sens naturaliste. Le processus engagé alors se poursuit à travers et au-delà des expériences de Barbizon, surtout par l'intermédiaire de Charles Daubigny : à partir de la fin des années 50, il trouve le moyen d'approfondir ce qui l'intéresse en peignant d'après nature, à bord de sa propre péniche, sur l'Oise. Également lié à Barbizon : Camille Corot, qui accompagne sur leur route les peintres réalistes plus jeunes d'une génération, sans s'identifier complètement à

La photographie

Nadar, Portrait de Baudelaire, *vers 1863. La naissance de la photographie remonte traditionnellement à 1839, année où sont officialisés les résultats des recherches commencées au début du siècle : Jacques Daguerre présente le daguerréotype, concluant les vingt années d'expériences de Nicéphore Niepce ; Hippolyte Bayard obtient des images sur papier au chlorure d'argent ; Henry Fox Talbot met au point sa méthode de reproduction sur papier, qui prévoit l'usage du négatif, et ouvre ainsi la voie à la vulgarisation de la photographie.*

Le rapport entre ce nouveau moyen et l'art apparaît vite étroit : il est très significatif que Daguerre ne soit pas un scientifique, mais un peintre de vues habitué à utiliser une chambre noire, et recherchant des moyens mécaniques, qui permettent une reproduction du réel encore plus fidèle. Avec le temps, ce rapport évoluera. N'enregistrant qu'un seul des multiples aspects visibles de la réalité, la photographie ne pouvait apporter à la vision artistique cette impartialité attendue au départ ; elle cessa donc d'être considérée comme un instrument au service de l'art et conquit la dignité d'une forme d'expression autonome.

LES PROTAGONISTES

◆ **Bingham,** George Caleb (Virginie 1811 - Kansas City 1879). Après une formation américaine, il séjourne en Europe entre 1856 et 1859, alors que le réalisme s'est déjà pleinement affirmé. Sa peinture exprime, plus que l'agitation sociale européenne, la fierté d'appartenir à une nation démocratique et pacifique et un désir de la représenter sans réthorique et avec simplicité. C'est dans ce cadre que se placent ses tableaux les plus heureux, qui racontent la vie quotidienne le long du fleuve Missouri.

◆ **Corot,** Jean-Baptiste Camille (Paris 1796-1875). Il fréquente l'Académie suisse et reçoit une éducation classique (surtout Poussin) accompagnée aussi d'exercices dans la campagne. Il effectue trois voyages en Italie, épisodes d'une vie vagabonde à travers la France, la Suisse, les Pays-Bas, l'Angleterre. Son activité picturale se caractérise par la séparation rigoureuse des œuvres officielles, dans la tradition du paysage classique à la Poussin, et des études d'après nature, que Corot considérait

▼ *Charles Daubigny,* Marine, *1866, musée des Beaux-Arts, Lyon. Davantage attiré par les fines vibrations atmosphériques des paysages aquatiques que par l'obscurité des forêts, Daubigny peint en plein air, simplifiant progressivement sa technique de touches rapides jusqu'à des solutions de type impressionniste.*

Théodore Rousseau, Une avenue, forêt de l'Isle-Adam, *1846-1849, musée d'Orsay, Paris. Rousseau ramène le paysage à un style pictural proche de celui des maîtres hollandais du* XVII*e. L'attitude de respect craintif face à la nature est cependant dans le sillage du romantisme, sur lequel le réalisme s'est en partie implanté.*

leurs idées. Figure singulière qu'on ne peut intégrer à aucun schéma ni mouvement, il a un langage très personnel, vibrant d'émotions et d'agitations exprimées avec spontanéité et avec une liberté de vision qui respecte les valeurs de l'atmosphère et de la matière. La pratique de la peinture de paysage est pour lui fondamentale : il s'y consacre sans répit, non seulement à Barbizon, mais aussi dans la vallée de la Seine, sur la Manche et en Italie, où le porte sa formation classique.

Les deux tendances sont apparemment divergentes, mais ont en commun la principale caractéristique du mouvement réaliste : l'intérêt pour le monde contemporain. Observer la réalité actuelle et la reproduire avec sincérité est pour ces artistes l'unique moyen de donner forme à une authentique nécessité expressive. Sur les deux phases de ce processus, l'observation et la

---

comme des exercices et qu'il refusa presque toujours d'exposer. Les tableaux qui lui assureront le succès appartiennent tous au premier groupe ; mais ceux du second sont les plus liés à une recherche expressive « moderne » : ce sont non seulement, bien sûr, les innombrables paysages, mais aussi les portraits, dans lesquels on sent l'influence de la photographie alors naissante.

◆ **Courbet,** Gustave (Ornans 1819 - La Tour-de-Peilz, Suisse, 1877). Fils de riches cultivateurs, il part en 1839 pour Paris, où il veut fréquenter l'Académie suisse. Il n'effectuera plus que des retours périodiques en Franche-Comté, mais ira souvent en Belgique, en Allemagne et en Suisse, après un voyage en Hollande en 1847, fondamental pour la découverte de Hals et de Rembrandt. Ses rencontres avec Charles Baudelaire, Pierre Proudhon, à qui il doit ses idées socialistes, et Alfred Bruyas, son mécène, sont déterminantes. Il ne participe pas très activement à la révolution de 1848, mais adhère à la Commune de 1871. Il est même accusé à cette époque d'être l'un des responsables du renversement de la colonne Vendôme, et il est incarcéré pendant six mois, condamné à payer les dépenses. En 1873, il s'enfuit en Suisse, où il demeurera jusqu'à sa mort.

◆ **Daumier,** Honoré (Marseille 1808 - Valmondois 1879). Il arrive à Paris enfant. Il est d'abord saute-ruisseau puis commis d'un libraire, avant de pouvoir se consacrer à l'art en étudiant la peinture antique et en suivant les cours de l'Académie suisse.

11 LE RÉALISME DU XIXe SIÈCLE

▼ *Camille Corot,* Le Pont de Mantes, *1868-1870, Louvre, Paris. Compagnon de route des réalistes, Corot cherche une représentation plus vraie en conjuguant atmosphère et volumes, dans une gamme de gris lumineux, avec une technique qui saura séduire les impressionnistes.*

dans la peinture française, non plus pour évoquer un monde de simplicité et d'innocence, mais pour décrire des hommes authentiques, avec leur propre énergie physique et leur propre force sociale. Au Salon de 1848, que la révolution ouvre à tous les artistes français, Millet expose *Le Vanneur,* tableau qui représente bien les points clés de l'esthétique réaliste. Millet est certainement d'idéologie républicaine et démocratique, mais son engagement

représentation, pèse la nouveauté des théories perceptives, des intérêts sociaux, de la conception de l'Histoire.
Sur la scène du tableau, jusque-là destinée à des personnages extraordinaires ou à une nature idéalisée ou fantasmée, commencent à apparaître les gens du commun absorbés par leurs tâches quotidiennes, le paysage urbain, la province rurale. Avec Jean-François Millet, les paysans entrent

◀ *Camille Corot,* L'Atelier, *1870, musée des Beaux Arts, Lyon. Le réalisme enlève au tableau toute solennité et l'entraîne dans le domaine plus conforme de la recherche sur l'humain. Dans les portraits de Corot, cette extrême sobriété de la représentation relève d'une forte intensité expressive.*

Charles Ramelet lui enseigne la technique de la lithographie, qu'il utilise lors de sa collaboration aux journaux satiriques *La Silhouette, La Caricature*, et, à partir de 1833, *Charivari,* faisant passer son message par des personnages de pure invention : Ratapoil et M. Proudhomme. Il réalise des centaines de lithographies (au point de compromettre sa vue), dans le but aussi de sortir de la grande misère qui le poursuivra toute sa vie. Il fréquente Barbizon et devient ainsi l'ami de Rousseau et de Millet, mais sa peinture, qu'il aborde tardivement – pas avant 1848 –, ne s'intéresse pas au paysage, mais à l'humanité, la même qui inspirera chacune des quarante-cinq sculptures (et dont trente-sept nous sont parvenues) exécutées dans les années 30.

◆ **Fattori,** Giovanni (Livourne 1825 - Florence 1908). Après des études à Livourne et à Florence dans l'esprit de la tradition, et des débuts dans la peinture historique, il s'approche des thèmes et modes du réalisme européen. Il adhère au mouvement des macchiaioli, dont il devient le représentant le plus influent, et se consacre aux thèmes domestiques et plus rustiques, inspirés plutôt du paysage toscan, et rendus par de larges touches et des aplats de couleurs très intenses, avec la seule préoccupation constante de rester proche de la réalité et éloigné de toute réthorique.

◆ **Leibl,** Wilhelm (Cologne 1844 - Würzburg 1900). Élève de l'Académie de Munich, il rencontre Courbet dans cette ville, et, en 1869, le

▼ *Jean-François Millet,* Les Glaneuses, *1857, musée d'Orsay, Paris. Dans les gestes simples des travailleurs des champs, Millet voit, reconnaît et dévoile une fière austérité solennelle. Il traite le thème de la campagne non avec la légèreté du bucolique, mais avec la gravité de la peinture d'histoire.*

s'exprime plus dans la sphère morale que dans la politique, surtout après son installation à Barbizon, où il réalise une singulière expérience de connexion totale entre une vie paysanne et un art d'une grande rigueur. Son œuvre, qui paraît parfois teinté d'un humanitarisme maniéré, se situe généralement dans un équilibre parfait entre le sentiment et l'engagement : dans des œuvres comme *Les Glaneuses* de 1857, ou *L'Angélus* de 1858-1859, la composition, le rythme, la couleur s'unissent en un ensemble que l'on peut qualifier de « classique ». Bien différent est le rôle de Gustave Courbet à l'intérieur du réalisme, même si l'influence du Millet le plus rigoureux se révèle importante. L'adhésion de Courbet au versant idéologico-politique du mouvement est totale, et sa participation au débat critique d'où naîtra l'esthétique réaliste est très importante. Le principal théoricien est l'écrivain Jules Husson, dit Champfleury, auteur de l'essai *Le Réalisme,* publié en 1857. Mais la phase constructive de la « théorie réaliste » commence dix ans plus tôt et profite de l'apport des artistes et écrivains, journalistes et philosophes, scientifiques et économistes, dont les idées, fréquemment débattues à la brasserie parisienne Andler, indiquent une culture qui se débat entre l'acceptation d'une hérédité romantique inaliénable et le besoin de la dépasser. Ce climat influe sur la formation de Courbet qui alterne les cours de peinture et les visites au Louvre, où il apprécie Espagnols, Hollandais et Français du XVIIe, avec des immersions périodiques dans la nature de Barbizon. Dans les paysages, les portraits et surtout les premiers autoportraits d'une longue série qui ryth-

---

suit à Paris, où son art s'oriente aussitôt vers le réalisme. De retour en Allemagne, il se consacre alors à une peinture d'une grande pureté, toujours plus tournée vers le monde paysan, représenté avec un esprit aigu d'observation.

◆ **Millet,**
Jean-François (Gruchy 1814 - Barbizon 1875). Son enfance passée dans les champs n'exclut pas une bonne éducation artistique, orientée sur l'étude des anciens, ni des débuts précoces à Paris. Après quelques difficultés, Millet trouve son style en reconsidérant le monde paysan de son enfance à la lumière des expériences révolutionnaires. Naissent ainsi : *Un Vanneur, Le Semeur, Les Glaneuses, Femme enfournant le pain, En allant au travail.* Il fait la connaissance de Théodore Rousseau et s'installe à Barbizon en 1849, date à partir de laquelle il s'ouvre à des thèmes rustiques plus sereins.

◆ **Rousseau,**
Théodore (Paris 1812 - Barbizon 1867). Guide inconstesté de l'École de Fontainebleau, il arrive à Barbizon en 1836. Il apporte, dans un lieu où est déjà réuni un groupe d'artistes, le fruit des expériences qu'il a faites dans le Jura : Barbizon devient alors une étape obligatoire pour celui qui veut se consacrer à la peinture de paysage « sincère ». Pour Corot, Courbet, Millet, Daumier, le séjour à Fontainebleau représente un épisode certes plus ou moins important ; mais pour Rousseau et d'autres, parmi lesquels Jules Dupré, Narcisse Diaz, Constant Troyon, Rosa Bonheur, il correspond au moment central de leur inspiration.

11 LE RÉALISME DU XIXe SIÈCLE

▼ *Gustave Courbet,* L'Enterrement à Ornans, *1849, musée d'Orsay, Paris. Courbet sent qu'au milieu du XIXe siècle, la vérité de l'art doit alors être cherchée dans le concret et le quotidien dégagé de tout événement extraordinaire. C'est pourquoi il réserve la plus grande dignité à la représentation de faits banals de la vie de la province rurale ou de la ville de la petite bourgeoisie.*

mera tout son parcours, il utilise un langage immédiat et recherche une participation émotive, un contact avec la nature dérivé du romantisme ; l'intérêt pour la réalité du visible, plus que pour son pouvoir évocateur, est le signe du refus de ce concept de suprématie de l'irrationnel et du fantastique sur le concret, centre de l'esthétique romantique.

◄ *Gustave Courbet,* Les Demoiselles des bords de la Seine, *détail, 1856, Petit Palais, Paris. L'émergence de nouvelles qualités d'atmosphère et de luminosité dans l'œuvre de Courbet témoigne sans doute de l'influence de l'impressionnisme qui s'annonce.*

Géricault est certainement l'artiste romantique le plus observé par Courbet ; son influence est perceptible dans *L'Enterrement à Ornans*, peint en 1850. Ici, Courbet met un terme à ses expériences de jeunesse et réalise une œuvre qui semble correspondre, par son programme, aux nouveaux intérêts rendus évidents par la révolution. Il choisit de très grandes dimensions et la noblesse de la peinture d'histoire pour représenter un sujet banal dans lequel le thème de la mort est ramené dans les limites de la « normalité » quotidienne et de l'émotion contenue. La composition savamment équilibrée en un rythme solennel et l'individualisation des personnages (chacun, du curé au chien, observé avec une attention impartiale) montrent que Courbet a su utiliser la leçon de la grande peinture de Hals et de Rembrandt pour donner sens et forme à des idées longuement méditées. A partir de ce moment, la peinture de Courbet s'oriente vers la représentation de faits matériels, avec un style qui heurte la sensibilité du public conformiste.

Paradoxalement, le réalisme trouve sa consécration au moment où le reflux réactionnaire, consécutif à la défaite de la révolution républicaine et au coup d'État de 1851, atteint son apogée. A l'Exposition universelle de 1855, qui doit célébrer les gloires de l'Empire, Courbet se voit refuser certaines œuvres considérées indignes par la bourgeoisie bien-pensante. Il prépare alors un pavillon en bois – le pavillon du Réalisme –, dans lequel il rassemble ses œuvres les plus significatives, mettant pour la première fois l'accent, par cette initiative, sur le problème clé de l'autonomie de l'art. Il est significatif que soit remarqué à cette exposition *L'Atelier du peintre,* tableau dans lequel Courbet livre la

▼ *Wilhelm Leibl,* Trois Femmes à l'église, *1878-1881, Kunsthalle, Hambourg. Dans ses très nombreuses représentations du monde paysan allemand, décrit de manière synthétique, avec un sens aigu de l'observation, Leibl perçoit l'écho des enseignements de Courbet et l'influence de la composition en photographie.*

◄ *George Caleb Bingham,* Marchands de fourrures sur le Missouri, *1845, Metropolitan Museum of Art, New York. Les tableaux qui racontent la vie le long du fleuve sont les plus heureux de l'œuvre de Bingham et montrent que l'esprit réaliste américain est totalement autonome par rapport à l'histoire européenne. Ici, les événements quotidiens s'entrelacent avec les faits qui ont créé une nation, tandis que le ton narratif, tout en demeurant simple et tranquille, atteint par moments une grande solennité.*

synthèse des théories et des passions qui ont inspiré son art depuis la date fatidique de 1848, et qui rappelle *L'Enterrement à Ornans* par les grandes dimensions, la simplicité de la composition, l'émotion retenue qui le traverse.

En 1867, la seconde Exposition universelle de Paris s'ouvre sur une scène très changée. De nouveau, Courbet installe son pavillon personnel, mais il n'est plus le seul, et parmi ceux qui suivent son exemple figure le jeune Manet. Durant les douze années parcourues, Courbet a connu des démêlés avec le public et les autorités, mais aussi beaucoup de succès et, pour pouvoir poursuivre avec cohérence ses idéaux esthétiques et civils – ceux qui mèneront à la Commune de 1871 –, il a perdu, dans ses peintures, la vitalité des années 50. L'impressionnisme est déjà né et, dans ses balbutiements, il subit l'influence du réalisme, mais à son tour en modifie l'orientation. En 1856, déjà, un des chefs-d'œuvre de Courbet, *Les Demoiselles des bords de la Seine,* semble marquer un tournant, par le sujet qui n'est plus tiré de la réalité rurale et ouvrière, mais de la petite bourgeoisie citadine qui inspirera Manet et Degas, et par les valeurs atmosphériques et les effets de lumière qui dénotent la transformation de la sensibilité réaliste en « naturaliste ». C'est la voie indiquée par le théoricien de la deuxième période du réalisme, Jules-Antoine Castagnary, et par Daubigny et les peintres de marines Eugène Boudin et Johan Bartold Jongkind, admirés par Monet. En 1859, Courbet avait rejoint Boudin à Honfleur ; à partir de 1866, il séjourne de plus en plus souvent au bord de la mer, en Normandie, et se consacre presque exclusivement au paysage, surtout marin, jusqu'en 1871, date fatale qui marque le commencement de son déclin précoce. Hors de France, le réalisme n'exprime pas un caractère aussi authentique et significatif. En Allemagne, il s'affirme surtout à travers les canaux plus évidents du portrait et du paysage. Et si, à Berlin, Adolf von Menzel montre qu'il connaît les leçons de Constable, à Munich – véritable berceau du réalisme allemand –, Wilhelm Leibl suit strictement l'enseignement de Courbet.

11 LE RÉALISME DU XIXe SIÈCLE

▼ *James Abbott McNeill Whistler,* La Mère de l'artiste, *1871, musée d'Orsay, Paris. Tradition américaine et influence de Corot sont immédiatement perceptibles dans ce portrait de Whistler, où plane également le souvenir des peintres hollandais du XVIIe siècle, en même temps qu'une attirance pour les estampes japonaises.*

Aux États-Unis, le réalisme ne se présente pas comme un mouvement organique, mais trouve un terrain fertile dans une culture qui privilégie spontanément ce qui est contemporain et considère son identité nationale comme l'une des plus grandes valeurs. Des peintres de l'Hudson River School aux peintres de genre comme George Bingham ou Edward Hicks, le parcours du réalisme américain – héritier de Benjamin West et de John Singleton Copley – serpente parmi des paysages grandioses et des épisodes de vie coloniale, transformant le récit du quotidien en épopée nationale. Et la tendance américaine innée du réalisme n'est pas étrangère à certains aspects de la peinture de James Whistler, transplanté très jeune en Europe, sensible à la leçon de Courbet, puis s'éloignant vers d'autres voies, jusqu'à l'Art nouveau « bidimensionnel ».

▼ *Giovanni Fattori,* La Rotonde de Palmieri, *1866, galerie d'Art moderne, Florence. La principale innovation anti-académique de Fattori consiste dans la juxtaposition de taches de couleur sur de modestes tablettes en bois, avec l'unique objectif de reproduire « l'impression » du vrai.*

En Russie et dans les pays slaves, le réalisme adopte un aspect humanitaire typique, expérimentant un vaste répertoire de sujets sociaux.

Le discours sur le réalisme italien tourne entièrement autour du mouvement toscan des « macchiaioli » (tachistes), même si l'on ne peut ignorer les artistes de l'École de Posillipo (Pausilippe) et les peintres de la campagne romaine, spécialisés, les uns comme les autres, dans la peinture de plein air, souvent exécutée à l'aquarelle, et fidèle à l'enseignement des « vedutisti » (peintres de vues) du Nord.

Comme les réalistes français, connus à l'Exposition universelle de 1855, les macchiaioli ont un programme précis d'adhésion à la vérité. Presque tous adhèrent au Risorgimento et font correspondre liberté de la patrie et liberté de l'art, comme l'affirme dans ses souvenirs Giovanni Fattori, qui situe en 1859 le moment de rupture entre l'ancien et le nouveau, correspondant à 1848 pour le réalisme français. C'est dans les années 60 que sont peintes les œuvres « tachistes » les plus importantes, de ce même Fattori, de Silvestro Lega, des plus jeunes, Telemaco Signorini, Odoardo Borrani, Giuseppe Abbati. ■

Camille Corot, La Cathédrale de Chartres, *1830, Louvre, Paris.*

Le réalisme naissant est redevable de la manière de peindre les vues de Corot sans aucune notation pittoresque ou topographique. Prenant forme dans une belle atmosphère enveloppante, un monument est observé sans la moindre réthorique dans son rapport avec la vie simple de la petite ville.

Jean-Francois Millet, L'Angélus, *détail, 1857-1859, musée d'Orsay, Paris.*

Les points essentiels de l'esthétique réaliste sont présents dans cette peinture : l'humilité du sujet traité avec une authenticité impartiale, le langage commun privé de toute complaisance formelle, comme la monumentalité des figures correspondent à cette dignité héroïque que va acquérir le travailleur dans la conscience sociale, l'inflexion sentimentale dénotant ici une participation émotive aux vicissitudes du monde contemporain.

Silvestro Lega, La Visite, *détail, 1868, galerie nationale d'Art moderne, Rome.*

La phase finale du réalisme coïncide en France avec un intérêt croissant pour la vibration de la lumière et la transparence des couleurs. Avec les macchiaioli italiens, et surtout avec Lega, on assiste au contraire à la fusion de la veine naturaliste et de l'inspiration lyrique.

1840-1845	1846-1850	1851-1855	1856-1860	1861-1865	1866-1870
Fin de la guerre de l'opium Guerre franco-marocaine	Pontificat de Pie IX Révolutions en Europe	Napoléon III Second Empire Guerre de Crimée	Fin de la guerre de Crimée Attentat contre Napoléon III	Affranchissement des serfs en Russie	Fin du Second Empire Droits civils aux Noirs des États-Unis
S. Morse : invention du télégraphe électrique J. Joule : thermodynamique	L. Foucault : vitesse de la lumière R. Clausius : dégradation de l'énergie	Exposition universelle à Paris	L. Pasteur : fermentation alcoolique Darwin : *De l'évolution...*	G. Mendel : lois de l'hérédité Métro de Londres	J. Maxwell : théorie électromagnétique de la lumière
G. Verdi : *Nabuco* R. Wagner : *Tannhaüser*	F. Liszt à Weimar R. Schumann : *Symphonie rhénane*	G. Verdi : *Rigoletto, La Traviata* R. Wagner : *L'Or du Rhin*	C. Gounod : *Faust*	R. Wagner : *Tristan et Isolde* J. Brahms : *Variations*	M. Moussorgski : *Une nuit sur le mont Chauve*
P. J. Proudhon : *Qu'est-ce que la propriété ?* A. Dumas : *Les Trois Mousquetaires*	K. Marx et F. Engels : *Manifeste du parti communiste* C. Dickens : *David Copperfield*	H. Melville : *Moby Dick* V. Hugo : *Les Châtiments*	G. Flaubert : *Madame Bovary* C. Baudelaire : *Les Fleurs du mal*	V. Hugo : *Les Misérables* I. Tourgueniev : *Pères et fils* F. Dostoïevski : *Humiliés et offensés*	P. Verlaine : *Poèmes saturniens* L. Tolstoï : *Récits de Sébastopol*
École de Barbizon	Musée du Vatican à Rome	Grands travaux d'Haussmann à Paris	Palais de Westminster à Londres		H. Ibsen : *Peer Gynt*
C. Corot : *Tivoli*	**G. Courbet :** *L'Enterrement à Ornans* **H. Daumier :** *Ecce Homo*	**T. Rousseau :** *Le Paysage après la pluie* **G. Courbet :** *L'Atelier du peintre*	**J.-F. Millet :** *L'Angélus*	**H. Daumier :** *La Blanchisseuse* **C. F. Daubigny :** *Péniches sur l'Oise*	**G. Fattori :** *La Rotonde Palmieri*

Claude Monet, Femmes au jardin, *1867, musée d'Orsay, Paris. Dans ce tableau, le premier en plein air, Monet aborde un thème qui lui sera toujours cher, celui de la poésie du jardin, de la villégiature bourgeoise sereine. L'artiste tente de saisir la complexité de la suggestion visuelle d'un instant de réalité naturelle, tout empreint de lumières, de couleurs, de douce transparence de l'atmosphère et de vibration lumineuse. La nature et les personnages, plongés dans une sorte d'atmosphère vive et naturelle, sont rendus avec une technique qui exalte les valeurs chromatiques et les contrastes d'ombre et de lumière : la lumière solaire filtre à travers le feuillage et se reflète sur les plis des vêtements ; l'ombrelle déployée crée des ombres bleutées et violettes se réfléchissant sur le visage de la femme assise.*

12 L'IMPRESSIONNISME

Officiellement, l'impressionnisme voit le jour à Paris vers 1865. Sa première manifestation publique a lieu en 1874, quand, dans le studio du photographe Nadar, boulevard des Capucines, se prépare la première exposition collective de la société anonyme des artistes peintres, sculpteurs et graveurs : c'est le premier exemple d'exposition collective autogérée (suivant l'exemple donné par Courbet et Manet précédemment), hors des circuits officiels. Y participent trente et un artistes, dont beaucoup ont peu à voir avec l'impressionnisme – terme qui n'existe pas encore –, qui seront désignés par la critique sous le terme général de naturalistes. Dans ce groupe figurent aussi Edgar Degas, Claude Monet, Auguste Renoir, Camille Pissarro, Paul Cézanne, Alfred Sisley, Berthe Morisot, Armand Guillaumin : les artistes qui seront très bientôt appelés impressionnistes.

◄ *Édouard Manet,* Portrait d'Émile Zola, *1868, musée d'Orsay, Paris.*

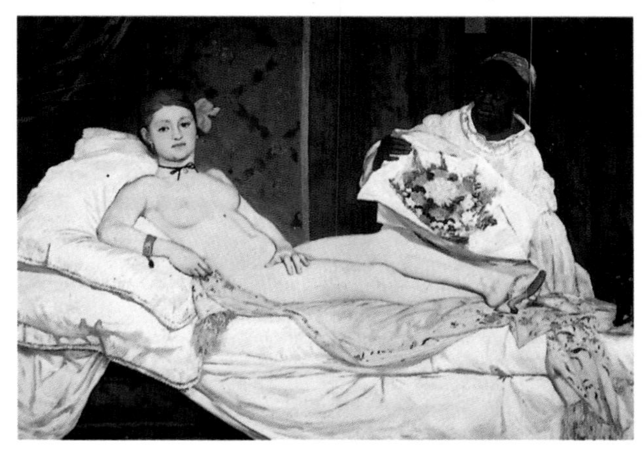

▼ *Édouard Manet,* Olympia, *1863, musée d'Orsay, Paris. Clair-obscur et modelé sont abandonnés : au seul rendu pictural est confiée la tâche de définir les formes et les volumes.*

En réalité, comme c'est souvent le cas, identifier ces peintres à un « groupe » constitué est pour le moins arbitraire et uniquement valable sur un plan méthodologique. L'impressionnisme ne se présente ni comme une école ni comme un mouvement compact et homogène d'artistes se reconnaissant dans une théorie clairement définie. Les impressionnistes ne lanceront d'ailleurs jamais de manifeste et ne publieront jamais de proclamation. Il s'agit plutôt d'un moment heureux, d'une rencontre entre des personnalités artistiques fort différentes, unies par un même mode de perception et un même but : pouvoir s'exprimer librement et s'affranchir de l'art officiellement consacré des « Salons », qui n'accueillaient que les peintres académiques et ceux acceptés par la critique, fermant irrémédiablement la porte aux jeunes artistes expérimentant une nouvelle façon de peindre éloignée des conventions académiques et des froides œuvres de commande. Une peinture qui exprime un « goût nouveau – comme l'a défini Lionello Venturi –, un « style » nouveau, une manière personnelle et inédite de voir et de rendre le « visible » en termes subjectifs, spontanés, débarrassés de toute littérature ou de tout « symbolisme », libérés des canons traditionnels, rigides et totalement obsolètes, de la

▼ *Édouard Manet,* Le Déjeuner sur l'herbe, *1863, musée d'Orsay, Paris. Continuateur du réalisme de Courbet et s'inspirant de sujets de la vie quotidienne, Manet pose, dans cette œuvre, les bases de l'impressionnisme, avec la presque totale abolition du clair-obscur et l'utilisation de larges plages de couleur créant des contrastes très prononcés.*

peinture de circonstance tant admirée par la critique officielle de l'époque.
Née du giron fécond du naturalisme, et dans la continuité du réalisme de Courbet, la peinture impressionniste va changer de façon irréversible la structure artistique traditionnelle qui régnait depuis si longtemps sur la pratique picturale. Elle vient révolutionner dans ses principes fondamentaux la manière de rendre la réalité visible, détachée de la *représentation* fidèle de la nature pour reproduire, au contraire, la vérité perceptible et sensible. Le tournant fondamental apporté par l'impressionnisme consiste, en fait, dans le changement de la façon de *voir* la nature et le monde extérieur, et de les projeter sur la toile avec une spontanéité aussi bien temporelle que sensible. Son intention est donc de saisir l'instant d'une réalité en continuel mouvement qui, à chaque modification de la lumière, change d'aspect et de *vérité*. Ce qui est important n'est donc plus le sujet choisi par l'artiste, mais la perception qu'il en a, telle lumière précise en cet instant unique, et que rend le tableau.
« Traiter un sujet pour ses tonalités et non pour lui-même, voilà ce qui sépare les impressionnistes des autres peintres », écrivait, en 1877, Georges Rivière, un des critiques les plus éminents de l'époque. Il voulait ainsi souligner la distance qui sépare la conception de ces nouveaux peintres de celle des réalistes – et, en premier lieu, de Courbet –, qui confiaient au tableau le devoir fondamental d'un engagement social et éthique, exprimé par une fidélité absolue à la réalité

LES PROTAGONISTES

◆ **Cézanne,** Paul (Aix-en-Provence 1839-1906). Il fait ses études dans sa ville natale, en compagnie d'Émile Zola, pour lequel il se prend d'une profonde amitié qui ne prendra fin qu'en 1886. En 1862, il se rend à Paris et commence à fréquenter l'Académie suisse, où il rencontre Renoir, Monet, Sisley et Pissarro, se liant particulièrement avec ce dernier. En 1874, il participe à la première grande exposition des impressionnistes, où il présente *La Maison du pendu.* Après sa troisième exposition avec le groupe, en 1878, il se détache de l'impressionnisme pour poursuivre sa recherche, solitaire, dans la plus totale incompréhension du public et de la critique.

◆ **Degas,** Edgar (Paris 1834-1917). Fils d'un riche banquier, il s'inscrit à la fin de ses études aux Beaux-Arts, où il suit l'enseignement d'Henri Lamothe, élève d'Ingres. Il se rend en Italie, y copiant des chefs-d'œuvre de la Renaissance. En 1865, il rencontre Édouard Manet et s'intéresse aux sujets de la vie contemporaine, qui resteront une des constantes les plus caractéristiques de ses peintures. Il participe à toutes les expositions des impressionnistes, en étant l'un des organisateurs les plus actifs. Il souffre déjà à cette époque d'importants troubles de la vue qui le conduiront à la cécité presque complète ; pour pouvoir continue à peindre, il abandonn la technique de l'huile au profit du pastel, plus ductile.

◆ **Manet,** Édouard (Paris 1832-1883). Iss de la haute bourgeoisie il entre dans l'atelier

Claude Monet, La Grenouillère, *1869, Metropolitan Museum of Art, New York. L'étincellement des couleurs sur la surface agitée de l'eau et le jeu des reflets lumineux sont appréciés de Monet.*

◄ *Claude Monet,* La Cathédrale de Rouen, *1893, musée d'Orsay, Paris. Dans les années 90, Monet peint des « séries » de toiles sur le même sujet, repris à différentes heures, pour les effets de la lumière.*

de leur temps. Mais si les réalistes se tournent de préférence vers des sujets humbles, représentant citadins et ouvriers, lavandières et prostituées dans leur misère quotidienne, les impressionnistes,

par excellence « peintres de la vie moderne », préfèrent saisir, de ces mêmes sujets, les moments de détente et de fête : les dimanches après-midi, quand les Parisiens vont se promener sur les bords de la Seine, se pressent dans les guinguettes ou descendent dans la rue les jours de fête. De tels sujets, comme les paysages inondés de la lumière du soleil, ne sont pour eux qu'un prétexte (le « motif ») pour saisir une suggestion visuelle, immédiate et fugitive, des notations lumineuses de vie colorée et animée, des transparences atmosphériques, des changements chromatiques soudain rendus par des couleurs pures et brillantes. La réalité que nous percevons est non pas statique, définie une fois pour toutes, mais en perpétuelle modification : de là l'ambiguïté de perception décrite dans les tableaux impressionnistes, où la synthèse de la lumière et des couleurs rend les contours fluctuants et flous, pulvérise la forme, fragmentant continuellement la vision en mille touches étincelantes de couleur.

Pour traduire picturalement une réalité si changeante, les impressionnistes doivent aussi, nécessairement, expérimenter de profondes innova-

d'un des peintres les plus renommés de l'époque, Thomas Couture. Il se rend dans la plupart des musées européens, où il exécute des copies de chefs-d'œuvre. Mais il est particulièrement fasciné par l'Espagne et par sa peinture, et il peindra de nombreux thèmes espagnols entre 1853 et 1865. *Le Déjeuner sur l'herbe* et *Olympia,* tous deux refusés aux Salons de 1863 et de 1865, créent un véritable scandale et entraînent une violente réaction de la critique et du public. Après un désintérêt initial, Manet se rapproche des impressionnistes et commence à peindre en plein air.

◆ **Monet,** Claude (Paris 1840 - Giverny 1926). A l'âge de 5 ans, il déménage avec sa famille pour Le Havre, où il étudie le dessin et rencontre, en 1858, le peintre Eugène Boudin, son premier maître, qui le pousse à la peinture en plein air. En 1859, il se rend à Paris et fréquente l'Académie suisse avec Camille Pissarro. Il commence à côtoyer le groupe de jeunes artistes qui, d'ici peu, vont constituer le noyau central de l'impressionnisme, et plus particulièrement Renoir. A partir de la première exposition impressionniste de 1874 (où il présente alors, notamment, *Impression, soleil levant,* dont le titre donnera par dérision le terme d'« impressionnisme »), il prend part à la majorité des expositions du groupe. A l'issue d'une vie de multiples difficultés et de douleurs, il reçoit enfin honneurs et reconnaissance.

◆ **Pissarro,** Camille (Saint-Thomas, Antilles, 1830 - Paris 1903). L'influence de

tions techniques, à la recherche de procédés nouveaux rendant mieux la complexité des phénomènes naturels du visible et, notamment, la lumière solaire et ses vibrations infinies. Quittant les ateliers pour aller peindre *sur le motif*, devant la nature, sans autre filtre que celui de la perception sensible et subjective des valeurs chromatiques et lumineuses, comme l'avaient déjà fait les peintres de Barbizon dans la forêt de Fontainebleau, les impressionnistes se rendent compte que la lumière solaire n'est pas un élément homogène et compact, mais qu'elle est constituée d'une somme de valeurs chromatiques pures. Ainsi, ils expérimentent dans leurs tableaux la décomposition des couleurs, non plus mélangées préalablement sur la palette, mais fixées directement sur la toile, telles qu'elles sortent du tube, fragmentant les tonalités et les touches de pinceau pour mieux restituer les vibrations de la lumière. Ils découvrent également que, dans la nature, les ombres ne sont pas absence de couleur, uniformité obscure, mais intensité chromatique différente, nuancée de violet. Ils bannissent alors de leur palette le noir comme non-couleur, mais l'utilisent au contraire pour sa grande qualité chromatique autonome, comme le rouge ou le bleu (« Le noir, disait Renoir, prince des couleurs »).
Le clair-obscur, technique on ne peut plus académique, étant abandonné, – seule la couleur est désormais chargée de définir l'espace et les frontières entre les objets, que ne délimite plus la ligne de contour.
L'expression la plus typique de l'impressionnisme est sans aucun doute le paysage, thème de prédilection de Claude Monet, Auguste Renoir, Camille Pissarro et Alfred Sisley. Dans les œuvres des deux derniers

La lumière

Le problème de la lumière, que les impressionnistes avaient d'instinct et empiriquement résolu par l'utilisation de couleurs pures et de la touche divisée, fut affronté de manière systématique par le jeune Georges Seurat. Il fonda sa peinture sur les théories scientifiques de la couleur et de la perception visuelle, remarquablement développées au cours du XIXe siècle par les travaux de Chevreul, Blanc, Rood, Suttler. A partir des lois sur le contraste simultané des couleurs et la décomposition optique de la lumière, Seurat expérimente une nouvelle technique picturale consistant en la division systématique des coups de pinceau, ordonnancés sur la toile en petites touches régulières de couleurs pures, juxtaposées suivant les strictes règles de la complémentarité chromatique. L'œil du spectateur opère la synthèse. La technique « divisionniste » permet à l'artiste d'obtenir une composition dans laquelle, à l'exaltation de la luminosité s'ajoutent ces valeurs constructives et formelles absentes des toiles impressionnistes. (Ci-dessus : détail de Un dimanche après-midi à l'île de la Grande Jatte, *peint par Seurat en 1886, qui est considéré comme le chef-d'œuvre de l'art divisionniste.)*

la peinture de Corot et, peu après, celle de Courbet seront pour lui fondamentales. Il fréquente le groupe d'artistes qui se réunit au café Guerbois. En 1874, il participe à la première exposition impressionniste et, désormais il ne manquera aucune manifestation du groupe. Entré en contact avec Seurat et Signac, il aborde la technique du divisionnisme.

◆ **Renoir,** Auguste (Limoges 1841 - Cagnes 1919). Fils d'un modeste tailleur, il déménage avec sa famille pour Paris, où, en 1862, il fréquente l'atelier de Gleyre, à l'école des Beaux-Arts, et entre en contact avec Monet, Sisley et Bazille. Il expose régulièrement aux Salons, et connaît de discrets succès ; il participe aux quatre premières expositions des impressionnistes, puis se retire en raison de désaccords avec Degas. Il conserve cependant des liens d'amitié et de travail avec Monet. En 1881, il se rend en Italie et découvre la peinture de Raphaël et les fresques

◄ *Auguste Renoir,* Bal du Moulin de la Galette, *1876, musée d'Orsay, Paris. Vive lumière et couleur, mouvement et belle joie de vivre insouciante, tel est le manifeste de la peinture de Renoir.*

Edgar Degas, Le Défilé, *vers 1866-1868, musée d'Orsay, Paris. Toute la composition de ce tableau, fondée sur les lignes diagonales de manière à dilater les perspectives, et sur l'étude de la lumière, ici vive et pleine, est typique de Degas.*

persiste encore une vision dans un certain sens « sentimentale », bien que traduite en une peinture plus lumineuse et plus claire (par exemple, les effets de lumière réfléchie et le scintillement des couleurs sur le blanc de la neige dans *Neige à Louveciennes* (1878), de Sisley, et *Entrée du village de Voisins* (1872), de Pissarro). Chez Monet et Renoir, le paysage est tout étincellement de lumière et de couleurs, vibrations lumineuses, sensibilité chromatique rendue par des couleurs pures afin de traduire en une synthèse picturale l'instantanéité de la vision. Les couleurs sont appliquées par petites touches, juxtaposées ou fondues entre elles sans règle technique précise, mais en utilisant librement le *signe-couleur* pour rendre les reflets de la lumière sur l'eau ou à travers le feuillage des arbres, comme dans *La Grenouillère* (1869) et les *Régates à Argenteuil* (1872), deux « motifs »

de Pompéi, qui vont fortement influencer sa peinture, l'éloignant encore davantage de l'impressionnisme. A l'orée du XXe siècle, sa peinture retrouve le chromatisme gai et léger de sa période impressionniste, mais avec des volumes plus affirmés.

◆ **Seurat,** Georges (Paris 1859-1891). Il s'inscrit à l'école des Beaux-Arts en 1878, où il subit l'influence d'Ingres, de Delacroix, de Puvis de Chavannes et des nouveaux « peintres de la vie moderne ». A partir de l'étude des traités scientifiques sur la couleur et des diverses innovations techniques des impressionnistes, il élabore un style personnel, qu'il définit lui-même comme « chromo-luminarisme ». Au Salon de 1884, il expose, pour la première fois, un tableau divisionniste, *Une baignade à Asnières*, et, à la dernière exposition des impressionnistes, son chef-d'œuvre, *Un dimanche après-midi à l'île de la Grande Jatte.* Il fonde alors, avec Paul Signac, le mouvement néo-impressionniste, auquel adhère Pissarro.

◆ **Sisley,** Alfred (Paris 1839 - Moret-sur-Loing 1899). De parents anglais, il est envoyé à Londres, à 18 ans, pour y faire des études de commerce, mais, en 1862, il retourne à Paris afin de se consacrer à la peinture et s'inscrit à l'école des Beaux-Arts, où il rencontre Monet et Renoir. Il suit ses amis qui vont peindre en plein air, sur les bords de la Seine ou en forêt de Fontainebleau. Comme pour Pissarro, le paysage devient son thème de prédilection.

▼ *Edgar Degas,* Le Tub, *1886, musée d'Orsay, Paris. Ici, le corps féminin, sinueux et défini linéairement, est représenté dans une pose naturelle en une scène presque volée à l'intimité. L'angle de vision, de haut en bas, souligne la précarité de la position de la femme en train de faire sa toilette, et ramène l'image à deux dimensions. La technique du pastel permet ici d'extraordinaires effets de lumière.*

réalisés par deux peintres, ensemble, sur la rive de la Seine, et que l'on peut considérer comme le manifeste de la peinture impressionniste.

Les peintres impressionnistes avaient pu voir, dès le début des années 1860, une première expérimentation de leurs innovations, ainsi qu'une façon nouvelle de se placer devant la nature, dans les tableaux d'un peintre extraordinaire, légèrement plus âgé qu'eux, Édouard Manet, auteur du *Déjeuner sur l'herbe.* Le grand tableau, qui fit scandale et fut refusé au Salon officiel, avait dominé le Salon des Refusés de 1863. Dans cette toile, comme dans la fameuse *Olympia* peinte la même année et repoussée, elle aussi, par la critique et le public des Salons, Manet présentait une peinture résolument nouvelle en tout, par rapport à la composition classique (le sujet s'inspire notamment du *Concert champêtre* de Titien, au Louvre) : l'abandon progressif du clair-obscur et des demi-teintes, et les contrastes marqués entre les tons clairs juxtaposés aux tons foncés (l'*Olympia* en fournit un parfait exemple) donnent une impression de tassement de la perspective, renforcée par les larges touches de couleur définissant les formes, alors que la végétation est rendue par des coups de pinceau rapides et libres qui restituent la transparence de l'atmosphère. Cette peinture est immédiatement brandie par les jeunes artistes d'avant-garde comme drapeau de l'anti-académisme : ils dé-

► *Camille Pissarro,* Entrée du village de Voisins, *1872, musée d'Orsay, Paris. De Corot et de Millet, Pissarro a hérité l'amour pour la campagne et la vie rurale, sujets simples et humbles que l'artiste traduit en une peinture douce et vibrante créant une atmosphère assez mélancolique et très attachante. Un de ses thèmes de prédilection est celui de la route en perspective, bordée d'arbres, s'ouvrant sur une vision claire et aérée, dans une composition restant néanmoins solide.*

▼ *Henri de Toulouse-Lautrec,* Au Moulin rouge, *1892, Art Institute, Chicago. Dans le sillage de Degas, le peintre décrit avec des accents souvent extrêmement crus le Paris de la fin du siècle.*

▼ *Paul Cézanne,* La Maison
▼ du pendu, *1873, musée d'Orsay, Paris. Cette œuvre montre l'influence de Pissarro sur Cézanne et l'intérêt de celui-ci pour les expériences des impressionnistes, qui l'amènent ainsi à éclaircir sa palette, à la recherche d'une luminosité vibrante et diffuse.*

passent les intentions de l'auteur, dont l'ambition était de rénover la tradition tout en prenant appui sur elle. En fait, Manet avait étudié avec passion l'art du passé, fréquentant assidûment le Louvre, où il avait admiré la peinture de Titien, de Rembrandt, de Delacroix et surtout des Espagnols Velázquez et Goya, dont il s'était inspiré pour l'étalement de la couleur comme pour la synthèse de la vision spatiale. Cette dernière doit beaucoup aussi à la structure bidimensionnelle et dépourvue de perspective de l'estampe japonaise qui venait justement de conquérir Paris. Le *Portrait d'Émile Zola,* son ami et défenseur, constitue d'ailleurs un hommage officiel à l'art japonais.

Les estampes japonaises et le Louvre, Ingres et les Italiens surtout, ont également été les « maîtres » de l'impressionniste le plus indépendant, Edgar Degas. Extraordinaire portraitiste (la grande toile représentant *La Famille Bellelli* en est le meilleur exemple), après un voyage à La Nouvelle-Orléans, il rentre à Paris en 1873 et se « convertit » à la peinture moderne, devenant l'organisateur le plus actif des expositions du groupe impressionniste. Par rapport à ses amis, Degas reste fondamentalement insensible à la fascination de la nature, du paysage. Excepté quelques rares expériences, il refusera toujours la peinture en plein air, choisissant d'élaborer dans son atelier ses compositions à l'espace complexe et aux plans de perspective insolites. A la lumière naturelle des impressionnistes, il préfère la lumière artificielle et d'intérieur, les feux de la rampe et les lampes, qu'il étudie non comme sources mais comme effets de lumière, qui permettent mieux cette vision pure qui l'intéresse plus que toute autre chose. La réalité, captée telle qu'elle s'offre à l'œil du peintre, est rendue par Degas avec une extraordinaire acuité psychologique et un extrême raffinement pictural. Il s'intéresse surtout aux scènes de la vie urbaine, non pas celles des joyeuses réunions dominicales, mais plutôt celles de la vie quotidienne et pénible des blanchisseuses, des repasseuses, des ballerines dans leurs interminables répétitions : sujets que le peintre analyse et

▼ *Paul Cézanne,* Les Grandes Baigneuses, *1898-1905, Museum of Art, Philadelphie. Le rapport entre le paysage et la figure humaine, et son intégration dans la nature, est le thème de prédilection de Cézanne.*

▼ *Georges Seurat,* Une
▼ baignade à Asnières, *1883-1884, National Gallery, Londres. Ce tableau est peint par petites touches de couleurs juxtaposées, suivant les règles de la complémentarité chromatique.*

portraiture avec une objectivité presque cruelle, en raccourcis du haut ou du bas, en plongée, comme en photographie « dérobant » des moments intimes ou de pause dans l'action, comme dans *La Répétition* (1874), *L'Orchestre de l'Opéra* (vers 1870), *La Classe de danse* (1873-1875).

Compagnon des premières heures de l'impressionnisme, Paul Cézanne, artiste à part et « unique », partage avec ses jeunes confrères l'amour et l'étude directe de la nature, le refus des règles académiques et cette nouvelle façon d'interpréter la perception visuelle. Mais sa recherche prend très rapidement une voie autonome, dans l'intention de rendre plus solide et durable cette vision fragmentaire et mouvante des impressionnistes qui ne saisit que l'aspect extérieur de la réalité. Dans ses paysages comme dans ses natures mortes ou ses portraits, Cézanne approfondit l'étude du visible, cherchant à dévoiler les principes de la perception par l'analyse de l'aspect interne. Tout processus cognitif exige l'intervention de la pensée, de l'esprit ; en conjuguant sensation et rigueur intellectuelle, Cézanne cherche à recréer sur la toile l'harmonie de la nature, tissant un canevas de touches précises destinées à *construire* la forme. ■

Pierre Auguste Renoir, La Grenouillère, *1869, Musée national, Stockholm.*

A partir de 1869, Monet et Renoir vont pouvoir réaliser ensemble une expérience fondamentale en peignant souvent les mêmes sujets. Un exemple significatif de cette entente fervente et vitale est l'exécution, en partie par les deux artistes, de La Grenouillère *(sur les bords de la Seine). Dans cette œuvre, le trait rapide et les touches nerveuses rendent le scintillement de l'atmosphère et le mouvement de l'eau.*

Claude Monet, Impression, soleil levant, *1872, musée Marmottan, Paris.*

Ce tableau figura à la première exposition impressionniste dans le studio du photographe Nadar, et son titre suscitera alors les commentaires railleurs du critique Leroy, qui créera le terme d'« impressionnisme », finalement adopté par les artistes. Impression : un instant de pure et unique sensation visuelle faite de lumière et de couleurs, et restituée sur la toile par la magie de la peinture.

Paul Cézanne, Le Vase bleu, *1885-1887, musée d'Orsay, Paris.*

A cette période de maturité, la palette de Cézanne se fait plus fluide, plus transparente, basée sur les bleus, les verts et les bruns, et ses coups de pinceau prennent une valeur toujours plus constructive. L'espace, caractérisé par le jeu de lignes verticales et horizontales, est essentiellement défini par la couleur, la lumière qui se diffuse, comme émanant de l'objet représenté. La réflexion sur la perception visuelle de la réalité et ses valeurs spatiales et formelles sont le fondement de la modernité de Cézanne.

Unité italienne Guerre de Sécession aux États-Unis	IIIe République en France	Commune de Paris *Kulturkampf* en Allemagne	Le Japon s'ouvre à l'Occident Congrès de Berlin	Triple-Alliance : Italie-Allemagne-Autriche Partage de l'Afrique	Guillaume II empereur IIe Internationale socialiste
G. Mendel : lois de l'hérédité C. Lombroso : *Génie et folie*	C. Darwin : *De l'origine des espèces...* J. Monier : béton armé	H. Schliemann : découverte de Troie Première machine à écrire (Remington)	A.G. Bell : première communication téléphonique T. Edison : phonographe	L. Pasteur : vaccin contre la rage J. Swann : soie artificielle	G. Eastman : pellicule photographique en Celluloïd C. Ader : décollage d'un avion, l'*Éole*
G. Bizet : *Les Pêcheurs de perles* R. Wagner : *Tristan et Isolde*	J. Brahms : *Requiem allemand* G. Verdi : *Don Carlos*	G. Verdi : *Aïda* G. Bizet : *Carmen*	P. Tchaïkovski : *Le Lac des cygnes* A. Dvorak : *Danses slaves*	Orch. philharmonique de Berlin J. Brahms : symphonies	R. Strauss : *Don Juan* A. Borodine : *Le Prince Igor*
C. Baudelaire : *Les Paradis artificiels* V. Hugo : *Les Misérables*	K. Marx : *Le Capital* F. Dostoïevski : *Le Joueur*	S. Mallarmé : *Hérodiade* A. Rimbaud : *Le Bateau ivre*	L. Tolstoï : *Anna Karenine* É. Zola : *Nana*	P. Verlaine : *Les Poètes maudits* H. Ibsen : *Les Revenants*	F. Nietzsche : *L'Antéchrist* P. Claudel : *Tête d'or*
	Macchiaioli en Toscane		Inauguration du théâtre de Bayreuth		Mouvement symboliste
É. Manet : *Le Déjeuner sur l'herbe* **É. Degas :** *Portrait de la famille Bellelli*	**C. Monet :** *La Grenouillère* **F. Bazille :** *L'Atelier de la rue de la Condamine*	**C. Monet :** *Impression, soleil levant* **P. Cézanne :** *La Maison du pendu*	**A. Renoir :** *Le Moulin de la Galette* **A. Sisley :** *Inondation à Port-Marly*	**P. Cézanne :** *L'Estaque* **P. Signac :** *La Berge, Asnières*	**G. Seurat :** *Un dimanche après-midi sur l'île de la Grande Jatte*
1860-1865	1866-1870	1871-1875	1876-1880	1881-1885	1886-1890

Paul Gauguin, La Belle Angèle, *1889, musée d'Orsay, Paris. Cette œuvre à la fois résume et confronte les deux principales références idéologiques de la période de maturité de Gauguin : le monde encore intact de la religiosité paysanne européenne, redécouvert en Bretagne, et celui, « sauvage », de la culture polynésienne (représenté ici par l'idole, à gauche). Elles s'équivalent : seule une subtile ligne de démarcation les sépare, mais elles sont en même temps interchangeables. Il est d'ailleurs très significatif que, à partir de 1886, le peintre ait souvent réalisé des œuvres d'inspiration polynésienne lorsqu'il se trouvait en Europe, et des tableaux d'influence bretonne, à Tahiti et en Océanie.*

13 LE SYMBOLISME

L'orientation expressive particulière qui domine, en Europe, les vingt dernières années du XIXe siècle est désignée par le terme de « symbolisme ». Celui-ci indique une volonté d'affirmer en littérature, peinture et musique – en réaction au naturalisme – une vision du monde nettement orientée vers la perception et la valorisation de la réalité intérieure, une réalité mystérieuse, confuse, profonde et suggestive, se prêtant infiniment mieux à l'évocation qu'à la description.

Ainsi naît l'irrésistible urgence de trouver des moyens stylistiques propres à traduire l'extraordinaire complexité de l'esprit de l'homme moderne, ses sensations, ses idées ; complexité qui nécessite le relais de symboles, signes à la propriété évocatrice, chargés de mystère et d'indétermination, se prêtant à de multiples sens et interprétations. L'homme traverse des « forêts de symboles » (Baudelaire), voit le monde comme « une forêt de signes » (Rilke) qu'il lui faut décrypter pour découvrir l'universel dans le particulier, l'invisible dans le visible. Le symbole, en fait, se situe au-delà du fait établi et de l'apparence : il est un indice ambigu, participe de l'esprit et de la nature, se laisse percevoir ; on ne peut l'atteindre que par l'imagination, insurpassable créatrice d'analogies, de métaphores et de multiples correspondances.

En littérature, c'est la France qui va offrir au symbolisme ses chantres les plus significatifs (publication du *Manifeste du symbolisme* par Moréas dans *Le Figaro littéraire* en 1886), avec Baudelaire, Rimbaud, Mallarmé, Verlaine.

En 1884, Huysmans s'affranchit délibérément du réalisme, avec son *A rebours*, bréviaire raffiné d'esthétique symboliste ; il propose aussi de nouveaux mythes en peinture, montrant une perception aiguë des valeurs alors naissan-

▲ *Odilon Redon,* La Mort, *1889, recueil de lithographies. Bibliothèque nationale, Paris.*

▼ *Gustave Moreau,* Salomé *ou* L'Apparition, *vers 1876, musée Gustave Moreau, Paris.*

▼ *Maurice Denis,* Les Muses, *1893, musée d'Orsay, Paris. Le rendu de la forme particulier et le double sens du titre contribuent à rendre mystérieux un sujet apparaissant par ailleurs banal.*

▼ *Paul Sérusier,*
▼ Le Talisman, l'Aven au bois d'amour, *1888, musée d'Orsay, Paris.*

tes du côté des arts figuratifs. Le personnage central de son livre, l'esthète pratiquant Des Esseintes, rejette la tradition impressionniste pour exalter la triade Moreau, Bresdin, Redon, et la hardiesse comme la nouveauté de leurs recherches. Des trois, Redon représente certainement la tendance la plus authentiquement moderne.
Auteur, en 1879, de l'album de lithographies *Dans le rêve*, premier ouvrage intégralement symboliste, Redon introduit dans ses œuvres l'« indéfini », le vague, le flou : « une incertitude accolée à une certitude », comme il le dit lui-même, se complaisant dans le développement du suggestif et du mystère. Il extrapole du monde naturel le particulier, offert comme fragment souvent isolé dans le vide, rendu inquiétant à la lumière de l'infiniment petit (ou de l'infiniment grand) avec lequel il est proposé. Ainsi l'œil ou la fleur,

► *Paul Gauguin,* D'où venons-nous ? Que sommes-nous ? Où allons-nous ?, *1897, Museum of Fine Arts, Boston. De ses dernières œuvres, celle-ci est probablement la plus inspirée de thèmes philosophico-religieux, sous les auspices d'une identification avec la culture et la pensée des peuples du Pacifique.*

► *Émile Bernard,* Bretonnes dans une prairie, *1888, collection Denis, Saint-Germain-en-Laye.*

à la zoomorphie angoissante, se font les protagonistes d'un univers différent, « autre » : le monde du surnaturel, analysé avec une précision scientifique. En cette fin de siècle, on ne tient plus la science comme seule capable d'expliquer toute chose, la foi dans le positivisme semble désormais irrémédiablement compromise : les symbolistes ajoutent à des méthodes scientifiques

LES PROTAGONISTES

◆ **Beardsley,** Aubrey (Brighton 1872 - Menton 1898). Il appartient à la génération la plus tardive du symbolisme. C'est aussi pour cela que sa production (essentiellement graphique) est directement reliable à l'Art nouveau. Ses rencontres avec William Morris et Oscar Wilde (dont il illustra la *Salomé* en 1884) furent déterminantes.

◆ **Ensor,** James (Ostende 1860 - 1949). A partir de 1883 environ *(Les Masques scandalisés)*, Ensor s'engage dans sa production la plus typique : les peintures de masques, symboles d'un théâtre existentiel riche en personnages et en caractères. Parmi ses œuvres : *L'Entrée du Christ à Bruxelles* (1888), *L'Étonnement du masque Wouse* (1889), *Les Masques et la mort* (1897).

◆ **Gauguin,** Paul (Paris 1848 - îles Marquises 1903). Oppressé par la vie tranquille d'agent de change et peintre amateur, il abandonne famille et emploi en 1885 et entame une série de fuites vers la « liberté primitive ». En 1887, il séjourne au Panama et aux Caraïbes. En 1888, il est en Bretagne avec Van Gogh, où il fonde le groupe de Pont-Aven, et où il s'inspire de la religiosité archaïque des paysans locaux. Il se rend ensuite à Arles (1890), puis à Tahiti (1891-1893) ; il revient en France en 1894. Finalement, insatisfait, il vit, à partir de 1895, en Polynésie, d'abord à Tahiti, puis aux Marquises. Là, Gauguin semble trouver ce monde « authentiquement spirituel » dont il a besoin, sa peinture atteint les plus hauts sommets.

jusque dans les zones les plus reculées de l'esprit : en peinture, à travers un linéarisme savant et imprévisible, qui ronge l'élément naturel jusqu'à l'os, en exprimant toute ultériorité possible, sans pour autant parvenir à l'atteindre. Les images phénoménales, pleines de vie, de mouvement et de lumière naturelle, instantanés du monde mis en scène par les impressionnistes, deviennent statiques et mystérieuses ; elles s'atténuent, se figent en un réseau de lignes essentielles et dépouillées, obtenues par l'abstraction (dans le sens étymologique du terme), et provoquent une sensation hypnotique et intemporelle. Dans l'image symboliste, le temps s'allonge indéfiniment, et un linéarisme vital, dynamique, à forte prégnance psychique (selon les

des procédés parascientifiques, au point que, souvent, chez eux, la psychologie penche vers la métapsychique, avec de fréquentes incursions dans le spiritisme et l'occultisme. C'est pourquoi l'on peut reconnaître au symbolisme une « âme bipolaire » (comme l'a écrit le critique d'art, Renato Barilli), puisqu'il oscille entre naturalisme et spiritualisme, scientisme et solutions fidéistes. La dimension physique, cependant, ne désarme jamais, et imprime sa trace

◆ **Hodler,** Ferdinand (Berne 1853 - Genève 1918). A la fin des années 80, Hodler aborde un symbolisme riche en suggestions littéraires et le plus souvent empreint de mysticisme. Au cours de la dernière décennie, il réalise ses œuvres les plus considérables *(La Nuit, L'Élu, L'Eurythmie, Le Jour et La Bataille de Naefels)*, jouant presque toutes sur le motif de la répétition de la théorie et de la chaîne, avec un rappel implicite à l'art byzantin.

◆ **Moreau,** Gustave (Paris 1826-1898). En 1857, il rencontre en Italie Puvis de Chavannes et Degas, avec lesquels il se lie d'amitié. Son goût se développe cependant dans une direction qui présente des analogies avec la peinture du premier, tandis qu'il ignore volontairement toutes les découvertes impressionnistes du second. Le classicisme de ses premiers chefs-d'œuvre *(Œdipe et le Sphinx,* 1864) laisse ensuite place à une peinture très sensuelle, gravitant autour de l'idée qu'un mystère se cache sous l'apparence naturelle. Ses œuvres des années 70 et 80 sont les plus proches (du point de vue du contenu) du symbolisme à son apogée.

◆ **Munch,** Edvard (Löten 1863 - Ekely 1944). Il débute comme peintre naturaliste, traitant pour l'essentiel de thèmes à caractère socio-politique. Puis, à partir de 1896, il abandonne les modèles impressionnistes français et se consacre à une synthèse linéaire plus incisive et plus radicale. Entre 1889 et 1892, il voyage en Italie, Allemagne, France. Anticipant

préceptes de Charles Henry), réduit la vision du monde, articulée et anecdotique, à un écran bidimensionnel. Celui-ci, par voie synthétique, touche à l'essence des choses, conduit au « noumène », réalité intelligible opposée à la réalité sensible.

L'absence de mouvement symboliste homogène dans les arts figuratifs, parallèle à celui existant en littérature, rend plus difficile la description précise du phénomène et l'utilisation de critères de jugement unitaires pour parler des différents artistes. D'autant qu'il existe entre ceux que nous définissons comme symbolistes des divergences formelles et stylistiques très profondes, qui semblent presque inconciliables au sein d'un mouvement commun.

Pour illustrer ce fait, on peut évoquer quelques-unes des personnalités les plus tranchées, et assez dissemblables, de l'art européen *fin-de-siècle*, en commençant par la France, dont le chef de file de l'union synthétisme-symbolisme, Paul Gauguin, et le jeune Émile Bernard fondent l'École de Pont-Aven. Le symbolisme ne constitue pas seulement un idéal artistique pour eux, mais devient une règle de vie. C'est également le cas du groupe qui s'autodéfinit les Nabis (« Prophètes »), artistes animés d'un esprit initiatique, s'imposant une vie rigide, basée sur une éthique, méprisant la façon de vivre bourgeoise, plate et vulgaire. Paul Sérusier, Georges Lacombe, Maurice Denis, Paul Ranson et d'autres créent des *icônes* raffinées, où la nature est stylisée, complétée de valeurs mystiques, élégamment rendue par l'arabesque, la courbe et la technique de l'à-plat. Le fait naturel, bien que stylisé, n'est jamais aboli, non plus que l'anecdote, la fiction symbolique, le thème. La peinture symboliste est en fait hétéronome, c'est-à-dire nour-

Les préraphaélites

*C'est à l'époque romantique et postromantique que remontent les quelques anticipations importantes de l'esthétique du symbolisme. C'est le cas des préraphaélites anglais (John Everett Millais, William Holman Hunt, Dante Gabriel Rossetti, Edward Burne-Jones), qui, à partir de 1848, se réunissent en une sorte de « confraternité artistique », dans le but de créer un retour à la tradition du XVe siècle. L'idéal d'élégance graphique qui caractérise la peinture des primitifs toscans (Botticelli, Lippi, Ghirlandaio) aboutit ainsi à une allusivité symbolique et mélancolique, à un style raffiné fondé sur la pureté du dessin, repris ensuite par William Morris et l'art Liberty en général. Dans l'*Ophélie *de Millais (1852, National Gallery, Londres), le thème shakespearien se charge de valeurs allégoriques, car le contraste entre le suicide et le moyen utilisé pour l'accomplir (l'eau limpide d'un ruisseau parsemé de fleurs) dépeint la mort comme apparente et irréelle, annonciatrice de renaissances futures.*

beaucoup dès lors l'expressionnisme du XXe siècle, il comprend l'importance de la « déformation » linéaire et chromatique pour traduire les états psychiques et les émotions. Mais, très vite, il passe de la psychologie individuelle à un psychologisme cosmique, universel, faisant écho, par bien des aspects, au sens tragique de la vie qui apparaît clairement dans les œuvres de son compatriote Ibsen.

◆ **Previati,** Gaetano (Ferrare 1852 - Lavagno 1920). Son contact avec la bohème milanaise le détourne de conceptions naïves et rhétoriques, et le pousse alors vers des thèmes modernes et dramatiques (*Les Fumeuses d'opium*, 1887). A partir de 1891, avec *Maternité*, sa peinture participe au mouvement symboliste, alors tout-puissant. En 1906, il publie un traité sur la technique du divisionnisme.

◆ **Redon,** Odilon (Bordeaux 1840 - Paris 1916). Élève de Bresdin, il réalise, en 1879, une première suite lithographique, *Dans le rêve*, et, en 1882, il illustre les nouvelles d'E. A. Poe. En 1884, il illustre *A rebours*, sur la

▼ *Vincent Van Gogh,* Champ de blé aux corbeaux, *1890, musée Vincent Van Gogh, Amsterdam. Précurseur de l'expressionnisme du XXe siècle, Van Gogh partage en principe les idées de Gauguin et des autres membres du groupe de Pont-Aven. Sa conception symboliste est néanmoins une réponse désespérée au malaise intérieur qui le mine.*

rie de motifs religieux, philosophiques, mystiques et naturels, afin d'édifier une réalité picturale ; elle n'aboutit jamais à l'autonomie de forme et de couleurs – même si elle jette les bases de nouveaux langages qui, par la suite, seront développés par les avant-gardes du XXe siècle. Gauguin répudie ensuite la vieille Europe corrompue et s'expatrie en Océanie, en quête d'une pureté originelle et primordiale. Il était déjà parvenu à la synthèse symboliste dans *La Vision après le sermon* (1888), œuvre avec laquelle il franchit le pas décisif des préceptes impressionnistes à l'étalement des couleurs insérées dans des lignes sombres et prononcées (cloisonnisme). L'exemple de son jeune ami, Émile Bernard, a été fondamental, avec ses audacieuses *Bretonnes dans une prairie,* qui permettent à Gauguin de percevoir immédiatement les avantages du synthétisme et de continuer ensuite dans cette voie avec plus de détermination encore.

Toutes ses compositions sont fondées sur des plans inédits (avec quelques références à l'art oriental), résolus par des cadrages de biais et l'insertion de diagonales tendant à élimi-

---

demande de l'auteur, J. K. Huysmans. Il se lie d'amitié avec Stéphane Mallarmé et publie le recueil *Hommage à Goya.* Il se consacre ensuite au pastel et à la peinture à l'huile (*Le Cyclope,* 1885 ; *Orphée,* 1903 ; *Roger et Angélique,* 1909). Sa dernière grande œuvre est la décoration murale de la bibliothèque de l'abbaye de Fontfroide (1910-1914).

◆ **Segantini,** Giovanni (Arco di Trento, 1858 - Schafberg, Suisse, 1899). Initialement orienté vers un profond naturalisme d'inspiration paysanne et populaire, dans les années 80 il commence à peindre des sujets allégoriques (*Les Deux Mères,* 1890). Dans le même temps, sa technique se modifie suivant les principes du divisionnisme de Seurat : *Le Fruit de l'amour* (1889) et *L'Ange de la vie* (1894).

◆ **Van Gogh,** Vincent (Groot Zunder 1853 - Auvers-sur-Oise 1890). Après avoir été pasteur et évangéliste presque fanatique, il commence à se consacrer à la peinture en 1879. Il arrive à Paris en 1886, où il rencontre Gauguin, Bernard et Seurat. Sa courte vie est alors marquée par l'aggravation de ses souffrances psychiques, qui se reflètent dans l'intensité dramatique de certains tableaux. En 1888, il s'installe à Arles, où le rejoint Gauguin. Leur amitié, fructueuse pour l'un et l'autre, sera cependant de très courte durée. En 1890, Van Gogh s'installe à Auvers, auprès du docteur Gachet. Après diverses crises nerveuses, il se suicide au cours de la même année.

▶ *Aubrey Beardsley,* Isolde, *1894, Fogg Art Museum, Harvard University, Cambridge. Graveur recherché, capable d'interpréter de façon originale et éloquente les œuvres littéraires et les mythes de son temps, Beardsley est un des phares de la fin du siècle. Son esthétisme « décadent » le rapproche d'Oscar Wilde, de Huysmans et parfois de D'Annunzio.*

▶ *Edvard Munch,* Le Cri, *1893, Galerie nationale, Oslo. Les prémices de l'expressionnisme sont perceptibles dans les œuvres de Munch, d'Ensor ou de Van Gogh. Munch, en particulier, développe une poétique de l'angoisse qui semble aux antipodes de l'idéal d'élégance raffinée du symbolisme « Liberty » (celui de Beardsley, par exemple). La puissance métaphorique de son œuvre découle pourtant en droite ligne de la même grande matrice idéaliste.*

▶ *James Ensor,* L'Entrée du Christ à Bruxelles, *1888, musée royal des Beaux-Arts, Anvers. Ce tableau, le plus célèbre du peintre, a été réalisé la même année que* La Vision après le sermon *de Gauguin. Dans les deux cas, et sans qu'il y ait eu contact entre les auteurs, l'utilisation symboliste de thèmes chrétiens a le sens d'une critique sociale acerbe.*

ner toute illusion de profondeur. Contre toute tentation analytico-descriptive, Gauguin travaille par bandes superposées, avec des couleurs vivement contrastées, dans le but d'obtenir une généralisation iconique.
Les œuvres de sa période tahitienne, de *Ia orana Maria* à *Manao Tupapau*, indiquent comment il s'est inséré dans la culture maori. Le titre de ces œuvres, directement inscrit sur la toile en langue maori, assume une valeur linguistique semblable à celle des peintures. Celles-ci sont rendues par une solide technique de l'à-plat, avec des couleurs brillantes et franches, contenues dans des contours agiles et stylisés, mais puissants, capables de former des sujets solides et plastiques. *D'où venons-nous ? Que sommes-nous ? Où allons-nous ?* est une œuvre monumentale, d'inspiration typiquement symboliste, dans laquelle Gauguin affronte les grandes interrogations que, depuis toujours, l'humanité se pose, et auxquelles elle ne sait que répondre. Le titre est inscrit comme une bande, dans un angle de la toile emplie de personnages fortement stylisés et insérés dans une atmosphère mystérieuse et magique.
Figure d'exception liée à celle de Gauguin par une amitié qui sera rompue pour des choix de vie plutôt qu'artistiques, Vincent Van Gogh, contrairement

▼ *Jan Toorop,* Les Trois Fiancées, *1893, Rijksmuseum Kröller-Müller, Otterlo. L'éclectisme de Toorop, né en 1858 à Java de parents hollandais, entraîne la présence simultanée de tensions idéales symboliques et de recherches formelles « modernistes ». Ces caractéristiques, sur lesquelles agit alors l'influence de William Morris, en font un des précurseurs de l'Art nouveau.*

▼ *Douanier Rousseau,*
▼ La Bohémienne endormie, *1897, musée d'Art moderne, New York. Toute parcourue de « signes », la peinture du Douanier Rousseau est proche de l'esprit symboliste.*

aux larges étalements de Gauguin, préfère suivre un modèle de broyage des couleurs proche de celui que proposait Seurat, mais dans des tonalités saturées et « tirées » en lignes sinueuses, tourbillons ou volutes, selon la résonance psychique de ces drames et tourments existentiels qui le marqueront si profondément. Le répertoire linéaire des symbolistes, ainsi chargé d'énergie, est propre à offrir une représentation décidément *iconique* de la vie moderne, qui se retrouve dans la richesse et l'extraordinaire variété des arts appliqués, dans les travaux raffinés des grands stylistes et manufacturiers de l'Art nouveau, de Horta à Van de Velde, de Guimard à Mackmurdo, de Gallé à Tiffany.

Edvard Munch, peintre norvégien, trouve le symbole non pas « en dehors de », mais à l'intérieur de la réalité même. La réalité de Munch, angoissante et tourmentée ; elle semble, là, prête à exploser, mais se voit rapidement circonscrite, réduite à l'intérieur de canevas curvilignes, suffocants et impitoyables.

En Belgique, James Ensor plonge, en revanche, dans un symbolisme non plus tendu vers la conquête d'espaces sublimes et mystérieux, mais dans la « comédie humaine ». Il en exhibe et fustige les protagonistes, masques profanatoires, railleurs et désacralisants, rendus avec un délire chromatique qui s'appuie sur des tonalités violentes (*L'Entrée du Christ à Bruxelles,* 1888).

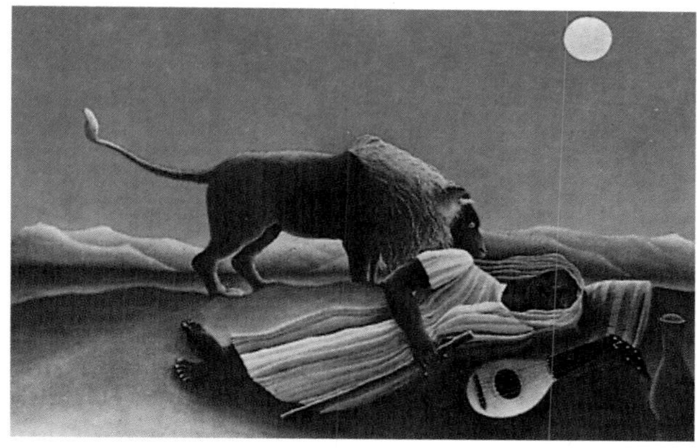

L'Europe entière participe au climat symboliste. Ses acteurs les plus significatifs sont Toorop, aux Pays-Bas, les artistes de la Sécession, en Allemagne et en Autriche, Aubrey Beardsley, en Angleterre. Les travaux de ce dernier constituent presque un pendant figuratif de l'œuvre littéraire d'Oscar Wilde (dont il illustre, en 1894, la *Salomé*). Beardsley aborde des thèmes de vie « absolument moderne » ou, plus souvent, des mythes symboliques à forte composante érotique *(Sous le mont : Histoires de Vénus et Tannhäuser)*, traités dans un esprit audacieusement synthétique et non sans une pointe d'humour. Il s'en tient à un linéarisme à outrance, à une calligraphie élégante, renforcée par sa prédilection pour la technique graphique, en harmonie avec les recherches sophistiquées qu'entreprend, à la même époque, le designer et illustrateur Charles R. Mackintosh. Il faut également citer, en Espagne, l'architecte Antoni Gaudi et, en Suisse, Ferdinand Hodler, qui, avec *La Nuit, L'Élu, L'Eurythmie, Le Jour,* se situe au sommet du symbolisme international. Hodler n'abandonne jamais l'anecdote, mais au contraire la développe au travers d'une charge allégorique qui soumet les personnages rythmiquement disposés au premier plan, dans des théories niant toute profondeur de perspective ; personnages rendus de façon analytique et définie pour les visages, plastiquement pour les corps.

▼ *Giuseppe Pellizza da Volpedo,* La Procession, *1892-1895, Museo della Scienza e della Tecnica, Milan. Ce peintre italien (connu surtout pour un tableau qui eut un très grand retentissement politique :* Le Quatrième État) *représente alors la synthèse de deux tendances différentes : le vérisme social romantique tardif et le divisionnisme de Previati et Segantini.*

◄ *Giovanni Segantini,* L'Amour aux sources de la vie (La Fontaine de jouvence), *1896, Galerie d'art moderne, Milan. D'esprit très ouvertement allégorique, cette œuvre est tout à fait remarquable par la technique (dérivée de Seurat) et par l'originalité de la composition. Cela laisse supposer que Segantini, de la même manière que Hodler et Previati, considère le symbolisme plus comme une mode culturelle que comme une réelle nécessité.*

En Italie, l'année cruciale du symbolisme se situe en 1891, avec la présentation, à l'exposition de la Première Triennale de Brera, de *Maternité,* de Gaetano Previati, passionnément défendue contre les violentes polémiques qu'elle suscite (par la nouveauté du thème et surtout de la technique) par le critique Grubicy. *Les Deux Mères,* œuvre de Segantini présentée à cette même exposition, reçoit un accueil favorable de la part de la critique et du public. La technique adoptée par les Italiens est celle du divisionnisme, mais la touche se plie à diverses exigences : réseaux filandreux se déployant en ondoiements de Previati, plus matérielle et punctiforme chez Segantini, ténue et pulvérulente chez Pellizza da Volpedo. Une autre date fondamentale du symbolisme italien est 1896, année de la Première Triennale de Turin, où le sculpteur Bistolfi expose *La Beauté de la mort,* Pelliza *La Procession,* et Segantini *La Douleur consolée par la foi.*
A l'orée du XXe siècle, la capitale lombarde va occuper le devant de la scène, le symbolisme, désormais accepté par la critique, y devient le terrain fécond sur lequel va se développer la nouvelle génération d'artistes. Celle-ci se prépare, avec le futurisme et son credo moderniste, à mettre résolument fin à tout reste des idéaux du XIXe siècle. ■

Pierre Puvis de Chavannes, Le Rêve, *1883, musée d'Orsay, Paris.*

Avec Gustave Moreau, Puvis de Chavannes fait partie de ces artistes du romantisme tardif qui, par leur refus catégorique de l'impressionnisme, sont regardés avec respect (presque comme des pères précurseurs) par les jeunes symbolistes. Bien que souvent fondé sur des thèmes allégoriques, oniriques ou religieux, son œuvre ne présente pas les innovations linguistiques des Nabis et de Gauguin : elle anticipe quelques caractéristiques du mouvement qu'elle contribue à développer.

Paul Gauguin, Le Christ jaune, *1889, Albright-Knox Art Gallery, Buffalo.*

Le plus remarquable est que la Crucifixion n'est pas représentée dans un contexte historique, mais en quelque sorte au niveau psychologique de ses bénéficiaires modernes : les paysannes bretonnes, qui « vivent » l'espace de la passion du Christ comme s'il s'agissait de leur propre espace existentiel.

Edvard Munch, Angoisse, *1894, musée Munch, Oslo.*

La hardiesse des proportions et de la perspective, la forte schématisation, la lourde sensualité de contour, la dureté des couleurs sont autant d'éléments d'un langage nouveau, capable d'exprimer idées et sentiments à travers la symbolisation directe des « formes ».

Guerre franco-prussienne Commune de Paris	Condominium franco-anglais sur l'Égypte	France : liberté de la presse et légalisation des syndicats	Guillaume II empereur d'Allemagne	Alliance franco-russe Affaire Dreyfus	Conférence de La Haye Assassinat d'Umberto Ier
H. Spencer : *Principes de psychologie* Premières machines à écrire	L. Morgan : *La Société antique* G. Cantor : théorie des ensembles	R. Koch : bacille de la tuberculose K. Benz : automobile à moteur à essence	Métro de Londres : locomotive électrique C. Ader : décollage d'un avion	Frères Lumière : cinématographe G. Marconi : transmission de signaux radio	W. Einthoven : l'électrocardio-graphie M. Planck : théorie des quanta
M. Moussorgsky : *Boris Godounov* G. Bizet : *Carmen*	C. Saint-Saens : *Samson et Dalila* A. Borodine : *Dans les steppes de l'Asie centrale*	J. Massenet : *Manon* C. Franck : *Les Djinns*	G. Mahler : premières symphonies É. Satie : *Gymnopédies*	P. Tchaikovski : *VIe Symphonie* C. Debussy : *Prélude à l'après-midi d'un faune*	G. Puccini : *La Bohème* J. Sibelius : *Finlandia*
S. Mallarmé : *Hérodiade* A. Rimbaud : *Une saison en enfer*	H. Ibsen : *Maison de poupée* A. Strindberg : *La Chambre rouge*	J.K. Huysmans : *A rebours* P. Verlaine : *Jadis et Naguère*	Publication des *Illuminations* d'Arthur Rimbaud G. D'Annunzio : *L'Enfant de volupté*	O. Wilde : *Portrait de Dorian Gray* M. Maeterlinck : *Pelléas et Mélisande*	S. Mallarmé : *Un coup de dés jamais n'abolira le hasard*
	Débuts du « cabaret » Metropolitan Museum of Art de New York		V. Van Gogh à Arles École de Pont-Aven	P. Gauguin en Océanie Les Nabis	École d'art de Glasgow par Mackintosh A. Tchekhov : *La Mouette*
P. Puvis de Chavannes : *Le Pigeon*	**A. Böcklin :** *L'Ile des morts* **G. Moreau :** *L'Apparition*	**O. Redon :** *Hommage à Goya*	**F. Hodler :** *La Nuit* **P. Gauguin :** *La Vision après le sermon*	**E. Munch :** *Le Cri* **G. Previati :** *Maternité*	**P. Gaughin :** *Nevermore* **G. Moreau :** *Jupiter et Sémélé*
1870-1875	1876-1880	1881-1885	1886-1890	1891-1895	1896-1900

Ernst Ludwig Kirchner, Autoportrait avec modèle, *vers 1907, Kunsthalle Hambourg. L'atmosphère anxieuse et oppressante qui règne dans les œuvres de la Brücke reflète une « angoisse de vivre » ; elle s'impose même lorsque le tableau ne décrit pas une réalité en soi négative, et repropose éventuellement des thématiques « du genre » de l'art contemporain. Cela démontre à l'évidence que l'expressionnisme ressent comme négative la vie moderne entière, pas seulement ses aspects les plus dramatiques.*

14 L'EXPRESSIONNISME

L'aspect le plus remarquable de la condition artistique du début du siècle (ou de la période que l'on qualifie d'« avant-garde historique ») réside dans la tendance de ses acteurs à s'organiser en *groupes* et *mouvements* homogènes, c'est-à-dire en formations nées de convergences idéologiques précises, à la base desquelles on retrouve des théories communes sur la signification et le but de la production artistique. Faut-il rappeler que ces projets furent menés sous la bannière du plus grand mythe de l'époque, celui qui proclamait le changement radical, parfois subversif, de l'existence et de la psychologie humaines. Les bases théoriques sont fixées par diverses proclamations (les « manifestes »), appelées à jouer divers rôles : avant tout ratifier les statuts auxquels il convient de se tenir pour faire partie d'un mouvement donné ; ensuite préparer les armes nécessaires pour lutter contre les mécréants ; enfin, certifier l'identité collective du groupe de manière que chaque adepte puisse se reconnaître en elle.

▲ *Vincent Van Gogh,* La Nuit étoilée, *1889, musée d'Art moderne, New York.*

◄ *Edvard Munch,* Le Baiser, *xylographie, 1895, musée civil des Beaux-Arts, Oslo.*

Cette caractéristique de la notion d'avant-garde peut cependant entraîner les critiques à se livrer à de dangereuses schématisations. Ainsi, lorsqu'on parle de l'expressionnisme, on risque souvent, dans le cadre de rapides rétrospectives, de se référer, plutôt qu'à un climat culturel assez diffus des premières années du XXe siècle, à un véritable programme artistique, organisé et uni. En fait, ce mouvement représente le panorama global de la recherche de cette époque, c'est-à-dire une mosaïque d'expériences et de façons d'être. Il voit le jour et se répand dans les pays de langue germanique entre 1900 et 1910, et il s'étend rapidement – à travers un vaste réseau d'influence – aux autres pays d'Europe occidentale. Tout au plus pourrait-on parler d'un ensemble de propositions, reliées entre elles d'une certaine façon. Il comprend d'abord la Brücke, groupe expressionniste par excellence, fondé à Dresde en 1905, mais aussi les travaux de Kokoschka et de Schiele à Vienne, ceux de Permeke et de Toorop aux Pays-Bas, certaines expériences parisiennes (Soutine, Rouault, Vlaminck, Modigliani, Picasso avant 1908) ou slaves (Chagall, Kupka), et également les toiles et gravures du Norvégien Munch. L'expressionnisme, en fait, s'infiltre rapidement dans tous les domaines de la création : de la sculpture à l'architecture, des arts graphiques (artisanaux et industriels) à la littérature et à la poésie, de la musique au théâtre, à la scénographie, la chorégraphie, et jusqu'au jeune mais déjà très dynamique cinéma.

L'esthétique expressionniste reflète avant tout la *crise des valeurs* à laquelle l'Europe du capitalisme se trouve confrontée. L'incroyable accélération de la technologie et des procédés de production, la dévalorisation de l'agriculture au profit de l'industrie et des grands investissements financiers, les bouleversements entraînés par une urbanisation effrénée, la priorité accordée à la consommation au détriment de l'épargne, et les différentes failles qui s'ensuivent dans l'ordre social (les débuts de « la lutte des classes » dans les métropoles), constituent autant de facteurs destructeurs à l'égard des modalités historiques de formation et de transmission de la culture. Le concept même de *tradition*, essentiel depuis des siècles, se vide progressivement sous les nombreux assauts du « modernisme » qui s'impose à tous les niveaux de la vie sociale et intellectuelle. Le sentiment d'inéluctable déracinement de l'Histoire et de ses propres origines (le sentiment de « perte de la tradition ») se répercute immédiatement au niveau du langage.

Les artistes et écrivains les plus avisés, les plus sensibles au changement en cours, accueillent cette crise comme un fait nécessaire, dont il convient de tirer toutes les conséquences. Ils ne se renferment pas dans le paradis artificiel d'une académie nostalgique, mais utilisent les instruments de la crise contre la société moderne elle-même. Si, d'un côté, ils adaptent leur thématique aux exigences de cette nouvelle dimension sociale, de l'autre, ils rompent l'harmonie classique du signe linguistique, en cherchant leurs modèles en dehors de la

La musique expressionniste

L'obstacle principal que la musique contemporaine a dû affronter est le lien très tenace entre la coutume musicale européenne et les structures de la consonance harmonique. On pourrait le décrire, en simplifiant beaucoup, comme l'obligation de concevoir le rapport entre les notes exclusivement sur des bases préétablies, les « échelles de tons », qui instituent et garantissent l'habitude perceptive. Quelques exceptions font partie de la dialectique interne de ce rapport, ou confirment la règle. Gustav Mahler cependant, mettant à profit les suggestions de Brahms et de Wagner, intensifie déjà les passages « dissonants », au point de faire osciller la structure harmonique. Ses successeurs idéaux sont les trois compositeurs de la dite École de Vienne. Arnold Schönberg (également auteur de tableaux expressionnistes, tel le Regard rouge, *de 1910) a le mérite d'inaugurer en 1912, avec le* Pierrot lunaire, *la musique atonale, dans laquelle les agglomérats sonores isolés deviennent valides « en eux-mêmes ». Anton Webern, auteur très inspiré de constellations sonores pures et raréfiées, conduit cette recherche à des résultats impensables. Alban Berg saura tirer de ce nouveau langage les inspirations les plus authentiques.*

LES PROTAGONISTES

◆ **Chagall,** Marc (Vitebsk 1887 - Saint-Paul-de-Vence 1985). Après avoir fait partie, à Moscou, des « primitifs », il vient à Paris en 1910, et il étudie l'œuvre de Cézanne, Van Gogh et Gauguin. Ami de Lénine et de Lunaciarsky, il rentre en Russie en 1914, où, après 1917, il fonde l'École constructiviste de Vitebsk. Lorsque Malevitch parvient à le faire déconsidérer, en 1919, Chagall réagit en reprenant le style féerique et ingénu de sa première manière et, à partir de 1912, il revient à Paris.

◆ **Kirchner,** Ernst Ludwig (Aschaffenburg 1880 - Frauenkirch 1938). Sa vocation de peintre naît à travers la connaissance de l'art ancien allemand anticlassique (Grünewald, Dürer, Cranach) et des estampes japonaises. Munch, Van Gogh et la sculpture nègre lui permettent de franchir le pas suivant, alors qu'il fonde à Dresde, en 1905, la Brücke. Plus tard, il participe de l'extérieur aux travaux du Blaue Reiter, puis

▼ *James Ensor*, Portrait d'Ensor aux masques, *1899, Collection Jussiant, Anvers. Héritier de la tradition flamande qui va de Bosch à Bruegel et des représentations médiévales de l'enfer jusqu'aux allégories morales du XVIIe siècle, l'art d'Ensor allie sa tendance naturelle à l'ironie et au grotesque à un fort besoin de critique sociale.*

Karl Schmidt-Rottluff, Autoportrait au monocle, *1910, Staatliches Museum, Berlin. Si les théories de l'expressionnisme agissent sur l'avant-garde germanique à la fin de la dernière décennie du XIXe siècle, ce n'est qu'après 1905, avec les œuvres des artistes de la Brücke, que la peinture violente, presque « hurlante », de cette tendance importante prend totalement conscience d'elle-même et de ses moyens.*

tradition européenne. Dans les arts figuratifs principalement, l'avant-garde propose en effet la récupération des langages « primitifs », qu'elle considère comme les véhicules les plus efficaces pour l'expression directe et fortement dramatique du malaise ambiant.
L'expressionnisme se voue ainsi à un profond paradoxe entre le *signifiant* employé et le *contenu* qu'il veut exprimer. L'image est simplifiée, déformée, brutalisée. Elle renvoie avec insistance à des modèles archaïques ou infantiles, en tout cas fortement « régressifs ». Les thèmes traités sont en revanche intimement liés à l'actualité la plus directe, la finalité de cet art étant la dénonciation de la civilisation moderne et de la société bourgeoise. En d'autres termes, ce qui se produit dans l'œuvre est une contradiction (un insurmontable retard) entre la « forme », privilégiant des éléments inactuels, et le « signifié » en tant qu'analyse politique immédiate.
Par comparaison, on peut considérer la théorie de l'art élaborée par Filippo Tommaso Marinetti. Pour le théoricien du futurisme italien, le grand problème du siècle réside dans l'inadéquation des instruments littéraires et picturaux que la tradition nous a fait

---

s'installe en Suisse, où il continue à peindre dans la solitude.

◆ **Kokoschka,** Oskar (Pöchlarn 1886 - Villeneuve 1980). Sa formation se réalise dans le climat de la Sécession viennoise, en contact étroit avec Klimt. Toutefois, dès 1908, et grâce aussi à l'influence d'Adolf Loos, il se détourne du décorativisme « Liberty » pour se rapprocher de la peinture de la Brücke. Son style reste très original, tenant compte de suggestions qui viennent surtout de Rembrandt, du baroque autrichien et de la tradition romantique. De 1910 à 1914, il collabore à la revue expressionniste *Der Sturm* et, sur l'invitation de Kandinsky, il expose avec le Blaue Reiter.

◆ **Nolde,** Emil, pseud. d'Emil Hansen (Nolde, Schleswig-Holstein, 1867 - Seebüll 1956). Après avoir travaillé comme dessinateur dans une fabrique de meubles, il se rapproche des symbolistes avec des œuvres exemplaires par la très forte schématisation des personnages et par la vigueur expressive des accents. Au cours de ces mêmes années (1896-1900), il fait de très importants voyages d'étude à Munich et à Paris. En 1906, il intègre la Brücke sur l'invitation de Schmidt-Rottluff, mais, insatisfait, il quitte le groupe peu après. La période de maturité de l'œuvre de Nolde, de 1910 à 1920, s'accompagne alors de diverses crises personnelles, qui contribuent à en accentuer la charge émotionnelle.

◆ **Pechstein,** Max (Zwickau 1881 - Berlin

◄ *Ernst Ludwig Kirchner,* Femme au miroir (toilette), *1912, collection privée, Düsseldorf. On peut reconnaître, dans le choix et le traitement du sujet, des analogies très précises avec le cubisme. L'idée du miroir décentré qui, contre toute logique naturelle, reflète de travers le visage du modèle, est vraiment remarquable.*

parvenir, c'est-à-dire leur inadaptation au monde moderne, leur incapacité à représenter le contemporain. Face à une vie résolument dynamique – marquée par la civilisation de la machine –, l'artiste ne dispose que de moyens anachroniques, puisque statiques. Que sont, en effet, la perspective et l'écriture linéaire, sinon les structures de fond d'une habitude *contemplative* et donc statique ? La représentation picturale est par elle-même immobile : sera-t-elle jamais capable de représenter le mouvement incessant qui nous entoure ? En fait, au lieu de reconsidérer la forme pour la rendre dynamique, comme le fera le futurisme, la sensibilité expressionniste suit une voie opposée, celle de la *déformation.* Ce qui la caractérise, c'est encore son refus du langage traditionnel (depuis la Renaissance) ; mais, plutôt qu'un pas en avant, elle accomplit, pourrait-on dire, un pas en arrière, en direction de la culture des peuples « sauva-

1955). Il étudie à l'Académie de Dresde et approfondit ses connaissances au cours d'un séjour à Paris. Attiré par toutes les formes de l'art « primitif », il propose une interprétation modérée de la poétique expressionniste, qui lui permet de traverser diverses tendances, telles que la Brücke (1905-1909), la Neue Secession (1910-1912) et le Blaue Reiter (1913-1914).

◆ **Permeke,** Constant (Anvers 1886 - Jabbeke 1952). La période de maturité de son œuvre se trouve fondée sur de puissantes simplifications formelles et de tragiques textures de la matière, et elle ne débute qu'en 1914, quand l'expérience de la guerre a déjà très profondément marqué son caractère.

◆ **Rouault,** Georges (Paris 1871-1958). Il représente la composante la plus ouvertement expressionniste du mouvement des fauves, auquel il adhère peu de temps, auprès de Matisse, Dufy, Marquet, Derain, Vlaminck. Sa peinture constitue une réponse à une exigence exaspérée de religiosité et de philosophie. Son amitié avec le théologien Jacques Maritain, rencontré en 1911, le pousse à rejeter définitivement et totalement les thèmes laïcs.

◆ **Schiele,** Egon (Tullin 1890 - Vienne 1918). Sa très brève carrière se caractérise par l'union de l'expressionnisme germanique et de la Sécession viennoise : même si la valeur idéologique de son œuvre est très éloignée du « Liberty », il est certes indéniable que l'exemple de Klimt lui a toutefois suggéré

Emil Nolde, La Danse autour du Veau d'or, *1910, galerie d'Art moderne, Munich. La déformation des lignes et de la perspective, alliée à une utilisation immodérée de couleurs crues, vives, est l'arme employée par les expressionnistes contre toutes les tendances académiques et les décorations convenables du Liberty bourgeois.*

ges ». Les peintres de la Brücke parlent de la société moderne – de ses aspects les plus négatifs : prostitution, misère, exploitation, oppression, douleur, injustice –, mais à travers une expressivité déformée et déformante, étrangère aux repères de la culture occidentale. De cette manière, ils créent un choc visuel, un malaise de la perception, un conflit qui transpose à l'intérieur des mécanismes linguistiques le désespoir et la tragédie – la grande *Krisis* – dont ils veulent parler.

Cette destruction des équilibres hérités de la tradition classique était déjà perceptible dans les œuvres de quelques représentants du symbolisme et du romantisme tardif : on en voit l'indice dans les toiles polynésiennes de Gauguin et les œuvres tragiques de Van Gogh (le fameux *Champ de blé aux corbeaux,* de 1890, par exemple) en sont déjà toutes empreintes. Chez Edvard Munch, il y a bien plus qu'une prémonition dans ce climat lourd d'angoisse qu'il réussit à mettre en scène dans ses tableaux où figurent plusieurs des artifices qui seront utilisés plus tard par la nouvelle génération : la couleur est vive, criarde, la ligne, bien que loin d'être brisée, joue le rôle d'élément oppressant et fortement émotionnel (*Le Baiser,* 1895) ; la perspective, quand elle est encore utilisée, ne sert plus à donner des certitudes visuelles, mais, au contraire, elle permet de déconcerter l'œil dans l'insondable de profonds vertiges (*Le Cri,* 1893). Ce sont ces peintres que les jeunes de la Brücke regarderont, de même que le Belge James Ensor. Avec ses séries des « masques » et des « crânes », celui-ci tente la métaphore du quotidien dans une

Max Pechstein, Nature morte au masque africain, *1917, Kunsthalle, Mannheim. Comme la première avant-garde, l'expressionnisme subit la fascination de l'art extra-européen (nègre, en particulier). Il ne s'agit pas d'un exotisme banal, mais de la conviction que l'offensive contre les « hypocrisies » de la culture occidentale doit se fonder sur l'emploi de modèles qui lui soient alternatifs.*

l'utilisation d'une ligne tranchante et nerveuse qui accentue l'effet dramatique de ses œuvres.

◆ **Schmidt-Rottluff,** Karl (Rottluff 1884 - Berlin 1976). Comme ses premiers collègues d'avant-garde, il étudie l'architecture à la Technische Hochschule de Dresde. Il y rencontre Heckel et Kirchner, avec lesquels il fonde en 1905 la Brücke. En 1906, il se lie d'amitié avec Nolde. Après 1911, grâce aussi à un échange d'idées extrêmement fécond avec Lyonel Feininger, il mûrit de nouveaux intérêts : le cubisme, l'art africain et, sur le plan technique, la xylographie. Comme l'ensemble de sa génération, Schmidt-Rottluff subira, dans les années 30, la persécution des nazis qui détruiront plus de six cents de ses œuvres.

◆ **Soutine,** Chaïm (Smilovitchi 1894 - Paris 1943). Né en Lituanie, il se fixe à Paris en 1911, où il entre en contact avec Modigliani et Chagall. Son œuvre reflète sa nature violemment visionnaire, à la limite de la folie, comme en témoignent l'utilisation totalement immodérée du rouge sang et les distorsions de ses portraits et de ses paysages extrêmement dramatiques.

▼ *Oskar Kokoschka,* La Fiancée du vent, *1914, Kunstmuseum, Bâle. Le thème typiquement germanique de la tempête (le* Sturm *des romantiques) est ici interprété comme une allégorie de l'inquiétude affective et personnelle. Le style néobaroque des tableaux est également curieux et rappelle le climat artistique viennois du début du siècle.*

société dominée par le mensonge et la mort spirituelle. Ces jeunes éprouveront aussi une sinistre fascination pour les visions d'Arnold Böcklin (*L'Ile des morts,* 1880) et de son élève Max Klinger.
Les innovations techniques apportées par la peinture de l'avant-garde germanique peuvent être résumées par deux notions : la couleur violente et la ligne brisée. La première est obtenue par l'explosion de gammes chromatiques résolument excessives, tandis que la seconde s'oppose diamétralement à la *Feinheit der Curve* (élégance de la ligne courbe) des peintres de la Sécession.
Avec le « cri », que la couleur violente et la ligne brisée font émerger du tableau, se dégage aussi le tragique du sujet. Précisément, la crise formelle (le hurlement de la déformation) est mise en relation avec le drame social qu'elle évoque. On peut remarquer que la peinture des artistes de la Brücke représente rarement de façon directe des sujets angoissants ; mais la tragédie qui couve en elle se réalise toujours, même lorsqu'il ne s'agit que d'un portrait, comme pour *Femme au miroir* (1912), de Ludwig Kirchner, ou d'un paysage comme le *Sentier forestier* (1910), de Karl Schmidt-Rottluff, ou d'un épisode de la vie moderne, comme dans *L'École de danse* (1911), également de Kirchner. Car le sentiment du tragique, dans ces peintures, est le produit implicite d'un langage mené au-delà de ses limites, atteint jusque dans son intégrité.
L'impulsion expressionniste n'est pas banalement une négation des formes du monde extérieur, mais plutôt le bouleversement des principes d'harmonie de l'art. Le langage ne disparaît pas : il se retourne comme un gant. De la même façon se retournent les passages hallucinés des mises en scène cinématographiques de Wiene, Murnau ou Lang – comme se renverseront les

◄ *Egon Schiele,* Autoportrait avec la main sous l'œil, *1910, Albertina, Vienne. En raison des possibilités implicites d'introspection psychologique qu'il offre, l'autoportrait est un des thèmes les plus fréquents de la période expressionniste. Schiele s'y livrera à diverses reprises, privant souvent le visage de son rôle habituel de point central du tableau, lui préférant la main, symbole de la condition d'exister de l'« homo faber ».*

Marc Chagall, Autoportrait aux sept doigts, *1912, Stedelijk Museum, Amsterdam. Chagall présente un original mélange de sensibilité primitive presque naïve, liée au climat de la Russie du début du siècle, et de violence déformante* fauve, *élaborée au contact des expériences françaises et allemandes de la même époque.*

▼ *Robert Wiene, photogramme issu du* Cabinet du docteur Caligaris, *1920. L'expressionnisme trouve un champ d'application fertile dans le cinéma, art naissant. On peut remarquer comment, pour cette histoire classique, Wiene utilise une mise en scène fondée sur le principe de la ligne brisée, non orthogonale, et de ce fait angoissante.*

Amedeo Modigliani, Nu couché, les bras ouverts, *vers 1917, collection G. Mattioli, Milan. Les œuvres de l'artiste de Livourne peuvent être rapprochées de la tendance (devenue internationale après 1915) à la déformation expressive. Cette tendance, exprimée de façons multiples, caractérise l'art de l'époque : ici, elle est utilisée pour accentuer la valeur lyrique.*

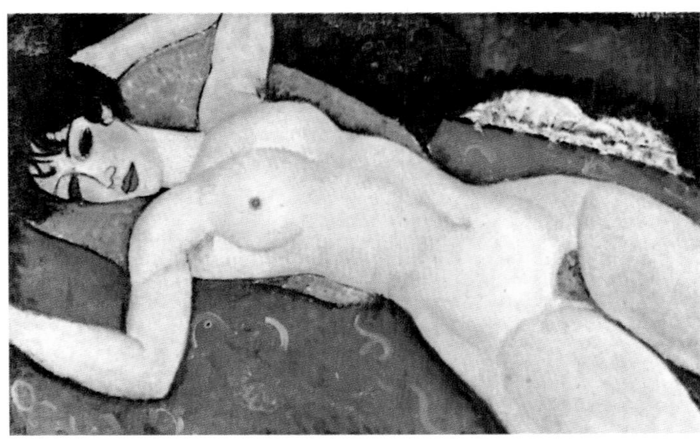

couleurs explosives des toiles de Chaïm Soutine et de Georges Rouault, abandonnant ainsi toute sobriété.

Die Brücke (« Le Pont ») existe de 1905 à 1913. Son premier inspirateur est Ernst Ludwig Kirchner, qui travaille en étroit contact avec ses confrères Erich Heckel, Fritz Bleyl et Karl Schmidt-Rottluff. Dans sa *Chronique du groupe du Pont,* Kirchner affirme que « la peinture est l'art qui représente sur une surface plane un phénomène sensible. Le médium de la peinture est la couleur, comme fond et comme forme. Le peintre transforme en œuvre d'art la conception sensible de son expérience. Il n'y a pas de règles dans cela. Pour chaque œuvre, les règles s'établissent au cours du travail ». L'accent est donc particulièrement mis sur la subjectivité psychologique et le refus des règles, c'est-à-dire sur l'incessante « transgression » à laquelle chaque œuvre, dans son individualité, se livre par rapport aux œuvres précédentes.

A partir de 1906 adhère à la Brücke un artiste d'une capacité exceptionnelle, Emil Nolde, qui abandonnera toutefois ses compagnons de route au bout de trois ans. C'est lui,

▼ *Constant Permeke,* Les Fiancés, *1923, musées royaux des Beaux-Arts de Belgique. La peinture, solennelle, puissante et intense de Permeke, fondée sur une utilisation métaphorique des couleurs – comparable par certains côtés à celle de l'Italien Mario Sironi – continue la vocation de l'expressionnisme au-delà des limites historiques du mouvement.*

pourtant, qui amènera la peinture expressionniste à ses résultats extrêmes : on peut voir à quel degré de subversion il parvient avec la *Danse autour du Veau d'or,* de 1910. Un esprit endiablé semble traverser et frapper toutes les composantes de l'œuvre, la couleur se clive en caillots de feu, en taches projetées sur la toile avec l'exceptionnelle violence de quelqu'un qui agit en état de transe, le tracé disparaît sous les coups du rythme particulièrement frénétique du geste, la perspective se déforme tandis que la violence païenne du thème est traduite par une abolition de presque tout contrôle formel, esthétique et rationnel.

Un deuxième moment de l'avant-garde expressionniste est représenté par le groupe russo-bavarois Der Blaue Reiter (« Le Cavalier bleu »), dont les membres les plus marquants, entre 1910 et 1914, sont Vassili Kandinsky, Franz Marc, August Macke, Gabriele Münter, Max Pechstein, Paul Klee.

Strictement parlant, si l'on excepte l'œuvre de Pechstein, ces peintres offrent une interprétation peu orthodoxe du problème : le subjectivisme anarchique de la Brücke se transforme en une dimension lyrique de la couleur, les thèmes sociaux « modernes » font place à une reconquête presque nostalgique de la nature (chez Marc et Macke), ou même à la libre émotion de la surface abstraite (chez Kandinsky et, d'une manière différente, chez Klee). Le mouvement expressionniste s'ouvre donc à des influences et à des évolutions qui, comme il a déjà été dit, dépassent largement le groupe initial et la période historique déterminée. Si l'on veut être précis, en font également partie les membres de la Nouvelle Objectivité, mouvement qui s'affirme à partir de 1920 dans l'ensemble de la République de Weimar.

Il convient de préciser que la révolution la plus importante et la plus lourde de conséquences est probablement celle qui s'accomplit dans le domaine de la musique, avec Arnold Schönberg, Anton Webern et Alban Berg (précédés et influencés par l'expressionnisme lyrique de Gustav Mahler). A Vienne, où Oskar Kokoschka et Egon Schiele mettent en pratique dans leurs œuvres des idées assez proches de celles de la Brücke, siège le laboratoire de musique qui va bouleverser, en l'espace de quelques années, le panorama mondial. La destruction (ou, plus exactement, la « déstructuration ») des normes de la tonalité, que Schönberg met en pratique à partir de 1912, confirme le caractère unique d'une expérience qui se montre tout à fait irremplaçable pour la culture du XXe siècle. ■

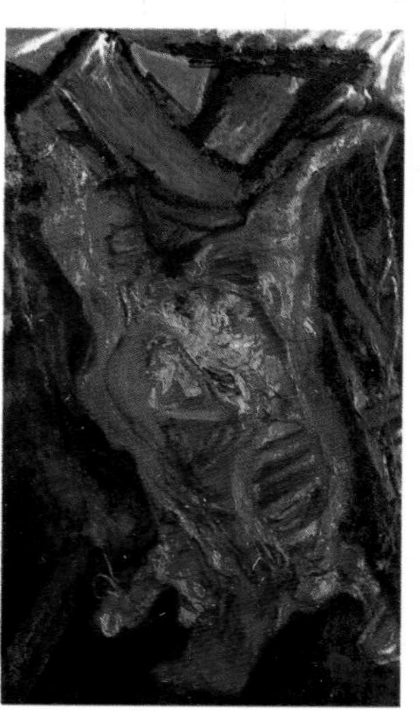

▼ *Chaïm Soutine,* Le Bœuf écorché, *1925, musée des Beaux-Arts, Grenoble. Visionnaire doué d'une stupéfiante richesse d'expression, Soutine incarne le mythe de l'art rebelle et férocement antibourgeois. Son attachement à la « vérité » intime des choses le pousse, comme Van Gogh, à une observation obsessionnelle et maniaque de la nature sous tous ses aspects.*

James Ensor, Les Masques et la mort, *1897, musée des Beaux-Arts, Liège.*

L'œuvre et les idées du Belge James Ensor, comme celles du Hollandais Van Gogh et du Norvégien Munch, appartiennent à la première phase de l'avant-garde expressionniste, encore imprégnée des théories du symbolisme.

Georges Rouault, L'Ivrognesse, *1905, musée d'Art moderne, Paris.*

S'il est légitime de reconnaître qu'il existe un lien entre les expressionnistes et les fauves, *Rouault est très probablement le peintre qui en témoigne le mieux. Il convient de rappeler que des artistes comme Matisse ou Dufy ont au contraire très peu à voir avec l'intolérance et la rage politique des Allemands.*

Ernst Ludwig Kirchner, *Couverture pour le catalogue d'une exposition du groupe* Die Brücke, *xylographie, 1910.*

A travers les techniques des arts graphiques, Kirchner approfondit sa propre esthétique et explore les vertus de communication d'un signe schématique, sec, incisif, capable de reproduire l'expressivité directe des langages naïfs.

1896-1899	1900-1902	1903-1905	1906-1908	1909-1911	1912-1914
Affaire Dreyfus Conférence de La Haye	Assassinat d'Umberto 1er	« Entente cordiale » anglo-française	Réhabilitation de Dreyfus	L'Italie entre en guerre contre l'Empire ottoman	Guerre des Balkans Attentat de Sarajevo
P. et M. Curie : découverte du radium	La Fondation Nobel remet ses premiers prix	Frères Wright : vol d'un avion à moteur *(Flyer I)*	Début de l'association S. Freud-C. G. Jung	Second prix Nobel pour Marie Curie	Londres : utilisation du radium contre le cancer
G. Puccini : *La Bohème* G. Mahler nommé directeur de l'Opéra de Vienne	S. Rachmaninov : *Concerto n° 2* C. Debussy : *Pelléas et Mélisande*	G. Mahler : *Kindertotenlieder* R. Strauss : *Salomé*	I. Albéniz : *Iberia* M. Ravel : *Ma mère l'Oie*	A. Schönberg : *Traité d'harmonie* G. Mahler : *IXe symphonie*	I. Stravinski : *Le Sacre du printemps* Les Ballets russes à Paris
É. Durkheim : *Le Suicide* T. Veblen : *La Théorie de la classe oisive*	T. Mann : *Les Buddenbrook* A. Gide : *L'Immoraliste*	G. D'Annunzio : *Louanges du ciel, de la mer...*	R. Musil : *Les Désarrois de l'élève Törless* P. Claudel : *Partage de midi*	G. Stein : *Trois Vies* S. Zweig : *La Maison au bord de la mer*	G. Apollinaire : *Alcools* Proust commence *A la recherche du temps perdu*
A. Tchekhov : *La Mouette*	S. Freud : *La Science des rêves*	A. Tchekhov : *La Cerisaie*	Débuts du cubisme en France	F. Marinetti : *Manifeste du futurisme* Fondation du *Blaue Reiter*	
J. Ensor : *Les Masques et la mort*	**E. Munch :** *Fillettes sur un pont*	**G. Rouault :** *L'Ivrognesse*	**E. Nolde :** *Roses rouges et jaunes* **E. Kirchner :** *Autoportrait avec un modèle*	**E. Nolde :** *La Danse autour du Veau d'or*	**M. Chagall :** *Autoportrait aux sept doigts* **O. Kokoschka :** *La Fiancée du vent*

Pablo Picasso, Les Demoiselles d'Avignon, *1907, musée d'Art moderne, New York. Achevé peu de temps avant que le peintre ne rencontre Braque, ce tableau est le fruit d'un long travail et de très nombreux repentirs. Dans une première version, il y avait sept personnages, cinq femmes et deux hommes, dont l'un tenait un crâne à la main : le tableau apparaissait comme une vanité, un* memento mori, *par la référence à la mort placée à côté des femmes nues. Celles-ci, de leur côté, ont une signification érotique, bien exprimée par le titre initial du tableau,* Le Bordel philosophique, *remplacé après la guerre par le titre actuel,* Les Demoiselles d'Avignon, *qui fait allusion à une rue du quartier chaud de Barcelone. En ce qui concerne le style, l'œuvre s'inspire des nus de Cézanne, déformés selon les indications plastiques venant de la sculpture ibérique païenne et de l'art nègre. La force « naturelle » exercée par la sculpture nègre sur Picasso est ici tout particulièrement visible.*

15 LE CUBISME

Peint par Picasso en 1907, *Les Demoiselles d'Avignon* est « un tableau qui ne ressemble à aucun autre », comme l'a écrit l'un des principaux biographes du mouvement, John Golding. Les visages sont en effet déformés comme des masques africains, les figures brisées comme des sculptures ouvertes et plaquées sur une surface, le fond n'est pas situé à l'arrière, mais au milieu d'elles, et enfin, de face, le spectateur n'a plus la vision sûre et absolue que la tradition occidentale a toujours privilégiée depuis la Renaissance, il doit recourir à de nouveaux modes de lecture et de compréhension.

Au cours de la première décennie du XXe siècle, la culture artistique européenne est évidemment prête à cette mutation, en dépit des polémiques et de l'incompréhension de la critique et du public, qui font partie intégrante du panorama artistique de notre temps. Cette même exigence de multiplier les points de vue dans l'œuvre d'art, de proposer des éclats de langage, d'élargir les gammes sonores habituelles se retrouve dans la musique d'Igor Stravinsky, dans la prose de James Joyce, de Virginia Woolf, de Gertrude Stein, amie et biographe de Picasso.

On considère en général l'artiste espagnol, avec le Français Georges Braque, comme le fondateur du cubisme, mouvement qui occupe la scène de l'avant-garde parisienne de 1907 à 1914, laissant des traces indélébiles sur les artistes plus jeunes qui se rendent à Paris comme dans une académie vivante, et sur l'idée

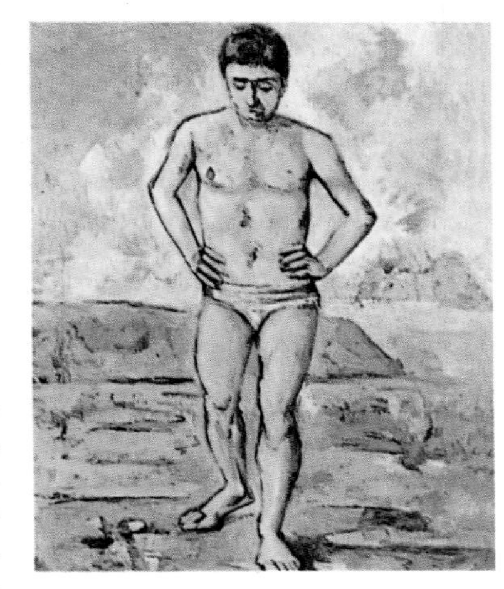

◄ *Paul Cézanne,* Le Baigneur, *vers 1885-1890, musée d'Art moderne, New York. Dans cette toile, Cézanne étudie comment rendre la sensation de solidité, du volume d'un corps dans l'espace, sans utiliser le modelé ni le clair-obscur.*

▼ *Georges Braque,* Maisons à l'Estaque, *1908, Kunstmuseum, Berne. C'est à cause de paysages comme celui-ci, où l'espace et les objets sont interprétés et restitués comme des formes géométriques liées entre elles, que l'on a parlé de « cubes », au début, avec une nuance péjorative.*

même de la peinture moderne. Néanmoins, bien qu'initiateurs du cubisme, Picasso et Braque n'appliqueront jamais à leur peinture ce terme, qui est une invention de la critique de l'époque. S'en réclameront en revanche (certains totalement, et d'autres pour une période limitée) de nombreux artistes : Jean Metzinger et André Lhote, Henri Le Fauconnier et Albert Gleizes, Fernand Léger et Robert Delaunay, les frères Duchamp. Ils proposeront, dans des expositions collectives et des publications, leur propre interprétation du cubisme, tandis que ce terme franchira les frontières de la France.

Comment Braque et Picasso en sont-ils arrivés là ? Et quelle est donc l'histoire du cubisme ? En 1907, Cézanne était mort depuis un an, une grande rétrospective au Salon d'Automne présentait ses œuvres majeures, résumant son enseignement : ne pas s'arrêter à l'apparence impressionniste, mais chercher derrière les choses la structure, la base géométrique, « traiter la nature selon la forme du cylindre, de la sphère, du cône ». Ces affirmations figurent dans une lettre célèbre à Émile Bernard, qui, en dépit d'une « foi » artistique différente, fut proche de Cézanne durant de nombreuses années. De cette lettre ressort un autre fait : le peintre d'Aix-en-Provence prescrivait également la plus rigoureuse adhésion à la donnée de la perception, à la nature telle qu'elle *se présente* à l'œil : « Le peintre doit se consacrer entièrement à l'étude de la nature... Toutes les discussions sur l'art sont presque inutiles... Le littéraire s'exprime par abstractions, tandis que le peintre rend concrètes, par le dessin et les couleurs, ses sensations et ses perceptions. » En effet, Cézanne parle d'un entraînement de l'œil à « voir » la nature, à la « comprendre ». Si,

Le primitivisme

« Expressivité, structure et simplicité » sont, pour l'historien de l'art Ernst Gombrich, les qualités des expressions artistiques « primitives » aux yeux des avant-gardes. La culture occidentale, riche et aux langages devenus compliqués, utilise les formes primitives, archaïques, ou régressives pour revitaliser son style. Grâce à Gauguin et à sa fugue « romantique » en Océanie, à Henri Rousseau dit le Douanier Rousseau, qui invente des régressions magiques et naïves, *aux expressionnistes (ci-dessus : Karl Schmidt-Rottluff,* Tête rouge et bleu [Paura], *1917, Brücke-Museum, Berlin), qui exaltent les valeurs inviolées du sauvage, et aux cubistes, sont introduits, dans nos habitudes perceptives, les divers modes d'expression de cultures différentes qui permettront à notre civilisation de dépasser les limites de l'art « beau » et classique.*

LES PROTAGONISTES

◆ **Archipenko,** Alexander (Kiev 1887 - New York 1964). Proche du cubisme de Léger, il adhère au groupe de la Section d'Or. A partir de 1914, il réalise des assemblages avec des plaques colorées de différentes matières. A partir de 1923, il vit aux États-Unis.

◆ **Braque,** Georges (Argenteuil 1882 - Paris 1963). Après une période impressionniste, il se lie avec les fauves (*Le Port, à La Ciotat*, 1907, *Paysage à l'Estaque*, 1906). Il est, avec Picasso, le principal représentant du cubisme. Ses thèmes de prédilection sont les natures mortes avec des instruments de musique, les paysages, les natures mortes sur tables rondes (série des *Guéridons*), les cheminées. Il peint les séries des *Ateliers* (1949-1956) et des *Oiseaux* (1956-1962).

◆ **Delaunay,** Robert (Paris 1885 - Montpellier 1941). En 1909, il peint sa première *Tour Eiffel*. En 1911, il est invité par Kandinsky, pour participer à la première exposition du Blaue Reiter. En 1912, il réalise la série des *Fenêtres* et, en 1912-1913, *Le Disque* et la série des *Formes circulaires*. Apollinaire le qualifie d'orphique, en raison de ses recherches sur les rythmes et les significations des formes abstraites.

▼ *Pablo Picasso,* La Bouteille de « vieux marc », *1913, musée national d'Art moderne, Paris. Après sa phase analytique, le cubisme se caractérise par la présence de lettres de l'alphabet, de titres de journaux et de diverses références à des matériaux étrangers à la tradition de la peinture de chevalet.*

▼ *Juan Gris,* Hommage à Pablo Picasso, *1912, Art Institute, Chicago. Gris disait lui-même : « Je travaille avec les instruments de l'intellect, je cherche à rendre concret ce qui est abstrait ; je pars du général pour parvenir au particulier... Mon art est synthétique et déductif. » Il ajoutait : « Mon intention est de créer des objets nouveaux qui ne puissent être confrontés à aucun objet réel. »*

dans un sens, cela l'éloigne de ses propres origines impressionnistes (c'est l'âme des choses que le regard doit pénétrer, et non leur apparence), de l'autre, cela rend absurde de vouloir lui attribuer des intentions abstractionnistes, ou de rendu conceptuel de l'image. Or, c'est justement cette leçon « naturaliste », coïncidant avec une utilisation beaucoup plus profonde de l'expérience sensorielle, qui se répand (vers 1906-1907) sur le cubisme naissant.

Il convient de balayer une équivoque tenace : celle qui voudrait que le cubisme fût en substance un refus du réalisme en peinture. En fait, par plus d'un aspect, les tableaux de Braque et de Picasso peuvent parfaitement signifier une

◆ **Delaunay-Terk,** Sonia (Ukraine 1885 - Paris 1979). En 1910, elle épouse Robert Delaunay et participe à ses recherches sur la couleur et la lumière. En 1913, elle illustre le poème de Blaise Cendrars *La Prose du transsibérien et de la petite Jehanne de France,* où texte et illustrations se répondent. Elle exécute des décors de théâtre, des vêtements et des tapisseries, se tournant, à partir des années 30, vers l'abstrait.

◆ **Duchamp-Villon,** Raymond (Damville 1876 - Cannes 1918). Après avoir été très influencé par Rodin et Maillol, il se rallie au cubisme, y élaborant son style synthétique et puissant (*Le Grand Cheval,* 1914).

◆ **Gleizes,** Albert (Paris 1881 - Avignon 1953). Auteur, avec Jean Metzinger (Nantes 1883 - Paris 1956) du livre *Du cubisme,* Paris, 1912. La même année, il participe aux activités du groupe de la Section d'Or, fondé par Jacques Villon, et qui réunit également André Lhote, Roger de La Fresnaye (Le Mans 1885 - Grasse 1925) et Louis Marcoussis (Varsovie 1878 - Cusset 1941).

◆ **Gris,** Juan, José Victoriano Gonzalez, dit (Madrid 1887 - Boulogne-sur-Seine 1927). Il s'établit à Paris en 1906 et entre en contact avec Picasso. Il participe aux recherches cubistes, approfondissant les aspects mathématiques de la décomposition ; il utilise le collage et fait intervenir un morceau de miroir dans *Le Lavabo* (1912). En 1922, il dessine des décors et des costumes pour les Ballets russes de Diaghilev.

▼ *R. Duchamp-Villon,* Le Grand Cheval, *1914, collection Peggy Guggenheim, Venise. Frère de Marcel Duchamp et de Jacques Villon, Duchamp-Villon applique au plâtre et au bronze la restructuration « cubiste » des formes, d'abord en les analysant, puis en les synthétisant en mécanismes nouveaux, chargés d'énergie, prêts à se mettre en marche. Le cheval et la machine font partie des thèmes traités avec le plus d'insistance par l'artiste.*

volonté d'adhésion plus grande au concret, à la dimension extérieure des « choses réelles ». Il s'agit, pour ces artistes, de mieux connaître la nature, non de l'oublier. Pour cela, selon la théorie cubiste, de tout nouveaux éléments de représentation sont nécessaires. C'est là qu'il est pris conscience du caractère arbitraire (et conventionnel) des moyens de représentation traditionnels : le sujet n'est pas « arrêté » devant les objets de la réalité, mais se déplace dans l'espace, effectuant la synthèse des multiples images que l'œil lui transmet : le regard n'est pas immobile, mais bouge continuellement, palpitant comme une sonde qui, par une infinité de tests, arrive à reconstituer distances, volumes, plans, creux, protubérances, surfaces, etc.
Picasso, après les périodes bleue et rose, apprend de Cézanne que les lignes de contour des paysages et des corps peuvent être brisées, et que les faces cachées et devinées des objets en perspective peuvent être montrées. C'est l'idée du tableau changeant, cherchant à dépasser la limite historique de l'illusionnisme plat et à se rapprocher encore plus des choses dans leur totalité. La forme d'expression la plus proche de la substance plastique des choses est la sculpture nègre, dont quelques exemplaires circulent déjà parmi les expressionnistes. Picasso utilise ces sources pour simplifier sa peinture, arriver à la structure interne des objets et affirmer que le tableau n'est pas une fenêtre ouverte sur le monde, mais un objet qui s'est approprié la substance des choses et la restitue, comme un totem. C'est ainsi que commence le cubisme ; sa phase initiale (jusque vers 1912) est dite *analytique* parce que la première opération de Picasso et de Braque (ils se sont connus en 1907 grâce à Apollinaire) est d'analyser, de décomposer les objets comme s'ils tournaient autour d'eux, pour ensuite en déployer sur les deux

◆ **Laurens,** Henri (Paris 1885-1954). Durant sa période cubiste, il réalise des sculptures polychromes, des collages, des projets d'architecture et des décors. A partir de 1925, il abandonne la structure géométrique pour des formes plus fluides et sensuelles *(Ondines, Sirènes)*.

◆ **Léger,** Fernand (Argentan 1881 - Gif-sur-Yvette 1955). Après une période fauve, il rejoint le cubisme, dont il offre une interprétation personnelle, évoluant vers le décoratif et l'utilisation des couleurs primaires, du blanc et du noir. Sa période mécanique remonte à 1917, avec des figures tubulaires et géométriques. Il réalise des décors de films et de ballets, et peint un décor mural pour le palais de la Découverte (1936).

◆ **Lipchitz,** Jacques (Druskieniki, Lituanie, 1891 - Capri, 1973). A Paris dès 1909, il se rallie au cubisme et réalise des sculptures fondées sur des principes d'architecture.

◆ **Picasso,** Pablo (Malaga 1881 - Mougins 1973). En 1904, il s'installe à Paris, où son atelier, le Bateau-Lavoir, devient le point de ralliement de toute l'avant-garde internationale. Après ses périodes bleue (1901-1904) et rose (1905-1906) débute le cubisme. Dès 1916, il travaille à des décors de ballets et de pièces de théâtre. Il se tourne vers des représentations monumentales, « néoclassiques ». De 1925 à 1930, il se rapproche du surréalisme. En 1937, il réalise *Guernica*. Il est aussi l'auteur de nombreux dessins, gravures, céramiques et sculptures.

◄ *Robert Delaunay,* Tour Eiffel, *1910, Salomon R. Guggenheim Museum, New York. Delaunay a consacré à la tour Eiffel une série de tableaux dans lesquels il étire et déforme l'image, en dévoilant le dynamisme.*

▼ *Kasimir Malevitch,* Femme devant une colonne d'affiches, *1914, Stedelijk Museum, Amsterdam. Le cubisme fait son apparition en Russie à partir de 1910, grâce aux marchands, collectionneurs et artistes.*

dimensions les facettes, prises sous différents points de vue. Au début, la surface du tableau semble rythmée par des figures géométriques (cubiques), puis par un réseau de lignes sur lesquelles s'insèrent les plans des objets et de l'espace, de façon à montrer simultanément la face, le profil, l'arête des choses. C'est à la fois une forme extrême de réalisme et une façon d'insérer en peinture la dimension du temps, de la succession (un concept étudié alors par le philosophe Henri-Louis Bergson) : « Le tableau englobait l'espace, voici qu'il s'irradie aussi dans le temps. » Avec cette recherche d'analyse, les œuvres deviennent hermétiques et, entre 1910 et 1911, pour réaffirmer les contacts avec la réalité, Braque utilise dans ses toiles des motifs particuliers en trompe-l'œil et des lettres imprimées.

La recherche cubiste s'approfondit et se répand ; d'autres noms émergent, comme celui

▼ *Fernand Léger,* La Noce, *1911-1912, musée national d'Art moderne, Paris. Formes modelées et surfaces planes, juxtaposées selon la « loi des contrastes » de couleur.*

◄ *Henri Laurens,* Tête de jeune fille, *1920, collec. Peggy Guggenheim, Venise. Décomposition des plans d'un objet, recomposition multiple de ses aspects, nouveau rapport entre l'espace et la forme, le plein et le vide.*

de l'Espagnol Juan Gris, tandis que se forgent des contacts avec les Allemands du Blaue Reiter, les futuristes italiens, l'avant-garde russe (*cubo-futurisme* de Kasimir Malevitch et Wladimir Burljuk). En 1912 apparaissent les premiers collages (utilisation de matériaux étrangers : étiquettes, morceaux de journaux, bouts de tôle, toile cirée, sable, sur la surface du tableau), et le papier collé (gouaches découpées et encollées). La phase *synthétique* commence. Il ne s'agit plus de la fragmentation de l'objet dans ses parties successives, mais d'une image qui en synthétise les formes essentielles et la matière. Le tableau est encore davantage un objet, un petit monde complet en soi, qui s'adresse à l'intelligence, propose un nouveau rapport entre le vrai et le faux, la réalité et la représentation, ouvrant la voie au dadaïsme et au polymatérisme.

Apollinaire invente le terme de cubisme orphique (du mythe d'Orphée), à propos des artistes attirés par la recherche sur la couleur et ses effets, sur les rythmes chromatiques « abstraits » : c'est le cas de Robert Delaunay et de sa femme Sonia Terk, de Fernand Léger avec ses modules tubulaires et cyclindriques. D'autres se réunissent dans le groupe de la Section d'Or (la règle d'or de la géométrie) pour chercher les rapports mathématiques et les possibilités évocatrices des formes : Jacques Villon, Francis Picabia, Marcel Duchamp, Frantisek Kupka. Au moment où éclate la guerre, le cubisme est le nom collectif de recherches diverses, préludes de futurs développements. Tandis que Braque et tant d'autres sont appelés sur le front, Picasso est prêt à intervenir, pour de nombreuses années encore, sur la scène de l'art, avec ses interprétations bouleversantes et vitales des formes et des faits. ■

▼ *Marcel Duchamp,* Nu, Jeune homme triste dans un train, *1911-1912, collec. Peggy Guggenheim, Venise. Ici, Duchamp témoigne de son intérêt pour la décomposition cubiste, interprétée de façon dynamique.*

Pablo Picasso, Portrait d'Ambroise Vollard, *1910, musée Pouchkine, Moscou.*

Cette œuvre, à première vue déconcertante, se révèle, à la lumière d'une analyse plus consciente des principes du cubisme analytique, un portrait fidèle du marchand d'art Vollard, portrait qui a la force, non de la ressemblance photographique, mais d'un degré très nouveau de réalisme. Le visage et l'espace sont décomposés puis sont étalés sur la surface constituée de plans qui s'entrecoupent.

Sonia Delaunay-Terk, Prismes électriques, *1914, musée national d'Art moderne, Paris.*

Le couple Delaunay, à la recherche des rythmes et des lois internes de la couleur, s'éloigne du cubisme vers une forme d'abstraction lyrique. Sonia Terk, également créatrice de vêtements et de tapisseries, d'illustrations de livres, explique que la peinture de son mari comme la sienne sont régies par les seules lois internes des couleurs et sont intimement liées à la lumière. En 1913, elle réalise, avec le poète Blaise Cendrars, La Prose du transsibérien et de la petite Jehanne de France, *le texte étant imprimé dans le sens vertical et les illustrations fondées sur la simultanéité des contrastes.*

Alexander Archipenko, Deux Verres sur une table, *1919-1920, musée national d'Art moderne, Paris.*

Originaire de Kiev, Archipenko arrive en 1908 à Paris, s'unissant aux recherches des avant-gardes, et en particulier à Léger. Il se meut lui aussi dans la sphère des objets et de l'espace, conçus comme des termes reliés par un rythme et une relation différente de celle traditionnellement perçue. A partir de 1914, il se consacre aux sculpto-peintures et aux assemblages, réalisés avec des matériaux divers.

La Belgique annexe le Congo	Révolution au Portugal : la république est proclamée	Guerres des Balkans	Déclenchement de la Première Guerre mondiale	Bataille de Verdun : 700 000 morts	Révolution d'Octobre en Russie
Congrès international de psychanalyse	R. Peary atteint le pôle Nord	Funk découvre l'action des vitamines	N. Bohr : études sur l'atome	A. Einstein : lois de la relativité générale	E. Rutherford désintègre l'atome
M. Ravel : *Rhapsodie espagnole*	A. Schönberg : cinq pièces pour orchestre	R. Strauss : *Le Chevalier à la rose*	M. Ravel : *Trois Poèmes de Mallarmé*	C. Debussy : *Jeux*	É. Satie : *Parade*
R. M. Rilke : *Nouvelles Poésies*	G. Stein : *Trois Vies*	P. Claudel : *L'Annonce faite à Marie*	M. Proust : *Du côté de chez Swann* B. Cendrars : *Prose du transsibérien*	F. Kafka : publication de *La Métamorphose* J. Joyce : *Dedalus*	G. Apollinaire : *Calligrammes*
	Naissance de l'art abstrait *Manifeste des peintres fururistes*	G. B. Shaw : *Pygmalion*	Films de C. Chaplin et de C. B. De Mille	Naissance du dadaïsme D. Griffith : *Intolérance*	Naissance du néoplasticisme Naissance du constructivisme
P. Picasso : *Les Demoiselles d'Avignon* **G. Braque :** *Maisons à l'Estaque*	**R. Delaunay :** *Tour Eiffel* **P. Picasso :** *Usine à Horta de Ebro*	**J. Gris :** *Hommage à Picasso* **F. Léger :** *La Noce*	**P. Picasso :** *Violon et guitare* **R. Duchamp-Villon :** *Le Grand Cheval*	**J. Gris :** *Le Petit Déjeuner*	**H. Laurens :** *Nature morte* **F. Léger :** *La Partie de cartes*
1907-1908	1909-1910	1911-1912	1913-1914	1915-1916	1917-1918

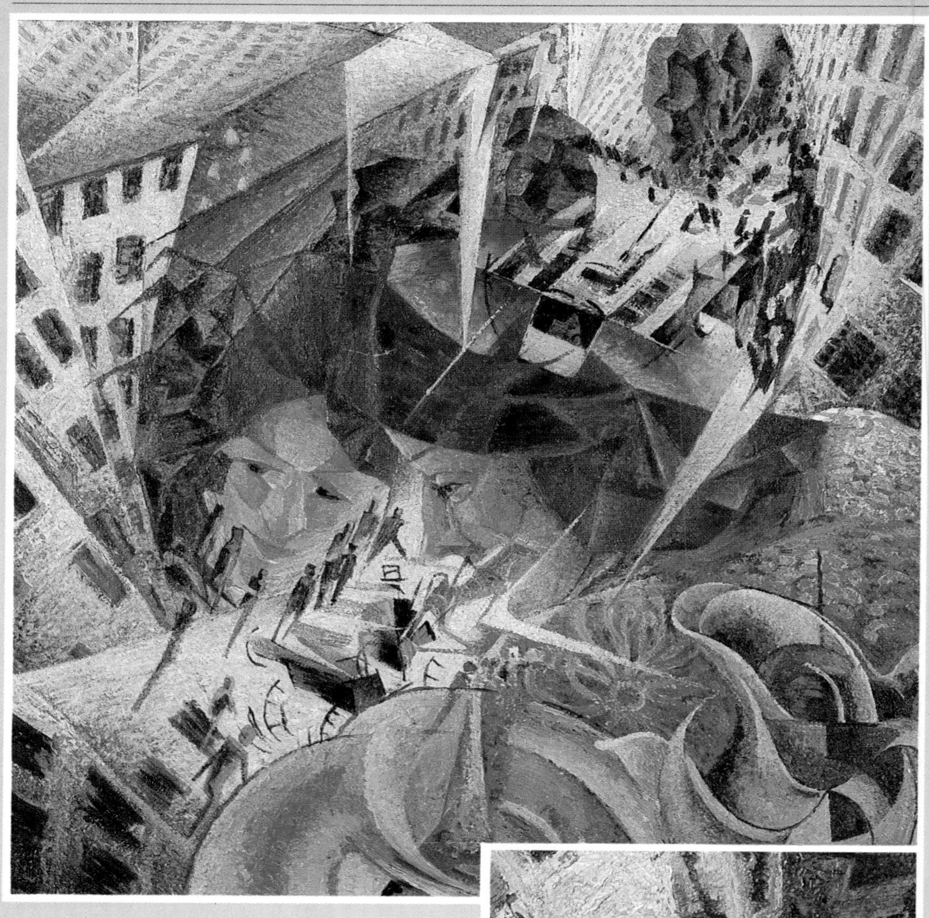

Umberto Boccioni, La Rue entre dans la maison, *1911, Von der Heydt-Museum, Wuppertal. Cette œuvre trahit la connaissance et la réélaboration partielle de la leçon cubiste ; elle est un exemple significatif de l'adaptation de la manière divisionniste aux concepts de « simultanéité » et de « dynamisme ». Ici, le personnage est en effet présenté simultanément de face et de profil, selon l'une des théories énoncées dans le* Manifeste des peintres futuristes *pour lequel tous « les personnages se tiennent immobiles, puis bougent, vont et viennent, se répandent sur la route, dévorés par une zone de soleil... les symboles persistants de la vibration universelle ». Les maisons elles-mêmes semblent enchâssées l'une dans l'autre, se confondant avec la rue, les arbres et les passants, en une synthèse spatio-temporelle puissamment soulignée par le chromatisme incendiaire et par le plan de perspective original. Il en résulte une impression de perpétuel devenir, de transformation permanente du monde, liée de façon indissoluble au concept de matière comme énergie vitale.*

16 LE FUTURISME

Quand, en 1909, l'écrivain et poète italien Filippo Tommaso Marinetti publie dans *Le Figaro* le *Manifeste du futurisme*, il n'existe encore, en réalité, aucune peinture ou sculpture futuriste. Mais toutes les conditions (évolution technologique accélérée d'une part, vide culturel de l'autre) existent pour permettre la diffusion d'une volonté régénératrice impliquant la complexité du système social. En peu d'années, Marinetti, évoluant par exigence de renouvellement littéraire, élabore l'un des prototypes de l'avant-garde historique, le mouvement futuriste, qui réunit quelques jeunes artistes déterminés, comme lui, à « changer la vie », selon les termes radicaux de Rimbaud.

« C'est d'Italie que nous lançons à la face du monde notre manifeste de violence irrésistible et incendiaire, par lequel nous fondons aujourd'hui le futurisme, parce que nous voulons libérer ce pays de sa gangrène fétide de professeurs, archéologues, cicérones, et antiquaires. » Voici l'un des passages clé du manifeste, dont la polémique bruyante, surtout contre le traditionalisme académique et le « passéisme » de la culture bourgeoise de l'époque, sous-tend une attitude de véritable *propagande*, commune d'ailleurs à tous les mouvements d'avant-garde.

▼ *Umberto Boccioni,* États d'âme : les Adieux, *1911, musée d'Art moderne, New York. Ce tableau fait partie de la première série des* États d'âme, *réalisée en 1911.*

▲ *Umberto Boccioni,* La Ville qui monte, *1910, musée d'Art moderne, New York. Ce tableau se caractérise par son excitation chromatique et formelle.*

Les temps évoluent, imposant de nouvelles réalités, et la nécessité d'un programme de rajeunissement thématique, formel et linguistique, de manière à interpréter et représenter la quintessence. De 1909 à 1916, plus de cinquante manifestes sont publiés : à propos de la peinture, du théâtre, de la littérature, de la danse, etc. ; ils soulignent notamment la grande importance accordée à ce moyen de communication, considéré comme véhicule privilégié pour la diffusion de nouvelles valeurs esthétiques et de comportement. Parallèlement, le café-théâtre représente le lieu idéal pour l'expérimentation linguistique et la rencontre avec le public, impliqué comme véritable acteur

au cours des nombreuses « soirées futuristes » si provocatrices.
L'idéologie du mouvement, dont les racines puisent dans ce rapport art/vie sous-tendu par toute une partie de la poétique romantique et post-romantique, implique donc tous les plans de l'expérience : de l'art à la politique, des mœurs à la morale, se fondant sur une conception vitaliste de l'existence, qui rappelle par certains aspects la pensée de Bergson et de Nietzsche. Plus spécifiquement, Marinetti annonce la naissance d'une « beauté nouvelle », « la beauté de la vitesse », liée au mythe de la machine et incarnée dans les aspects irrésistibles de la métropole industrielle. Le concept de *dynamisme*, mot clé de la poétique entière du mouvement, est repris dans le *Manifeste des peintres futuristes*, lancé en 1910 et signé par Umberto Boccioni, Carlo Carrà, Luigi Russolo, Giacomo Balla, Gino Severini. Ceux-ci soulignent notamment : « Les peintres nous ont toujours montré des choses et des personnes placées devant nous. Nous, nous placerons le spectateur au centre du tableau. »
D'un point de vue formel, pour arriver à des effets de mobilité et de vibration de la surface picturale, ou à « la sensation dynamique immortalisée comme telle », les futuristes recourent aux principes de décomposition chromatique et lumineuse élaborés par les postimpressionnistes divisionnistes, liés autant au réalisme social de Morbelli et de Pellizza da Volpedo qu'au symbolisme de Gaetano Previati. On pense à *Rixe dans la galerie* (1910) ou à *La Ville qui monte* (1910) de Boccioni, ou bien encore aux *Funérailles de l'anarchiste Galli* (1910-1911) de Carrà, exemples parmi les plus significatifs de l'adaptation de la manière divisionniste aux contenus

Le futurisme russe

*C'est dans l'Empire russe que le futurisme connaît l'une de ses plus grandes expansions, se définissant dans un premier temps par le terme cubo-futurisme, forgé par David Burljuk vers 1912. Il indique la collaboration entre peintres cubistes et poètes futuristes, unis par la même volonté de renouvellement du système culturel. Y adhèrent, entre autres, V. Maïakowsky, V. Tatline, K. Malevitch, N. Gontcharova, V. Chlebnikov, et M. Larionov (*Le Jeune Coq*, détail, vers 1912, galerie Tretjakov, Moscou). Le futurisme italien inspire aussi certaines règles du rayonnisme, doctrine (conçue entre 1912 et 1913 par Larionov et Gontcharova) qui constitue la première tentative d'abstraction de la peinture. Le rayonnisme fonde ses principes sur les lois physiques de la couleur et de la perception de la lumière. Le rayon lumineux est représenté sur la toile par une explosion de lignes colorées, douées de grands effets dynamiques. A la veille de la guerre, les différents courants du futurisme russe perdent leurs caractéristiques initiales et, après l'avènement de la suprématie de Malevitch, les acteurs de l'avant-garde s'orientent vers d'autres voies.*

LES PROTAGONISTES

◆ **Balla,** Giacomo (Turin 1874 - Rome 1958). Il se rend à Paris en 1900 et y découvre la peinture postimpressionniste. Il est également influencé par le divisionnisme italien et par un intérêt pour la photographie qui lui suggère des plans de composition particuliers (*La Folle*, 1905). En 1912, il entreprend, dans le domaine futuriste, les études pour les *Compénétrations iridescentes*, dont les formes chromatiques triangulaires évoquent encore des valeurs symboliques. En 1913, avec la représentation synthétique de la trajectoire des automobiles et du vol des hirondelles, le mouvement est restitué avec une abstraction qui ne renonce pas à son premier mobile figuratif. En 1915, il signe avec Depero le *Manifeste pour la reconstruction futuriste de l'univers*.

◆ **Boccioni,** Umberto (Reggio de Calabre 1882 - Vérone 1916). De famille romagnole, après de nombreux déplacements, il se rend à Rome en 1899,

◄ *Umberto Boccioni,* Formes uniques dans l'espace, *1913, musée d'Art moderne, São Paulo (Brésil).*

▼ *Carlo Carrà,* Funérailles de l'anarchiste Galli, *1911, musée d'Art moderne, New York. Cette œuvre s'inspire de l'expérience divisionniste, détournée pour l'interprétation de nouveaux contenus sociaux.*

d'une réalité urbaine en expansion vertigineuse. Balla joue le rôle de médiateur avec la culture figurative de la fin du siècle, italienne comme française. Son atelier de Rome est fréquenté entre 1901 et 1904 par les jeunes Boccioni et Severini. L'origine symboliste de la peinture de Balla non seulement influence la formation initiale des deux élèves, mais s'affirme comme noyau central de tout son parcours. Dans l'élaboration du « style futuriste » sont également déterminants les contacts avec le climat fervent de Paris, officialisés en 1912 à l'occasion de l'une des plus importantes expositions de l'histoire du futurisme italien, celle qui se tient à la galerie Bernheim Jeune. Les futuristes italiens sont particulièrement influencés par les résultats formels obtenus par Picasso, Braque, Gris, et, en général, le cubisme, bien que les préambules soient différents, puisqu'ils sont fondés sur cette staticité de composition et de thème à laquelle les futuristes s'opposent toujours. Néanmoins, les solutions de synthèse formelle des cubistes, par la multiplication des points de vue et la décomposition des objets, sont en partie la clé de lecture des peintures futuristes à partir de 1911-1912. L'identité espace-

où il rencontre Balla et Severini, s'établissant définitivement à Milan en 1907. Ses premières productions se ressentent des années romaines, tandis que son œuvre graphique révèle l'influence de l'art nouveau et de Beardsley. En 1910, après son adhésion au futurisme, il expose seul à la Ca'Pesaro, à Venise, et les œuvres qu'il présente sont en réalité toujours liées au symbolisme et au divisionnisme. Parmi ses premières œuvres importantes allant vers une synthèse des concepts de dynamisme et de simultanéité, il faut citer la série des *États d'âme* (1911). L'ultime phase de sa production, en revanche, va se caractériser par une synthèse plastique, qui se révélera être une relecture évidente de l'œuvre de Cézanne (*Portrait de Ferruccio Busoni*).

◆ **Carrà,** Carlo (Quargnento 1881 - Milan 1966). D'abord décorateur mural, il reçoit l'enseignement de C. Tallone à l'Académie de Brera, à Milan, et trouve dans le divisionnisme de nouvelles impulsions pour sa propre recherche. L'expérience futuriste, devant laquelle apparaît déjà son intérêt pour le fait objectif dans ses qualités formelles et constructives, tire également un grand profit des divers contacts établis avec les artistes florentins de la revue *Lacerba*. Vers 1914, au cours d'un séjour à Paris où il renforce son amitié avec Apollinaire et Picasso, Carrà mûrit son détachement du futurisme et peu après il adhère totalement à l'esthétique de la peinture métaphysique et de *Valori Plastici*.

► *Anton Giulio Bragaglia,* Le Peintre futuriste Giacomo Balla devant le « Dynamisme d'un chien en laisse », *détail, 1912. Photographie. C'est à partir de 1911 que l'artiste commence ses expérimentations « photodynamiques », destinées à enregistrer la vitesse d'un corps en mouvement.*

◄ *Giacomo Balla,* Vitesse abstraite + bruit, *1913-1914, collection Peggy Guggenheim, Venise. Ce tableau est révélateur de l'interprétation du concept de « dynamisme » par Balla, perçu avant tout comme une trajectoire chromatique et très lumineuse, rythmée par des clairs-obscurs successifs, animant ainsi l'ensemble de la composition. Le thème est en réalité le mouvement absolu, indépendant de tout objet spécifique.*

temps est ici interprétée selon l'exigence, propre à cette nouvelle esthétique, de *simultanéité dynamique* de la forme et des valeurs chromatiques ; cette simultanéité est atteinte par l'emploi des couleurs complémentaires, qui incendient de façon expressionniste la palette, et par une fusion réitérée entre l'objet et l'environnement. Boccioni, surtout, fait graviter sa peinture autour de ces prémices et introduit alors le concept des *lignes-force* (c'est-à-dire les « directions des formes-couleurs ») comme principe absolu de dynamique ; il l'applique et le développe aussi en sculpture. Il faut signaler *Formes uniques dans l'espace* (1913), traduction plastique d'une tension dynamique conceptuellement neuve, fondée sur la décomposition et l'interprétation des volumes.

Les résultats poursuivis en composition par chaque artiste dans l'élaboration des mêmes concepts de simultanéité, de mobilité, et d'interprétation des plans sont différents.

Par exemple, à partir des *Compénétrations iridescentes* (1912-1913), les œuvres de

◆ **Depero,** Fortunato (Fondo di Trento 1892 - Rovereto 1960). Il entre en contact avec les futuristes en 1913. En 1915, il signe avec Balla le *Manifeste pour la reconstruction futuriste de l'univers,* entamant alors une réélaboration personnelle des exigences du dynamisme et du mécanisme futuristes. Après avoir travaillé à Rome comme scénographe pour Diaghilev, il ouvre à Rovereto son propre centre artistique, où il crée, avec son épouse Rosetta, des objets de décoration et des tapisseries.

◆ **Marinetti,** Filippo Tommaso (Alexandrie, Égypte, 1876 - Milan 1944). Diplômé en droit de l'université de Gênes, puis ès lettres à Paris, il fonde en 1905, à Milan, avec Sem Benelli et Vitaliano Ponti, la revue internationale *Poesia.* Premier théoricien du futurisme, il élabore (en trois manifestes techniques différents) le concept de « paroles en liberté », s'inspirant des avant-gardes françaises du XIXe siècle. Ses compositions poétiques les plus libres, *Battaglia Peso + Odore* (1912) et *Zang Tumb Tumb* (1914), sont d'extrêmement importants documents littéraires.

◆ **Prampolini,** Enrico (Modène 1894 - Rome 1956). Il adhère au futurisme en 1912, fréquentant l'atelier de Balla. Le principal intérêt de sa peinture est lié au rendu plastique des formes objectales, et cela explique bien son rapport privilégié avec la machine et le monde de la technique. En 1917, il fonde la revue *Noi,* qui le met en contact avec Tzara et les dadaïstes, et,

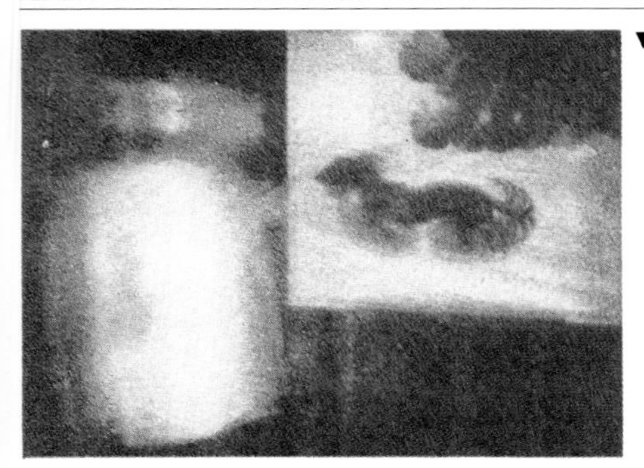

▼ *Gino Severini,* Guerre, *1915, collection Slifka, New York. L'artiste réalise en 1915 des toiles très diverses, inspirées de la guerre : du* Train blindé, *où la guerre, malgré la décomposition de type cubiste, est plutôt explicite, à ce tableau, plus symbolique.*

Balla, axées sur l'analyse objective et scientifique d'une décomposition de la lumière en relation avec le mouvement, deviennent totalement abstraites. Les recherches « photodynamiques » d'Anton Giulio Bragaglia, expérimentateur remarquable dans les domaines de la photographie et du spectacle, revêtent une importance particulière, au moins dans ses premières œuvres futuristes. Voulant restituer visuellement la vitesse et la trajectoire du mouvement d'un corps dans l'espace, sur la base des précédentes tentatives effectuées par Étienne-Jules Marey (la chronophotographie), Bragaglia parvient à des représentations qui dématérialisent l'objet puis le restituent dans la lumineuse et impalpable transparence de son parcours dynamique.

L'interprétation des préceptes futuristes est encore différente chez Severini, avec l'apport lucide des valeurs du cubisme

en 1922 (avec Panneggi et Paladini), il signe le *Manifeste de l'art mécanique.* Il s'illustre dans le domaine théâtral, à partir de la présentation, à Paris, du théâtre de la Pantomime futuriste. En 1938, il renouvelle ses propres expériences de polymatérisme.

◆ **Russolo,** Luigi (Portogruaro 1885 - Cerro di Laveno 1947). Fils et frère de musiciens, il débute en 1909, par des gravures de nette inspiration symboliste. A Milan, il fait la connaissance de Boccioni et participe à toutes les soirées futuristes, ainsi qu'aux très nombreuses expositions organisées en Italie et à l'étranger. En 1913, il rédige le *Manifeste sur l'art des bruits*, dédié au compositeur Balilla Pratella, dans lequel il théorise l'emploi des bruits comme acte musical. Un peu plus tard, il arrête de peindre pour se consacrer à ses recherches dans le domaine du son. C'est en 1914, au Teatro del Verme de Milan, qu'il dirige le premier « Grand concert pour intonarumori », instruments inventés en 1913 par Russolo et Ugo Piatti, qui seront nommés selon le son qu'ils produisent (glouglouteur, ululeur, ou encore crépiteur).

◆ **Severini,** Gino (Cortone 1883 - Paris 1966). Il se consacre à l'activité artistique sous la conduite de Balla. Il se rend en 1906 à Paris, où il développe, dans cette nouvelle ambiance, un art extrêmement original, caractérisé surtout par l'élégance et le rythme de la forme, et par des thèmes liés à la vie parisienne. Il se sépare du mouvement futuriste et entre dans le cercle cubiste de Rosenberg.

▼ *Enrico Prampolini,* Béguinage, *1914, collection privée, Rome. Tous les éléments de la réalité se nourrissent, pour les futuristes, de la même énergie vitale. Les insérer dans un tableau revient à rompre toute barrière entre l'œuvre d'art et la réalité, les chargeant d'un puissant pouvoir évocateur et narratif.*

synthétique. Son thème de prédilection, toujours à l'intérieur de l'exaltation de la modernité proclamée par le mouvement, est la vie parisienne : à l'élégance et à la joie de vivre de celle-ci il dédie, par exemple, la *Danse du Panpan au Monico*, qualifiée par Apollinaire d'œuvre la plus importante peinte par un futuriste.

▼ *Giacomo Balla,* Pièges de guerre, *1915, galerie nationale d'Art moderne, Rome. L'exaltation de la lutte et l'idéologie interventionniste sont, en poétique futuriste, accompagnées d'une matrice esthétique plus que politique, liée à la volonté précise de « régénérer » le monde suivant les rythmes nouveaux dictés par la production industrielle et les mythes incarnés par les machines. Confiante dans la technique et le progrès scientifique, la vision futuriste de la réalité est joyeuse et optimiste. Cette œuvre, en analogie avec d'autres réalisées durant la même année, se caractérise par une chromie éclatante mais essentielle, et par le mouvement des lignes dans l'espace.*

En révisant les sujets inspirés par la réalité, vues de la tour Eiffel ou de l'animation joyeuse des grands boulevards, l'artiste parvient à une synthèse palpitante des formes en mouvement, autant par l'utilisation constructive des couleurs primaires que par l'extrême mobilité de la décomposition géométrique. Severini est aussi l'un des premiers à employer, à l'exemple de Picasso et de Braque, la technique du collage, introduisant dans ses compositions des morceaux de papier mais aussi, comme dans le cas de quelques *Danseuses*, des paillettes, bijoux de fantaisie et bouts de tissus, de manière à fondre le fait réel avec le fait pictural. C'est le même Boccioni, du reste, qui introduit le concept de polymatérisme, dans le but d'enrichir la palette visuelle et matérielle de l'artiste et en même temps d'accentuer le processus de rapprochement entre les raisons de l'art et celles de la vie. Une de ses œuvres les plus réussies dans ce sens est *Cheval + maisons*, de 1914.

Une utilisation particulière du collage est faite par Carrà vers 1914-1915 : il récupère les « choses ordinaires » pour leur essence formelle et structurelle. De là vient le choix d'un thème comme la nature morte, importante pour le développement ultérieur de l'œuvre de l'artiste. Il faut mentionner, proche de Carrà par les intentions et par les solutions de composition, Ardengo Soffici, intellectuel et artiste florentin, qui diffuse (parmi les premiers en Italie), dans *La Voce*, la connaissance de l'art français. D'abord déçu par la peinture futuriste dont il voit la première exposition à Milan dans les ex-Pavillons Ricordi, Soffici s'en rapproche ensuite : il expose avec les futuristes en 1914 à la galerie Sprovieri de Rome et propose la revue *Lacerba*, qu'il a fondée avec

Antonio Sant'Elia, La Cité nouvelle : maison en gradins sur deux niveaux routiers, *1914, collection Paride Accetti, Milan. L'architecture aussi doit s'adapter aux changements imposés par l'évolution de la technologie. La particularité des constructions futuristes réside dans l'emploi des matériaux, du fer au béton et au verre, mais, surtout, dans une implication moderne de l'environnement.*

Ardengo Soffici, Fruits et liqueurs, *1915, collection Mattioli, Milan. Proche des conceptions futuristes, Soffici doit néanmoins la particularité de ses compositions à une recherche constante sur la forme, la donnée objective. La révision des préceptes formels et conceptuels dérivés de la culture picturale française, surtout du cubisme, est déterminante.*

Giovanni Papini (en 1913), comme organe de discussion, de théorisation, de diffusion des idées du mouvement. Y paraissent, entre autres, les projets de la *Cité nouvelle* d'Antonio Sant'Elia, exemple typique et probablement unique de l'architecture futuriste, dont les idées sur un nouveau mode de relation entre architecture et contexte urbain sont parfaitement symbolisées par la projection verticale du gratte-ciel et par le mythe de la mégalopole industrielle.

Le déclenchement de la Grande Guerre, la mort de Boccioni et de Sant'Elia en 1916, et des incitations nouvelles croissantes dans la recherche artistique de chacun, marquent une crise à l'intérieur du mouvement. Une nouvelle phase commence, influencée par les recherches picturales précédentes, surtout celles de Balla sur la synthèse dynamique des formes-couleurs, et caractérisée en particulier par le projet et la production d'une vaste gamme d'objets et de décorations selon les théories énoncées dans le *Manifeste pour la reconstruction futuriste de l'univers.* Somme des préoccupations interdisciplinaires du mouvement, signé par Balla et Fortunato Depero (personnage éclectique qui fait la jonction et coordonne la première et la seconde génération du futurisme), ce manifeste propose de « reconstruire l'univers en l'égayant, c'est-à-dire en le recréant intégralement... Nous trouverons des équivalents abstraits de toutes les formes et de tous les éléments de l'univers, puis nous les combinerons ensemble... pour former des ensembles plastiques que nous mettrons en mouvement ». Ainsi, confirmant la constante incitation ludico-inventive qui anime depuis le début le futurisme italien, naissent par exemple le « jouet futuriste », le « vêtement trans-

▼ *Ljubov Popova,* Paysage, *1914-1915, Solomon R. Guggenheim Museum, New York. L'artiste séjourne à Paris entre 1912 et 1913 et y étudie sous la conduite de Le Fauconnier et de Metzinger, dont elle tire une interprétation de l'esthétique cubiste. Le paysage se décompose en de multiples facettes, définies plastiquement et mises en évidence par des volumes de clairs-obscurs essentiels.*

formable » et, surtout, des instruments mécaniques et bruyants qui reconsidèrent sous des aspects divers le mythe de la machine.
Enrico Prampolini est l'un des illustres interprètes de cette phase, signataire notamment des manifestes sur *L'Art mécanique* et sur la *Scénographie futuriste.* Dans ce dernier texte, Prampolini énonce les bases de sa propre esthétique pour le théâtre, s'imposant, dans l'entre-deux-guerres, comme l'un des protagonistes du renouvellement de la mise en scène internationale. L'art dit « mécanique », en revanche, influera beaucoup sur la problématique futuriste jusqu'à la fin des années 20, quand naît, avec le manifeste de 1929, l'« aéro-peinture ». Avec l'automobile, l'avion devient le moyen de transport le plus

célébré dans le cadre de la recherche picturale et plastique des futuristes, dominant leur imaginaire créatif et fantastique jusqu'au début des années 40, et vulgarisant certains aspects des exigences de dynamisme et l'exaltation du progrès technologique.

Au cours de ces trois décennies d'activité, les idées futuristes connaissent une diffusion importante dans différents pays du monde, de la Russie (qui assiste au développement d'un mouvement aussi important que celui d'Italie) au Japon et au Brésil, favorisant l'éclosion d'expériences multiples. En Angleterre, par exemple, se développe le vorticisme, appellation issue d'une définition d'Ezra Pound en 1914. Au départ, les vorticistes subissent l'influence des futuristes italiens qui exposent en 1912 leurs œuvres à la galerie Sackville de Londres, puis prennent leurs distances et élaborent un langage plus abstrait. En Espagne se forme le courant du vibrationnisme, fondé par Barradas, qui redéfinit de façon singulière les idées de Marinetti. ■

▼ *Fortunato Depero,* Ballets plastiques, *1918, collection privée, Milan. Les exigences de renouvellement du* Manifeste pour la reconstruction futuriste de l'univers *trouvent leur développement dans les scénographies réalisées par Depero entre 1916 et 1918. Ce tableau renvoie à la mise en scène des* Ballets plastiques *(1918, avec la collaboration de Gilbert Clavel). Il s'agit du projet d'un théâtre où l'acteur est remplacé par des automates, machines aux formes géométriques simplifiées, intégrées dans un environnement presque métaphysique.*

Umberto Boccioni, Le Deuil, *1910, collection Schultz, New York.*

Depuis sa formation à Rome, la recherche picturale de Boccioni se développe selon deux tendances fondamentales, divisionniste et symboliste, auxquelles s'ajoutent des influences de la Sécession de Vienne, Munich et Berlin. Ce tableau retentit de toutes ces références, dans le traitement « expressionniste » des visages comme dans les contrastes chromatiques entre les habits foncés des femmes et les couleurs nuancées de leurs chevelures. Il n'y a pas six personnages, mais deux, vus « simultanément » à divers moments de leur douleur, selon les principes de la nouvelle esthétique.

Carlo Carrà, La Galerie de Milan, *1912, collection Mattioli, Milan.*

Le va-et-vient animé de la foule, dans un des lieux les plus représentatifs de la vie urbaine, fait partie des thèmes préférés des futuristes. Carrà aborde ici l'événement en insistant surtout sur les équilibres de volumes et de formes.

Giacomo Balla, Paravent, *1917-1918, collection privée, Rome.*

Par « reconstruction futuriste de l'univers », Balla et Depero entendent donner forme à « toute action qui se développe dans l'espace », en réalisant de nouveaux objets qualifiés de « complexes plastiques ». Dans cette gamme variée figurent aussi des objets de décoration, afin de mettre en relation dynamique l'homme et son environnement, surtout par des effets optiques créés à l'intérieur d'un espace saturé de couleurs.

1909	1910	1911	1912	1913	1914
Accord franco-allemand sur le Maroc	Proclamation de la république au Portugal	Tensions entre l'Allemagne et la France à propos du Maroc	Première guerre des Balkans République en Chine	Deuxième guerre des Balkans	Attentat de Sajarevo Première Guerre mondiale
L. Blériot : traversée de la Manche en avion	H. Fabre : hydravion	A. Einstein : théorie de la relativité restreinte	S. Freud : *Totem et tabou*	Russell-Whitehead : *Principia mathematica*	A. Hustin : transfusion sanguine en l'absence du donneur
S. Diaghilev : Ballets russes à Paris G. Mahler : *Symphonie des « Mille »*	I. Stravinski : *L'Oiseau de feu* A. Schönberg : *Erwartung*	A. Schönberg : *Traité d'harmonie* Pratella : *Manifeste technique de la musique futuriste*	A. Schönberg : *Pierrot lunaire* Cowell inaugure les « tone-clusters »	I. Stravinski : *Le Sacre du printemps* Premiers concerts de « bruitistes » à Milan	Zandonaï : *Francesca de Rimini* I. Stravinski : *Pribaoutki*
	Palazzeschi : *L'Incendiaire*	G. D'Annunzio-C. Debussy : *Le Martyre de saint Sébastien*	U. Saba : *Trieste et une femme* P. Claudel : *L'Annonce faite à Marie*	G. Deledda : *Des roseaux sous le vent* G. Apollinaire : *Alcools*	A. Gide : *Les Caves du Vatican*
A. Modigliani à Montparnasse F. Marinetti : *Manifeste du futurisme*		Kandinsky : *Du spirituel dans l'art*	Orphisme de Delaunay Les peintres de la Section d'or cubiste exposent à Paris	« Lacerba » de Papini	Débuts de Chaplin Kandinsky : *Impressions, Improvisations*
U. Boccioni : *Le Songe*	**U. Boccioni :** *La Ville qui monte* **A. Gaudi :** *Maison Milà à Barcelone*	**C. Carrà :** *Funérailles de l'anarchiste Galli*	**G. Severini :** *Hiéroglyphe dynamique du « Bal Tabarin »* **L. Russolo :** *Solidité du brouillard*	**U. Boccioni :** *Formes uniques dans l'espace* **G. Balla :** *Vitesse abstraite + bruit*	**A. Sant'Elia :** *La Cité de l'Avenir* **E. Prampolini :** *Béguinage*

Kasimir Malevitch, Peinture suprématiste, *1916, Stedelisk Museum, Amsterdam. La tendance à l'abstraction de la deuxième décennie du siècle atteint son expression la plus radicale avec la peinture suprématiste de Kasimir Malevitch. Ici, le tableau est réduit à ses plus infimes composantes concrètes : la surface recouverte de couleur, la forme géométrique plate, la couleur elle-même appliquée de façon homogène et régulière. Tout élément expressif devient ainsi contrôlable, bien que la forme se prête à une symbolisation très proche (au moins en ce qui concerne Malevitch) de la tradition de l'« icône » byzantine.*

17 L'ART ABSTRAIT

La prééminence d'une peinture privée de rapports avec la réalité extérieure des objets, et donc libérée de l'expérience visible, semble bien être l'inévitable aboutissement de l'art d'avant-garde du début du siècle. Toutes les recherches menées entre 1900 et 1915 (à partir du symbolisme) convergent dans ce sens, même si c'est parfois de façon confuse et inconsciente. L'expressionnisme, avec son intérêt pour les langages primitifs, sa recherche d'une simplification des formes de façon à accroître le pouvoir d'implication de l'œuvre, conduit à une notion du tableau comme un « champ de tensions dynamiques », comme une structure complexe de forces et de conflits, et détourne la peinture de la « banale » adhésion aux phénomènes du monde extérieur. Le cubisme, lui, prépare le terrain avec une conception de l'espace véritablement révolutionnaire qui, tout en aspirant à une plus grande fidélité aux éléments perceptibles, finit par détruire la plus importante des habitudes formelles : la représentation en perspective. Même le fauvisme, qui semble célébrer la légèreté d'un monde heureux et insouciant, plonge le regard du spectateur dans une sorte de grande euphorie chromatique et tend à mettre en évidence la possibilité, pour l'art, d'un langage autonome, autosuffisant.

A ce propos, il convient de se souvenir du rôle important joué par Henri Matisse, porte-drapeau du mouvement des fauves. C'est lors de la « consécration » officielle du groupe, au Salon d'Automne de 1905, qu'il révèle le véritable but de sa peinture : à un critique qui lui reproche d'avoir mis trop de couleurs sur le visage d'une femme (dans la *Femme au chapeau*) et se moque de son aspect à son avis risible, Matisse répond : « Monsieur, je ne crée pas une femme, je fais un tableau. » En effet, Matisse prend à cette époque de plus en plus de recul vis-à-vis de sa peinture et de ses sujets, qui continuent néanmoins à être présents : ils ne sont, en réalité, que purs prétextes, utiles pour mettre en valeur, par « différence », les idées de construction sur lesquelles il travaille. Son procédé consiste

▼ *Henri Matisse,* Porte-fenêtre à Collioure, *1914, musée national d'Art moderne, Paris. Le thème de la porte-fenêtre ouverte sur l'obscurité de la nuit conduit Matisse à la dissolution de l'image figurative, même au travers d'un prétexte camouflé.*

◄ *Henri Matisse,* Le Rideau jaune, *1914-1915, collection Hahn, New York. Dans l'œuvre de Matisse, la couleur est une entité qui dynamise la surface tout en en activant les tensions internes.*

▼ *Vassili Kandinsky,* Avec l'arc noir, *1912, musée national d'Art moderne, Paris. Il s'agit d'une des premières toiles de Kandinsky dont le titre focalise une entité géométrique et non naturelle.*

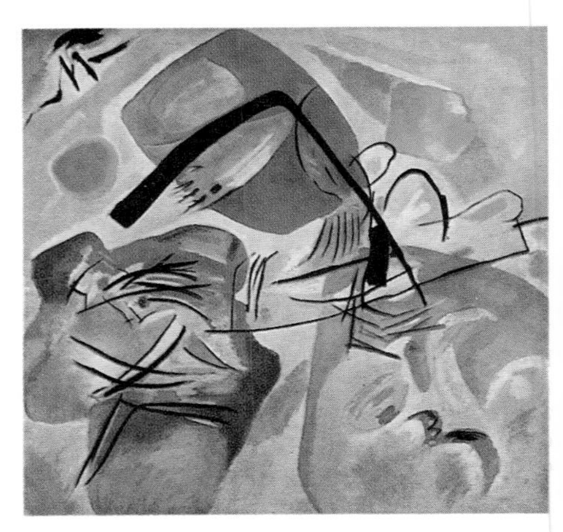

en une *intensification* constante de la surface de l'œuvre par le renforcement progressif des impressions chromatiques. La couleur n'est pas, pour Matisse, objective, mais c'est un « sentiment », dont le peintre utilise la force expressive pour rendre plus solide son travail. Dans les toiles de sa phase la plus intéressante (*L'Atelier rouge,* 1911, *La Fenêtre bleue,* 1912, *Porte-fenêtre à Collioure,* 1914, *Le Rideau jaune,* 1914-1915 et *La Leçon de piano,* 1916), Matisse assume la réalité précisément comme un fantasme du tableau, c'est-à-dire comme si elle ne servait qu'à faire mieux ressortir, par comparaison, la principale qualité du langage pictural.

L'art abstrait n'est pas un véritable mouvement : il se développe au même moment dans des régions d'Europe éloignées entre elles, et ses principaux représentants sont indépendants. Les premières œuvres dans lesquelles n'apparaît plus de contenu imitatif sont réalisées par Kandinsky à partir de 1910-1911. Il est aussi le premier à utiliser explicitement la définition d'art « abstrait » à propos de son œuvre, après l'avoir reprise d'un essai de Wilhelm Worringer, daté de 1907, *Abstraction et empathie,* dans lequel la tendance à « sublimer » le fait réel est

LES PROTAGONISTES

◆ **Kandinsky,** Vassili (Moscou 1866 - Neuilly-sur-Seine 1944). Après avoir obtenu un diplôme de droit, il se consacre vers 30 ans à la peinture et se rend à Munich. Là, il entre en contact avec l'avant-garde européenne et fait fonction de médiateur entre celle-ci et le primitivisme russe. En 1912, il publie *Du spirituel dans l'art,* fonde le groupe Der Blaue Reiter et peint alors ses premières compositions abstraites. Lorsque la guerre éclate, il rentre en Russie et, après la révolution d'Octobre, prend une part active dans les projets artistiques de la nouvelle société. Il entre cependant vite en désaccord avec les principaux artisans du constructivisme et, en 1921, retourne en Allemagne, et enseigne à l'école du Bauhaus à la demande de Walter Gropius. En 1933, fuyant le nazisme, il s'installe à Paris où il restera jusqu'à sa mort.

◆ **Magnelli,** Alberto (Florence 1888 - Meudon 1971). Entre 1913 et 1914, il est en contact avec l'avant-garde italienne et française (Marinetti, Balla, Carrà, Apollinaire, Léger). Il peint en 1915 ses premiers tableaux abstraits, et aborde plus tard une phase néofigurative, pour revenir définitivement à l'abstraction vers 1933.

◆ **Malevitch,** Kasimir (Kiev 1878 - Leningrad 1935). En 1904, il entre dans une communauté de jeunes artistes à Moscou. Il participe à tous les mouvements importants de l'avant-garde russe, du primitivisme au futurisme, ainsi qu'à

◄ *Vassili Kandinsky,* Paysage avec taches rouges, *1913, collection Peggy Guggenheim, Venise.*

Vassili Kandinsky, Impression V, *1911, musée national d'Art moderne, Paris. Cette œuvre est significative de l'équilibre atteint par l'artiste entre la force transfigurante de l'émotion lyrique et le renvoi à la réalité toute naturelle des phénomènes.*

considérée, depuis toujours, comme spécifique à la peinture. Cependant, la première phase abstraite de Kandinsky est une interprétation très particulière du problème : l'artiste germano-russe (né à Moscou, sa formation culturelle s'est presque intégralement effectuée en Allemagne) ne pratique jamais, avant 1918, un véritable structuralisme. Les formes géométriques sont tout à fait absentes de ses toiles. Il parvient à se détacher de l'imitation de la réalité par le clivage progressif de l'image, qui cède peu à peu sous les coups d'une exigence « lyrique », fondée sur l'idée d'une expressivité intime de la couleur. Pour cela, il a largement recours au modèle de la musique, art non descriptif et non narratif par excellence.
Ses œuvres de la première décennie du siècle, encore « figuratives », se distinguent néanmoins déjà par cette vocation musicale. L'artiste, profi-

la Zaum'. Entre 1912 et 1914, il s'impose comme le principal représentant des nouvelles tendances artistiques, avec son compagnon et rival Vladimir Tatline. En 1915, il invente un style et un mouvement, c'est le suprématisme, qui consiste en une abstraction plus géométrique et plus radicale. Cette peinture est à la fois matérialiste et spiritualiste, rationnelle et néomystique ; aussi, en dépit de son adhésion au constructivisme en 1918-1920, Malevitch est-il très vite accusé de tendances réactionnaires par les nouveaux représentants de la culture socialiste. En 1928, après un voyage presque triomphal en Allemagne, il tombe définitivement en disgrâce et il passera même plusieurs mois en prison. Néanmoins, en 1935, un petit groupe de jeunes émules défilera à son enterrement devant son cercueil orné d'un carré noir sur fond blanc.

◆ **Marc,** Franz (Munich 1880 - Verdun 1916). Après des études de théologie, il accomplit différents voyages en Italie, en France et en Grèce. Il s'enthousiasme bientôt pour la peinture des fauves et, en 1910, entre en contact avec August Macke, puis Vassili Kandinsky. Avec Arnold Schönberg, il donne naissance en 1912 au Blaue Reiter. Les peintures de Marc conservent la présence de l'élément naturel, ce qui les distingue de celles, abstraites, de Kandinsky. Il meurt au front à l'âge de 36 ans.

◆ **Matisse,** Henri (Le Cateau-Cambrésis 1869 - Nice 1954). En 1891, il s'installe à Paris pour

tant de la manière du fauvisme et de l'expressionnisme allemand, bouleverse le chromatisme normal de la nature et utilise des teintes intenses, même froides et stridentes. Les taches de peinture, juxtaposées avec une violence qui est en même temps d'un extrême raffinement, retentissent comme des notes d'une symphonie aux forts contrastes. Il s'agit d'une esthétique de contrepoint, en quelque sorte voisine de celle des dernières partitions de Gustav Mahler. Ce n'est pas un hasard si, à partir de 1910, les œuvres de Kandinsky s'intitulent le plus souvent *Improvisation*, *Composition*, *Impression* et sont numérotées à la manière des œuvres de musique.
Le passage d'une figuration toujours plus éthérée, fluctuante, à l'abstraction véritable est, chez Kandinsky, si graduelle et imperceptible, que, même dans les compositions de 1912-1913, le regard cherche une référence à un paysage, un reliquat figuratif caché dans l'espace libre et fascinant de la couleur, dans le tourbillon émotionnel des assonances et dissonances. Dans son étude *Du spirituel dans l'art* (1912), après avoir établi les valeurs psychologiques des couleurs fondamentales et de quelques-unes de leurs combinaisons, Kandinsky affirme : « D'une manière générale, la couleur est un moyen d'exercer une influence directe sur l'âme. La couleur est la touche. L'œil est le marteau. L'âme représente le piano aux multiples cordes. » S'il est vrai que « le son musical a directement accès à l'âme, et y trouve immédiatement une résonance, car l'homme a la musique en lui », qui peut nier que cela puisse être également valable pour la couleur et la peinture ? Or, tandis que Marc et Macke s'engagent sur une voie similaire sans totalement exclure la figuration de leurs

Der Blaue Reiter

Le mouvement Der Blaue Reiter (Le Cavalier bleu) *doit son nom à la parution, en 1912, de l'Almanach du même nom, dû à Vassili Kandinsky et Franz Marc. Kandinsky apporte au groupe une notion de la couleur comme élément capable de susciter, par lui-même, de vifs sentiments (« résonances intérieures ») chez l'observateur. Cette théorie, qui vient presque en droite ligne de la* Farbenlehre *de Goethe, propose une vision de la peinture comme langage des émotions chromatiques complexes, dont l'expression ne réclame ni l'image figurative, issue de la réalité phénoménale, ni une rigide construction géométrique. A côté de cette tendance plus « rigoureuse », quelques membres du Blaue Reiter cultivent, de façon très probablement contradictoire, une vision lyrique du fait naturel, alors transfiguré et interprété pour la richesse des sensations qu'il peut provoquer. Ce deuxième pôle du mouvement, que Kandinsky se garde bien d'entraver, est particulièrement illustré dans les œuvres de Franz Marc et d'August Macke, qui montrent une empreinte presque néoromantique.*

y étudier la peinture. Il entre à l'académie Julian où il travaille sur les « classiques ». Au début du XXe siècle, sa peinture s'inscrit de manière encore confuse entre le divisionnisme de Seurat et la technique de l'*à-plat* de Gauguin. En 1905, il est déjà une référence pour les jeunes fauves. A partir de cette époque, ses toiles sont de plus en plus solidement construites autour de la force autonome de la couleur. Ainsi, sans jamais abandonner véritablement la « figuration », il sera un modèle irremplaçable pour les futures générations de l'art abstrait, jusqu'à la très grande peinture américaine du deuxième après-guerre.

◆ **Mondrian,** Piet (Amersfoort 1872 - New York 1944).
Son style est au début naturaliste. Vers 30 ans il se passionne pour la théosophie et il restera toute sa vie fidèle à ses préceptes. Il découvre la méthode cubiste en 1911-1912 et ne voit en elle qu'un instrument pour la construction d'un

▼ *Franz Marc,* Le Destin des animaux, *1913, Kunstmuseum, Bâle. Une sensibilité très aiguë des accords chromatiques alliée à un sentiment panique du fait naturel conduisent Franz Marc au seuil de l'abstraction. Sa peinture réalise assez bien le projet néo-expressionniste d'un art capable de faire vibrer « les cordes de l'âme » grâce aux couleurs.*

▼ *F. Marc,* Formes en conflit
▼ (Formes abstraites I), *1914, Bayerische Staatsgemäldesammlungen, Munich.*

toiles, pour Kandinsky, l'élément descriptif devient vite une entrave à la libre construction des évocations chromatiques, pour lesquelles ne doit compter que la logique exclusive de l'effet sur le psychisme. Sa peinture est cependant confiée à un geste pour ainsi dire instinctif, qui tient un peu du jazz, de l'improvisation, au point qu'elle a été qualifiée d'« abstraction lyrique », par contraste avec l'art géométrique de Malevitch et de Mondrian. Néanmoins, étant donné que la musique traditionnelle est fondée sur des rythmes précis de type arithmétique, on peut penser que, durant ces années, Kandinsky fut fortement influencé par les recherches parallèles « atonales » de son ami Schönberg, destinées à libérer la musique de toute formule préétablie. Ce n'est qu'après 1918-1920 que la peinture de Kandinsky se structurera sur des « schémas » extrêmement rigoureux et at-

principe univoque de connaissance : la rencontre de la verticale avec l'horizontale, c'est-à-dire la « croix ». Son art abstrait est une peinture « philosophique », qui est fondée sur une interprétation de l'image comme événement symbolique et universel. Cela explique entre autres que, entre 1920 et 1940, il peigne, dans un certain sens, toujours « le même tableau ». Ce n'est qu'à New York, à la fin de sa vie, qu'il abandonne le schéma fondamental élaboré vingt ans auparavant et que, sous l'influence probable de la culture américaine, il tente les expériences intitulées *Broadway Boogie-Woogie et Victory Boogie-Woogie.*

◆ **Van Doesburg,** Theo (Utrecht 1883 - Davos 1931). A l'origine proche des fauves, puis de l'art abstrait de Kandinsky, il aborde vers 1916-1917 sa période de maturité, fondée sur l'analyse de l'espace pictural comme structure géométrico-sérielle de masses chromatiques élémentaires. A cette époque, il prend part à la fondation de la revue et du groupe De Stijl, aux côtés de Oud, Mondrian, Rietveld. Le néoplasticisme accueille ses idées et ses expériences jusqu'en 1926, date à laquelle il se détache de Mondrian pour d'infimes divergences idéologiques.

◄ *Kasimir Malevitch,* Suprématisme dynamique, *Supremus n° 57, 1916, musée d'Art moderne, New York.*

▼ *Kasimir Malevitch,* Carré rouge et carré noir, *1915, musée d'Art moderne, New York.*

tentivement calculés, excluant toute forme d'émotivité instinctuelle.
La position du Russe Kasimir Malevitch, qui aborde vers 1915 une abstraction rigoureusement géométrique, est assez différente. Il prend part aux expériences du « cubo-futurisme », qui lui permettent d'effectuer un véritable démontage progressif de l'espace (par une attitude « cognitive et analytique », semblable par certains côtés à celle proposée par les cubistes français), puis se rallie en 1913 aux théories littéraires de la Zaum', ou « trans-mentalité ». Velimir Chlebnikov et Alexis Krucënych constituent alors le fer de lance de l'avant-garde poétique, et professent une foi quasi aveugle dans les pouvoirs autonomes de la parole. Le langage, pour eux, n'est plutôt qu'un moyen pour communiquer des contenus préexistants, un système d'*invention* de la pensée, une machine que l'artiste doit savoir mettre en mouvement pour assister à la création du « sens » de la part de ses mécanismes. Il s'agit, comme le dira le philosophe Martin Heidegger, de « se mettre à l'écoute du langage ». Pour cela, il est indispensable, avant tout, de détourner la parole de ses fonctions traditionnelles, de cesser de la considérer comme un instrument docile qui décrit la réalité, et de s'appuyer sur son grand pouvoir d'évocation, sur sa profondeur irrationnelle (alogique).
Malevitch adapte ces principes à la peinture : il place la seule unité de sens iconique (la « figure ») dans un espace dépourvu de perspective, non cohérent et sans repères narratifs, où toutes les unités flottent dans une dimension vide, s'approchant l'une de l'autre de façon irréelle et chaotique. Le nouvel ordre qui en dérive, comme dans *Un Anglais à Moscou* de 1914, est celui des équilibres internes de l'image : un ordre de « faits picturaux », pour lequel, tout comme en architecture classique, comptent les rapports numériques et formels, l'équilibre des par-

August Macke, L'Orage *(détail), 1911, Saarland Museum, Sarrebrück. Parmi les œuvres les plus réussies du Blaue Reiter, celle-ci propose une vision intériorisée et presque néo-romantique de la nature.*

ties, l'harmonie de l'ensemble. En 1915, au cours d'une exposition considérée aujourd'hui comme l'une des plus importantes de l'avant-garde historique, Malevitch expose un carré de couleur noire sur une surface blanche et, autour, une quantité d'autres tableaux constitués de formes géométriques aux couleurs pures et brillantes, disposées plus ou moins simplement.

C'est le début du suprématisme, un courant (et surtout une théorie) qui connaît très rapidement de nombreux émules en Russie, tels que Ljubov Popova, Olga Rozanova, Lazar El Lissitzky. Pour son fondateur, l'œuvre peinte n'a pas un rapport d'assujettissement au monde réel. Elle est, au contraire, en soi et pour soi, un événement de la réalité : elle est aussi « concrète » que le sont les autres objets qui nous entourent. Cela signifie que l'objet-peinture n'imite rien : il existe, comme existent les objets-nature.

La peinture est seulement une construction de couleurs sur un espace à deux dimensions. Il est évident que le *Carré noir sur fond blanc* ne prétend pas démontrer l'habileté de son auteur : il s'agit de la matérialisation d'une idée, comme le premier mot de la nouvelle peinture, et aussi le mot « fin » – mis une fois pour toutes par Malevitch – sur l'imitation dans l'art. Si l'on observe attentivement et sans préjugés les autres œuvres de la période suprématiste, on s'aperçoit qu'elles ne sont pas de simples

▼ *Ljubov Popova,* Architecture à la planche de bois jaune, *1916, galerie Tretjakov, Moscou. Très attentive à la relation entre surface et effet spatial, Popova reprend ainsi le langage géométrique du suprématisme, y superposant des éléments « construits » qui dérivent de Tatline.*

▼ *Lazar El Lissitzky,* De deux carrés, *1920, éditions UNOVIS, Vitebsk. Cette planche fait partie d'un livre entièrement conçu et réalisé par Lissitzky. Par l'invention d'un vocabulaire allégorique dérivé du suprématisme il décrit de manière synthétique et immédiate la reconstruction du monde opérée par la révolution prolétarienne.*

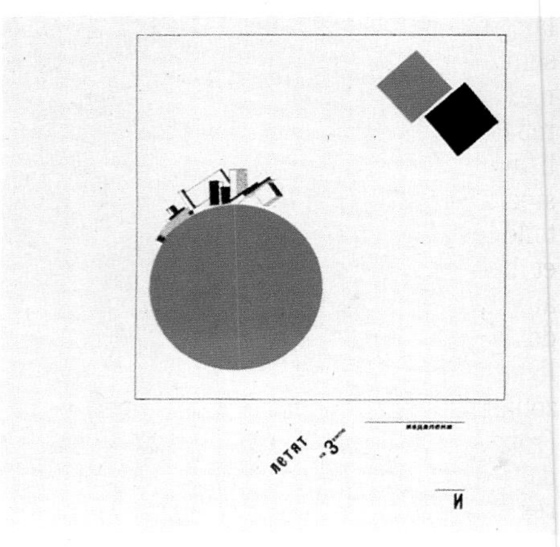

◄ *Lazar El Lissitzky,* Sans titre, *vers 1919-1920, collection Peggy Guggenheim, Venise. Lissitzky fut professeur de peinture à Vitebsk, aux côtés de Malevitch, vers 1920. Mais sa formation suprématiste apparaît surtout dans des œuvres comme celle-ci dont la construction repose sur des unités géométriques de surfaces chromatiques placées en équilibre dynamique.*

actes de provocation, destinés à scandaliser le public bien-pensant : chaque œuvre présente des problèmes spatiaux (de rapports entre les formes, de « poids » des couleurs, de mouvement interne), résolus de façon géniale. Le dynamisme futuriste que Malevitch avait étudié quelques années auparavant aboutit ici à sa phase adulte : non dans le sens d'un rendu (représentatif) de la « dynamique » du monde extérieur, mais bien dans celui de la transformation du tableau en entité dynamique, ou construite autour de forces en équilibre. Ce n'est d'ailleurs pas vraiment un hasard si le futurisme italien aussi, avec Giacomo Balla, se rallie vers 1915 à l'abstrait.

Chaque élément d'équilibre, c'est-à-dire d'exhaustivité formelle, dans l'art abstrait, n'est rien d'autre que le fruit d'un contrôle exercé sur les « forces picturales » actives : la norme à laquelle elles sont soumises est fondée sur l'action psychologique de la couleur et de sa disposition en formes. Il est alors parfaitement évident qu'une composition de type géométrique permet un meilleur contrôle des effets recherchés. Cela explique pourquoi, à l'exception de Kandinsky, l'art abstrait s'est fondé, avant toute autre chose, sur la géométrie euclidienne. Le cas le plus synthétique, dans ce sens, est celui de Piet Mondrian. Ce peintre, naturaliste à la fin du XIXe siècle, puis proche des fauves au début du XXe siècle, découvre le cubisme en 1912. Dès lors, il ne connaît plus de limites : il porte jusqu'à ses extrêmes conséquences la décomposition de l'image par plans et par fragments linéaires, et il oublie très vite que le but initial du cubisme était d'obtenir une représentation plus complète (et pas seulement optique) de la réalité ; sa peinture devient, entre 1915 et 1920, de plus en plus cérébrale et épurée. Il affirme vouloir réaliser avec le néoplasticisme un art de « re-

▼ *Piet Mondrian,* Composition avec rouge, jaune et bleu, *1930, collection Alfred Roth, Zurich. Par* peinture néoplastique, *Mondrian définit un art qui s'intéresse aux modèles fondamentaux de la connaissance : la ligne droite, les couleurs primaires. Le croisement orthogonal, délimitant des surfaces rectangulaires ou carrées (homogènes et compactes), est présent dans l'œuvre de Mondrian à partir de 1916-1917 et devient une des marques distinctives du modernisme : on le retrouvera dans toute la production architecturale fonctionnaliste des années 20 et 30.*

lations pures », c'est-à-dire, selon lui, une peinture qui n'exprime rien d'autre que ces rapports formels que le naturalisme a « voilés » depuis des siècles sous les objets. Les toiles de Mondrian, entre 1920 et 1940, se réduisent en effet aux éléments fondamentaux de la perception visuelle : la ligne verticale, la ligne horizontale, les couleurs primaires (rouge, jaune, bleu) insérées dans des espaces rectangulaires ou carrés, plus le blanc et le noir, le premier comme fond de la toile, le second comme corps des lignes. Ces présences font allusion aux données de base de l'expérience humaine – le plan horizontal du sol (ou de l'axe du regard), la ligne verticale de la position debout – qui, à leur tour, sont particulièrement riches de connotations symboliques : on pense aux infinis renvois de la construction « haut/bas » en matière de morale, de religion, de logique, etc.

En substance, la peinture abstraite abolit la norme de la « transparence » du tableau, héritée de la Renaissance, et lui substitue une conception dense et opaque de la surface, grâce à laquelle ce qui « est vu » est toujours et uniquement la surface elle-même, traitée selon divers procédés : son langage comprend alors la qualité « concrète » du tableau, les proportions spatiales, les assonances et dissonances, les accords et contrastes chromatiques. A ce principe se conforme toute la tradition non figurative qui va suivre, des Hollandais Vantongerloo et Van Doesburg, aux Allemands Albers et Itten, aux Russes

▼ *Piet Mondrian,* Arbre, *1912, Museum of Art, Pittsburgh. Ce tableau, réalisé peu après le « tournant cubiste » de 1911, témoigne remarquablement de la progressivité avec laquelle Mondrian passe du naturalisme à l'abstraction, pour aller vers une décomposition graduelle de l'image, y compris celle qui résulte d'une synthèse intellectuelle.*

Rodchenko et Puni, aux Italiens Magnelli et Prampolini.
Il faut souligner enfin le lien extrêmement étroit qui unit les deux tendances artistiques les plus importantes de la première avant-garde du XXe siècle. Il est étonnant (au moins à première vue) que l'issue logique des « abstractions » – ou des propositions de Malevitch, Mondrian et Kandinsky – soit décelable, historiquement, dans tant de « situations » du fonctionnalisme des années 20.
Les grandes expériences didactiques de cette décennie, de même que la majorité des laboratoires d'arts appliqués, tirent profit en priorité de l'apport de la peinture abstraite. La « leçon » de Malevitch, bien qu'épurée de sa composante néomystique, filtre à travers son élève Lissitzky, figure de proue du constructivisme socialiste et presque « ambassadeur » de l'art soviétique dans toute l'Europe. Mondrian, de son côté, fait partie (avec Van Doesburg, Rietveld et Oud) du mouvement fonctionnaliste De Stijl, dont l'esthétique se nourrit explicitement des idées du néoplasticisme. Kandinsky enseigne à l'école allemande du Bauhaus et y reprend, avec une théorie complexe du « savoir pictural », sa figure d'artiste tourmenté et révolutionnaire. En d'autres termes, il retrouve alors sa meilleure capacité de travail aux côtés d'architectes tels que Gropius et Van der Rohe, de plasticiens comme Moholy-Nagy, de scénographes comme Schlemmer, et de peintres comme Feininger ou Klee. ■

► *Alberto Magnelli,* Explosion lyrique, *1918, galerie Beyeler, Bâle. Très conscient de l'importance de l'analyse constructive du visible, introduite au début du siècle par Paul Cézanne, Magnelli tend, dans sa peinture, à caractériser les « lignes de force » qui se soumettent à la perception de l'image. Après une phase plus ouvertement abstraite (1915-1916), son œuvre se porte sur l'étude des problèmes de la « figure » par une approche formelle qui se rapproche du style de toiles d'avant guerre de Tatline.*

Vassili Kandinsky, Sans titre, *(détail), 1910, musée national d'Art moderne, Paris.*

Qualifiée à juste titre de première œuvre complètement abstraite de l'histoire de l'art moderne, elle anticipe de presque deux ans les œuvres de la période du Blaue Reiter. En d'autres termes, elle est une expérience isolée, une intuition « provisoire » qui ne donnera ses fruits que plus tard. Cela explique la qualité moyenne de l'exécution et le choix d'une technique (l'aquarelle) que Kandinsky considère comme peu propice à condenser et transmettre les émotions d'où naît la peinture.

Kasimir Malevitch, Carré noir sur fond blanc, *1915, original perdu.*

« Je me suis transformé dans le zéro des formes, et me suis extrait du bric-à-brac de l'art académique. » C'est ainsi que Malevitch commente son approche de l'abstraction géométrique. Considéré comme l'exemple le plus extrémiste de l'esprit iconoclaste de l'avant-garde historique, ce tableau constitue la première manifestation du suprématisme, c'est-à-dire d'une peinture qui met au premier plan l'autonomie de la forme comme projet mental, au détriment des aspects techniques et d'exécution de l'œuvre.

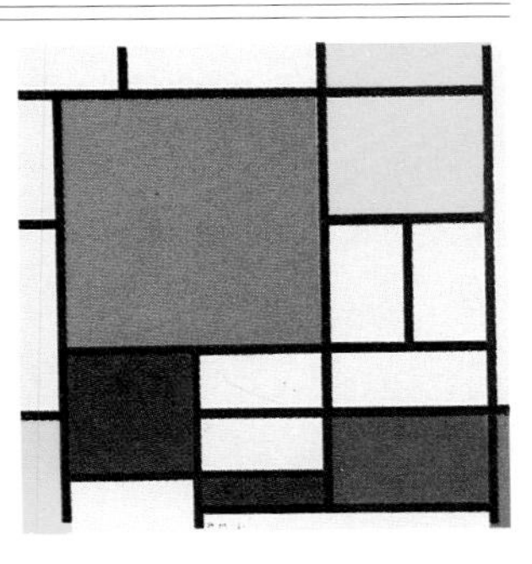

Piet Mondrian, Composition, *1921, musée national d'Art moderne, Paris.*

Le prodigieux équilibre qui caractérise toutes les compositions néoplastiques de Mondrian est le résultat d'une construction de l'espace presque métaphysique, immédiatement rejointe par l'intuition, contrastant avec l'intelligence rationnelle qui semble contrôler l'exécution. La qualité esthétique de l'œuvre réside justement dans cette impossibilité de traduire l'intervention des mathématiques.

1910-1912	1913-1914	1915-1916	1917-1918	1919-1920	1921-1922
Révolution au Mexique La république est proclamée en Chine	Attentat de Sarajevo Déclenchement de la Première Guerre mondiale	Verdun Assassinat de Raspoutine	Révolution d'Octobre en Russie République de Weimar	Traité de Versailles IIIe Internationale	Conférence de Washington sur le désarmement Mussolini au pouvoir
G. Claude : démonstration d'éclairage au néon	Russel et Whitehead : *Principia mathematica*	S. Freud : *Introduction à la psychanalyse*	Nouvelle technologie : char blindé, fusil mitrailleur, tracteur	J. Keynes : *Les Conséquences économiques de la paix*	Utilisation du vaccin contre la tuberculose (BCG)
R. Strauss : *Le Chevalier à la rose* I. Stravinski : *L'Oiseau de feu*	Original Dixieland Jazz Band Zandonaï : *Francesca de Rimini*	D. Milhaud : *Les Choéphores* I. Pizzetti *Fedra*	O. Respighi : *Les Fontaines de Rome* I. Stravinski : *Ragtime*	D. Milhaud : *Le Bœuf sur le toit* M. de Falla : *Le Tricorne*	Concerts de « bruitistes » italiens à Paris A. Berg : *Wozzeck*
R. Musil : *Associations* T. Mann : *La Mort à Venise*	E. Husserl : *Idées pour une phénoménologie pure* A. Gide : *Les Caves du Vatican*	J. Frazer : *Le Rameau d'or* F. de Saussure : *Cours de linguistique générale*	P. Valéry : *La Jeune Parque* J. Cocteau : *Parade*	E. Pound : *La Divine Comédie* A. Breton-P. Soupault : *Les Champs magnétiques*	P. Éluard : *Mourir de ne pas mourir* J. Joyce : *Ulysse*
Le Blaue Reiter à Munich	V. Kandinsky : *Impressions, Improvisations*	M. Duchamp expose ses ready-made Naissance du dada à Zurich	De Stijl aux Pays-Bas	W. Gropius fonde le Bauhaus *Valori Plastici* en Italie	Découverte de la tombe de Toutankhamon Neue Sachlichkeit en Allemagne
V. Kandinsky : *Avec l'arc noir*	**G. Balla :** *Vitesse d'automobile* **A. Macke :** *La Vitrine*	**K. Malevitch :** *Suprématisme dynamique* **P. Mondrian :** *Composition 1916*	**A. Magnelli :** *Explosion lyrique*	**V. Tatline :** *Monument pour la IIIe Internationale* **P. Klee :** *Villa R*	**P. Mondrian :** *Composition* **Van Doesburg :** *Étude de couleurs pour architecture*

Paul Klee, Jardins rouge-vert, *1921, The Yale University Art Gallery, New Haven, Connecticut. Le purisme de Paul Klee trouve dans cette toile un exemple significatif. Toute trace d'« organique » a disparu au profit de la géométrie et de la construction devenues fondamentales et tout à fait prédominantes. L'émotivité de l'artiste est ici passée au crible de l'intellect, adaptée à une règle précise et à un très profond détachement.*

18 CONSTRUCTIVISME ET BAUHAUS

Les chimères du progrès et de la paix universelle, inspirées par l'évolution scientifique des décennies précédentes, s'effritent définitivement, vers 1915, avec la tragédie de la Première Guerre mondiale. La séduction exercée par les nouvelles technologies persiste cependant, même après la fin de la guerre, et continue d'alimenter les espoirs de croissance sociale et culturelle, tout au plus revus à la lumière marxiste d'un changement politique radical. Si les dilemmes de la vie individuelle ne sont pas résolus, et si les désillusions et pertes d'identité conduisent parfois à des propositions irrationnelles, un certain pan de la recherche artistique s'adresse avec une confiance positive au présent : pour en faire un instrument de connaissance, pour en tirer les éléments d'un humanisme rénové, capable de vaincre les tentations de mort et de fuite de la réalité. Presque simultanément naissent, entre 1917 et 1920, les expériences parallèles du Bauhaus en Allemagne, du constructivisme en Russie, et de De Stijl en Hollande, mouvements caractérisés par leur intérêt pour l'abstraction en peinture et par leur ralliement (au moins partiel) à la pensée socialiste. L'art abstrait, justement interprété par la réduction du langage à ses données objectives, semble exprimer une *nécessité de concret* et n'est, comme le soutient Mondrian dans le premier numéro de la revue *De Stijl*, rien d'autre que la

◄ *Walter Gropius, les usines Fagus, 1911, Alfeld an der Leine. La grande innovation de l'architecture expérimentale : l'idée du cube de verre et d'acier érigée en système, avant-première de l'atmosphère de Weimar. Absence de toute coloration sentimentale, au même moment que la première aquarelle abstraite de Kandinsky.*

conscience de l'époque. L'art doit pouvoir répondre aux révolutions de la technique et aux nouvelles exigences sociales, mais doit aussi rester fidèle à lui-même, et résoudre ainsi le contraste entre l'esthétique et la vie. Il n'évite pas, et même recherche, la contamination par les matériaux technologiques et les méthodes de production industrielle, se ralliant au concept d'*utile*. Une telle prise de position n'élude

▼ *Lyonel Feininger,* Mellingen, *1919, Museum of Art, Philadelphie. L'œuvre de Feininger anime avec lyrisme le rationalisme.*

pas le problème de l'utilisation en masse de l'objet : elle s'emploie, au contraire, à diffuser les valeurs esthétiques dans la vie quotidienne. Le moderne est ici, dans les deux sens, *normalisation* : prise d'acte des réalités sociales (la métropole prolétarienne, l'existence même de la classe ouvrière et la nécessité des services connexes), mais aussi proposition d'une « norme » qui respecte, en général, les besoins les plus profonds de l'homme. Du travail artisanal le plus modeste à la grande entreprise planifiée, ce projet repousse tout compromis avec l'imitation, la mémoire culturelle, toute tentation de s'enfermer dans des catégories créatives préétablies.

Le *Manifeste du Bauhaus* l'affirme : « Nous voulons créer une nouvelle corporation d'artisans qui ne connaîtront plus cet orgueil de classe qui érige

18 CONSTRUCTIVISME ET BAUHAUS

▼ *Adolf Loos, immeuble de la Michaelplatz de Vienne, 1910. Dans la Vienne du début du siècle, la banque, les compagnies d'assurance, temples du pouvoir économique et de la vie bourgeoise, inspirent un vent de nouveautés dans l'architecture et l'urbanisme. L'immeuble s'insère dans un tissu rigoureusement exempt d'ornementation.*

un mur dédaigneux entre les artisans et les artistes. Il nous faut vouloir, imaginer, travailler en commun au nouvel édifice de l'avenir, qui unira harmonieusement architecture, sculpture et peinture. Cet édifice s'élèvera par les mains de millions d'ouvriers, dans le ciel futur, emblème cristallin de la nouvelle foi en l'avenir. » Le Bauhaus (« maison de la construction ») est une école d'arts et métiers fondée par Walter Gropius en 1919 pour affronter le problème des qua-

▼ *Walter Gropius, Bauhaus de Dessau, 1925. Laboratoire de l'expérimentation en urbanisme et en architecture. Le Bauhaus reflète, dans sa structure, la rigueur de la ligne dont s'inspir l'enseignement de ses collaborateurs. De Weimar à Dessau, son deuxième siège, le programme bénéficie du travail d'artistes qui maintiendront la tradition durant les années d'exil.*

LES PROTAGONISTES

◆ **Feininger,** Lyonel (New York 1871-1956). Fils de musiciens allemands, il se rend en 1887 à Hambourg pour y étudier la musique et la composition. Dans la première décennie du siècle, il participe au mouvement expressionniste et entre en contact avec Kandinsky. Plus tard, il se lie d'amitié avec Paul Klee et, ensemble, ils tentent l'aventure du Bauhaus en 1919. Là, avec Kandinsky, Klee et Jawlensky, Feininger se livre à une sorte de contestation interne modérée, opposant au rationalisme de Gropius une conception plus lyrique de la peinture.

◆ **Gropius,** Walter (Berlin 1883 - Boston 1969). Il collabore aux activités du Deutscher Werkbund comme architecte. Il est l'auteur des usines Fagus (1911) et de différents édifices et intérieurs. En 1919, il fonde le Bauhaus à Weimar, et en réalise le siège de Dessau en 1925. Il participe au mouvement réformiste socialiste et s'occupe de l'architecture de quartiers ouvriers. Après l'arrivée du nazisme, il part en Grande-Bretagne, puis aux États-Unis, à Boston, où il déploie une intense activité architecturale et d'urbaniste.

◆ **Klee,** Paul (Münchenbuchsee 1879 - Muralto 1940). Peintre suisse, réalisant au départ des eaux-fortes, aquarelles et nombreux dessins particulièrement expressifs, il expose ensuite avec le groupe du Blaue Reiter. Dans le cadre de sa collaboration au Bauhaus, ses idées von être publiées dans les *Esquisses pédagogiques* et dans la *Théorie de la forme*

▼ *Paul Klee,* Autour du poisson, *1926, musée d'Art moderne, New York. Géométrie et couleur ne s'annulent pas mais se complètent. Les formes essentielles s'unissent sans aucune difficulté à la couleur qui est ici la composante irrationnelle : à partir de son voyage en Tunisie, Klee a découvert sa vocation picturale, sans oublier son goût pour la construction.*

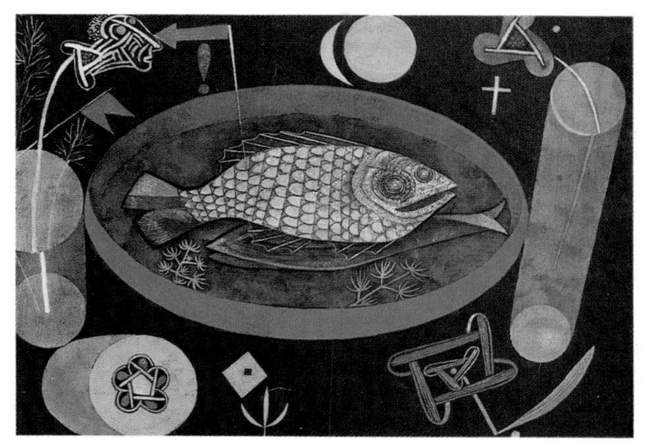

lités opérationnelles de l'art dans le domaine du produit industriel et de l'objet usuel. Architectes, peintres, sculpteurs et techniciens sont appelés à en faire partie : Oskar Schlemmer, Vassili Kandinsky, Paul Klee, Laszlo Moholy-Nagy, Lyonel Feininger, Johannes Itten, Adolf Meyer et, plus tard, Josef Albers et Marcel Breuer, élèves de l'école. Les études durent trois ans et demi, et portent sur les caractéristiques des matériaux, les processus de façonnage (des structures aux aspects décoratifs), les problèmes de la représentation et de la composition : selon un agencement « organique » qui, comme l'observe Argan, aboutit à la plus haute synthèse des savoirs constructifs. Les devoirs des élèves sont exposés, les méthodes didactiques sont diffusées lors de conférences, ou par des spectacles et des publications. Mais tout cela ne plaît guère aux citoyens de la fragile République de Weimar, et le Bauhaus doit quitter la capitale en 1925 pour Dessau, dans un édifice en béton et verre, conçu par Gropius. En 1928, Hans Meyer en prend la direction et, à partir de 1932, l'institut s'installe à Berlin, sous la direction de Mies Van der Rohe ; mais, en raison de la répression de toutes les formes d'« art dégénéré », l'école est définitivement fermée par les nazis en 1933. Cependant, son nom ne disparaît pas car, en 1937, Moholy-Nagy prend à Chicago la direction du New Bauhaus, et l'exode des protagonistes des avant-gardes européennes vers les États-Unis permet à ses continuateurs d'entamer de nouvelles périodes de création. Comme les constructivistes russes, les artistes du Bauhaus se placent dans le champ d'action des théories du néoplasticisme et du suprématisme. Ce

---

et de la figuration (publication posthume, 1956). De 1931 à 1933, il enseigne à l'Académie de Düsseldorf, puis se voit contraint de fuir l'Allemagne et de retourner en Suisse, à Berne, où il continue à travailler en dépit de la grave maladie dont il mourra à l'âge de 61 ans.

◆ **Lissitzky,** Lazar, dit El (Smolensk 1890 - Moscou 1941). Architecte, graphiste, peintre, initialement impliqué dans le cubo-futurisme, il définit, après 1917, la fonction de l'artiste comme étant celle du « constructeur d'un nouvel univers d'objets ». Il adhère au suprématisme de Malevitch, et réalise avec lui des projets conciliant abstraction et fonctionnalité. Il poursuit, par ailleurs, une très importante activité de graphiste publicitaire et éditorial. Ses rapports étroits avec Moholy-Nagy et les artistes de De Stijl font de lui une sorte d'ambassadeur du constructivisme en Europe entre 1920 et 1930. Il rentre définitivement en Union soviétique vers la fin des années 30, pour se consacrer à l'architecture et au théâtre.

◆ **Moholy-Nagy,** Laszlo (Bacsbarsod 1895 - Chicago 1946). Peintre, photographe, graphiste, il se forme dans le cadre du néoplasticisme et du constructivisme. En 1922, il est appelé au Bauhaus, où il enseigne dans la section du métal et prend en charge l'édition des Bauhausbücher. Il se rend ensuite à Berlin comme décorateur de théâtre et collabore avec Erwin Piscator. A l'arrivée du nazisme, il quitte l'Allemagne pour

Le fonctionnalisme

Dans le panorama multicolore des tendances du XXᵉ siècle, les mouvements du constructivisme et du Bauhaus sont unis à l'idéologie du fonctionnalisme, qui propose une pleine adhésion aux problèmes de la société, surtout sur le plan de la vie pratique et des exigences collectives. Le Bauhaus apparaît plus lié au réformisme social-démocrate, tandis que le constructivisme russe est plus tourné vers la fondation révolutionnaire d'un monde nouveau. Ces deux mouvements partagent une foi totale en l'humanité : l'homme peut et doit fusionner raison et fantaisie, afin de projeter son avenir de manière positive et de se doter d'un ordre différent de celui qui existait. Le refus de la tradition (typique aussi d'autres mouvements d'avant-garde comme le futurisme ou le dadaïsme) ne se limite pas ici à la phase critique et destructrice, mais oppose aux valeurs rejetées un « renouveau » considéré comme le produit de rigoureuses analyses techniques et structurelles, tendant à faire coïncider l'engagement de chacun avec la croissance globale de la communauté. (Ci-dessus : Gerrit Thomas Rietveld, Chaise rouge et bleu, *vers 1918, musée d'Art moderne, New York.*

n'est pas un hasard si, en 1927, la collection des Bauhausbücher, dirigée par Moholy-Nagy, publie le traité de Kasimir Malevitch, *Le Monde de la non-objectivité*, et si le texte *Néoplasticisme* de Mondrian, publié à Paris en 1920, est réédité dans la même collection sous le titre de *Die neue Gestaltung*, faisant explicitement référence au passage de la forme (*Gestalt*) à la « formation » (*Gestaltung*). Ce concept est voisin de celui de construction, et exprime l'exigence d'une intervention rationnelle de la forme dans le domaine déterminé des objets usuels : de là naîtra la pratique du design. Le climat est déjà, dans les années 20, résolument « international » : les mêmes idées se poursuivent du Bauhaus en Allemagne à De Stijl en Hollande et au constructivisme en Union soviétique. Ces mouvements tirent leur sève, en outre, des travaux d'architecture du « précurseur » Adolf Loos à Vienne, de Le Corbusier en France, de Frank Lloyd Wright aux États-Unis et, plus tard, d'Alvar Aalto en Finlande. Il est intéressant de noter que le Bauhaus n'exclut pas les esthétiques lyriques et émotionnelles, comme celles de Kandinsky et surtout Klee. Appelé en 1920 pour enseigner la peinture aux côtés de Kandinsky, Paul Klee produit, lors de son premier emploi systématique, près de trois mille pages manuscrites et d'innombrables dessins, dans lesquels il définit les lignes essentielles d'une « science de l'art ». Pour lui, la peinture doit se développer en harmonie avec les lois organiques de la nature. Confronté au besoin de clarté méthodologique, Klee, si prompt à passer de l'ironie à l'anxiété, en retire une capacité nouvelle de prendre du recul par rapport à ce qui l'avait précédemment rendu assez énigmatique. La

---

les États-Unis où il fonde le New Bauhaus de Chicago, dont il prend la direction. Au cours des dernières années de sa vie, il s'occupera d'arts visuels et cinétiques.

◆ **Rietveld,** Gerrit Thomas (Utrecht 1888 - 1964). Architecte et designer parmi les plus importants du siècle, après son adhésion au mouvement De Stijl, il parvient à traduire sous forme d'objets usuels tous les principes esthétiques de la peinture de Mondrian et de Van Doesburg. Il contribue ainsi à étendre la signification du néoplasticisme et, en général, de l'art abstrait. De ses œuvres, on peut retenir la fameuse *Chaise rouge et bleu* (vers 1918) et la *Maison Schrœder* à Utrecht de 1924.

◆ **Rodchenko,** Alexandre (Saint-Pétersbourg 1891 - Moscou 1956). Artiste pluridisciplinaire, il participe aux plus importantes expériences des avant-gardes russes et soviétiques. Initialement proche du cubo-futurisme, puis de la peinture

◄ *Oskar Schlemmer,* Le Théâtre au Bauhaus. *L'œuvre de Schlemmer exprime l'idée d'art et de théâtre total, caractéristisque d'une tendance exaltante des premières décennies du siècle.*

source inconsciente de son art demeure, mais elle est désormais mieux contrôlée ; le ferment du monde naturel ne disparaît pas, il est amendé de ses impuretés sentimentales. La règle rigoureuse à laquelle il se tient durant sa période Bauhaus, son devoir professionnel imposent à Klee une discipline scrupuleuse, qu'il observe sans faillir, s'astreignant à une présence active et ponctuelle supérieure à celle de tout autre enseignant.

Laszlo Moholy-Nagy, Modulateur de lumière et d'espace, *vers 1923-1930, Busch-Reisinger Museum, Harvard University. Le sens de la construction, de la synthèse de l'art et de la technique apparaissent très clairement dans cette œuvre, ainsi qu'une brillante préfiguration de l'art cinétique, c'est-à-dire du mouvement. La recherche sur les propriétés des divers matériaux, choisis de façon à en varier les effets de composition, s'enrichit d'une grande transparence et d'un dynamisme marqué.*

Le mouvement constructiviste russe naît dans une période d'intense débat culturel et de grands bouleversements politiques. A partir de 1907 au moins se succèdent à Moscou et Leningrad des expositions éclectiques de caractère international. « Où allons-nous ? » demande en 1910 la maison d'édition Zarja aux artistes. Les réponses vont du symbolisme au futurisme, au cubisme, avec une forte tendance à la revalorisation de l'autonomie de l'art et de la spécificité de son langage. On publie des articles, des essais, des recensements des études étrangères, prêtant une attention presque morbide à tout ce qui vient de France, d'Italie ou d'Allemagne. L'art d'avant-

---

« non objective » suprématiste, il joue un rôle de premier plan à l'intérieur du mouvement constructiviste, œuvrant au niveau de l'illustration, de la peinture, de la photographie, de la mise en scène, de l'affiche et du graphisme éditorial.

◆ **Schlemmer,** Oskar (Stuttgart 1888 - Baden-Baden 1943). Il étudie d'abord Cézanne et Seurat ; il traverse ensuite le cubisme et, au tout début des années 20, il se rallie au Bauhaus, où il s'occupe surtout de sculpture et de décor. Son nom reste lié à un projet grandiose et passionnant d'« art total », conçu comme une interaction des différentes disciplines plastiques dans le creuset du théâtre.

◆ **Tatline,** Vladimir (Kharkov 1885 - Moscou 1953). Parmi les fondateurs du cubo-futurisme, il subit l'influence profonde de Picasso. La critique voit dans ses *Contre-reliefs* (1914-16) les prémices du constructivisme. A partir de 1917, il défend la théorie de la fonctionnalité de l'art aux fins de la révolution. Au cours de 1919, il conçoit la maquette du *Monument pour la Troisième Internationale.* Il s'occupe ensuite de dessin industriel, de mise en scène et d'applications technologiques variées, notamment une machine volante digne de Vinci. Esprit scientifique et curiosité pluridisciplinaire sont caractéristiques de cette conception de l'art, qui brise toute ligne de démarcation pour aborder n'importe quel domaine avec les techniques et les finalités les plus diverses.

18 CONSTRUCTIVISME ET BAUHAUS

◄ *Ludwig Mies Van der Rohe, École d'architecture et d'art appliqué, 1950-1956, Institute of Technology, Illinois. Aux États-Unis, comme en Europe, la ligne continue caractérise la recherche de Mies Van der Rohe. Solide et plastique, cette réalisation des années 50 reste fidèle à l'élan des années 20.*

garde profite de la furie iconoclaste des futuristes mais n'en affronte pas moins le problème du travail concret, pour lequel il utilise les instruments du cubisme. Jusqu'à une excessive audace créative qui vient altérer le rapport établi entre l'édifice et sa fonction exacte : tout doit apparaître simple et à taille humaine.
La découverte de la « texture », notion qui indique la forme objectale du matériau pictural, se révèle fondamentale et vient s'ajouter aux concepts de point, de ligne, de surface (en 1926, dans la collection des Bauhausbücher, paraît le traité *Du point et de la ligne par rapport à la surface*, de Kandinsky). Le critique Nikolaj Punin est le premier à parler de constructivisme, se référant aux *Contre-reliefs* de Tatline, de 1914-1916, assemblages sculptés qui reflètent un intérêt particulier pour la mécanique ; le même Tatline est responsable de la révolution artistique constructiviste qui commence en 1913, devançant de quatre ans la révolution politique de 1917. Il convient cependant de noter que ce n'est qu'en 1919-1920 que le mouvement est réellement formé et actif. Sa naissance est stimulée par le *Manifeste réaliste* (1920) de Naum Gabo et Anton Pevsner, ainsi que par les thèses « productivistes » d'Alexandre Rodchenko, exposées dans le catalogue de l'exposition *5 × 5 = 25*. Tous désignent Tatline comme précurseur, mais sont parfaitement conscients du

► *Gerrit Thomas Rietveld, façade de la Maison Schroeder, 1924, Utrecht. Cette réalisation offre un exemple fondamental du rationalisme en architecture. Toute ornementation superflue est abolie, la structure est réduite à des formes élémentaires. L'analogie avec sa* Chaise rouge et bleu, *les échanges fructueux entre fonctionnalisme rigoureux et harmonie créative sont évidents.*

▼ *Theo Van Doesburg,* Contre-composition XIII, *1925-1926, collection Peggy Guggenheim, Venise. Fusion d'éléments peints et décoratifs dans le cadre du néoplasticisme, mais aussi réflexion sur la thématique de la continuité espace-temps sont les préoccupations de Van Doesburg, qui développe une architecture simple.*

Lazar El Lissitzky, Avec le coin rouge bats les blancs, *1919. L'affiche tire profit du fort impact des formes : la couleur amplifie de façon volontairement théâtrale le centre de l'œuvre, donnant toute la mesure du conflit politique en cours, où se joue l'avenir du mouvement révolutionnaire.*

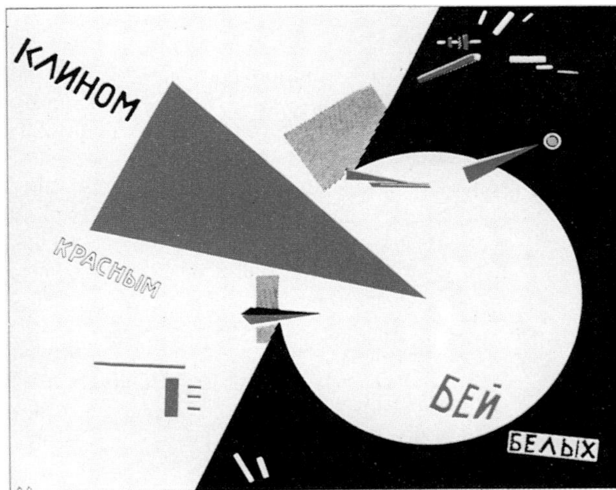

nouveau rapport que la révolution d'Octobre instaure entre art et politique. Les analogies avec les tendances les plus significatives de l'époque (cubisme, dadaïsme, futurisme) sont intensément discutées ou réfutées. Il existe cependant un dénominateur commun : le rejet de l'art bourgeois, l'intolérance envers les formes standardisées des biens culturels, la nécessité du nouveau, même si, sur les modalités et les destinataires de ce « nouveau », s'affrontent des positions diverses. Ils acceptent les moyens offerts par la technologie industrielle, ils ne se destinent pas à bâtir des édifices pompeux à la gloire du pouvoir, mais de nouveaux environnements pour une société nouvelle, de taille humaine et qui ne sacrifient pas l'idée de beauté à celle de fonctionnalité.

Des positions de Malevitch et de son suprématisme toujours plus radical (la série des *Carré blanc sur fond blanc* date de 1918) à celles de Vladimir Tatline, Ivan Puni, Ljubov Popova, Aleksandra Ekster, on peut suivre le parcours de l'art abstrait russe, mobilisé pour la révolution. Ces protagonistes des courants précédents, avec Kandinsky, vont alors confluer vers le courant unique du constructivisme, et, durant une courte période, cohabitent tout en préservant leurs particularités. On les retrouve après 1920 dans les différentes écoles d'arts appliqués, comme le VCHUTEMAS et l'INCHUK, véritables creusets du fonctionnalisme soviétique. Il convient d'ajouter, à cette unité de buts, l'apport extérieur des artistes non russes : Moholy-Nagy, Schlemmer, Rietveld, Oud, Van Doesburg, ou celui de Kandinsky, exilé au Bauhaus depuis 1921 à la suite de son désaccord historique avec ses compatriotes.

Le LEF (Front socialiste des arts), avec Eisenstein, Maïakowsky, Babel, proclame qu'il faut un art nouveau, original, aux procédés inédits, aux formes expressives incomparables. Tandis que le « réalisme » des frères Pevsner – une notion qui recèle un sens différent et presque opposé au sens habituel –, conçoit l'art comme hors du temps, expression d'une libre vocation esthétique, le LEF soutient que « l'art collectif du présent est la vie constructive » et conçoit la technique comme abolition des traditions bourgeoises. Rodchenko, Stepanova, Tatline substituent au terme d'« œuvre » celui de « chose », ou de *Vesc* (« objet ») pour

18 CONSTRUCTIVISME ET BAUHAUS

▼ *Vladimir Tatline, projet pour le* Monument pour la Troisième Internationale, *1919-1920. Le projet et l'utopie en architecture publique, l'affiche de propagande, sont quelques-uns des produits artistiques par lesquels se manifeste l'esprit nouveau. La technique offre à l'art des connexions très particulières, reliées à l'idée du renouveau, dont les audaces de style font partie intégrante.*

▼ *Alexandre Rodchenko,* Affiche de propagande « Livres », *1925. L'affiche est ici une occasion de réaliser les prémices des théories de l'avant-garde artistique. Dans la gamme des éléments géométriques habituels, s'insère un visage qui lance un message à voix haute. Tout n'est donc pas sacrifié à la pure linéarité abstraite, la disposition d'ensemble de l'image demeure clairement déchiffrable comme clef globale de lecture.*

désigner un ensemble de matériaux (lumière, espace, plan, couleur, volume) et de travail humain. Lazar El Lissitzky, qui s'est formé aux côtés de Malevitch, qualifie ses propres toiles de *Proun*, projets concrets, synthèses de forme et de matière. Ces tableaux abstraits ne représentent d'ailleurs qu'un exercice préliminaire au développement de l'œuvre la plus représentative de Lissitzky, en matière de graphisme publicitaire, d'édition, d'architecture et de design. Ses réalisations, dans le domaine de la typographie (*De deux carrés*, *A voix haute*, *Les Quatre Opérations*), sont, par exemple, d'authentiques prodiges de technique et de sagesse formelle, parmi les plus élevés que notre siècle ait produits, et sur lesquels se sont formées des générations entières de graphistes. De la même façon, Rodchenko abandonne les pinceaux dès 1919 et – après avoir élevé la règle et le compas au rang d'instruments privilégiés de l'artiste – se consacre à tous les types de projets, ainsi qu'à la photographie, l'édition et l'illustration.

Le rêve de l'art au service de la société se traduit encore par des ouvrages d'architecture publique, comme le *Monument pour la Troisième Internationale* de Tatline, de 1919, dont ne fut réalisée que la maquette préparatoire. Achevée, cette œuvre aurait dû être plus haute que la tour Eiffel : une spirale d'acier s'élevant dans le ciel symbolisait l'élan utopique du chemin entrepris par la révolution ; à l'intérieur, trois immenses solides (un cylindre, une pyramide et un cube), tournant à des vitesses différentes, auraient rythmé l'ère nouvelle. En 1923-1924 sont élaborés les projets des frères Vesnin pour le Palais du travail et pour les locaux de la *Pravda* à Leningrad ; en 1925 est édifié le pavillon de Melnikov pour l'Exposition des arts décoratifs à Paris. Ces mêmes années voient naître le génie urbanistique d'Ivan Leonidov, mais aussi la dictature stalinienne qui corrode toute possibilité de libre pensée. Après 1930, elle signe la fin de l'avant-garde (on peut dire de toute activité artistique) en Union soviétique. ■

Naum Gabo, Tête de femme, *vers 1917-1920, musée d'Art moderne, New York.*

La conception de Gabo (et de son frère Anton Pevsner) du soi-disant réalisme dépasse la signification littérale de ce terme. Ce réalisme s'exprime par des valeurs absolues, c'est-à-dire des formes réduites à leurs éléments les plus simples mais fondamentalement réels. Voilà donc la réponse à ceux qui veulent changer l'art pour changer la société : le sens des choses est vu en soi et non dans un rêve utopique.

Lazar El Lissitzky, Proun, *1920, collection privée.*

Ce Proun *est encore exemplaire de l'exigence de synthèse entre matière et forme, signe de rigueur stylistique et d'exercice artisanal scrupuleux. L'habileté de l'artiste se soumet à la discipline de la recherche en vue des effets : reproduits à grande échelle, ils devront rester fidèles à l'esprit inventif et conserver toute l'énergie de l'impact visuel. L'activité constructive entre dans la sphère complexe de la vie productive.*

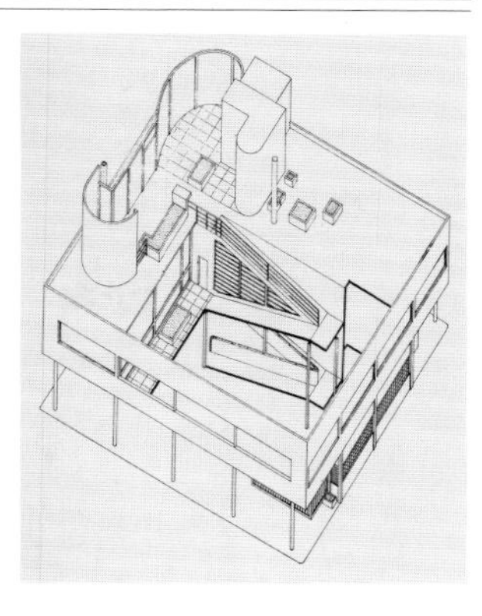

Le Corbusier et P. Jeanneret, *Villa Savoy, Poissy. Axonométrie.*

S'écartant du Bauhaus et des avant-gardes constructives, l'œuvre de Le Corbusier conduit à leur plus haute maturité les idées du fonctionnalisme esthétique, contribuant à en faire la plus importante conquête de l'architecture du XXe siècle.

Révolution d'Octobre en Russie Première Guerre mondiale	Traité de Versailles République de Weimar	« Marche sur Rome » : Mussolini au pouvoir URSS : Staline succède à Lénine	Dictature fasciste en Italie A. Hitler : *Mein Kampf*	Krach boursier à New York Exil de Trotski	Hitler chancelier d'Allemagne New Deal aux États-Unis
J. Frazer : *Le Rameau d'or*	H. Rorschach : test des taches d'encre	M. Weber : *Économie et société*	A. Fleming : pénicilline	Eastman : film couleur	RCA Victor : « 33 tours »
Parade d'E. Satie préside à la réunion du « Groupe des Six »	Prokofiev : *L'Amour des trois oranges*	Gershwin : *Rhapsody in Blue*	Armstrong à la tête des *Hot Five*	B. Brecht : *L'Opéra de quat'sous*	Art Tatum : *Tiger Rag*
G. Apollinaire : *Calligrammes* V. Maïakovski : *Ma révolution*	A. Breton-P. Soupault *Les Champs magnétiques* A. Machado : *Chants nouveaux*	Saint-John Perse : *Anabase* E. Cassirer : *La Langue*	F. Kafka : *Le Procès, Le Château* H. Hesse : *Le Loup des steppes*	D. H. Lawrence : *L'Amant de lady Chatterley* A. Moravia : *Les Indifférents*	L.-F. Céline : *Voyage au bout de la nuit* A. Huxley : *Le Meilleur des mondes*
De Stijl aux Pays-Bas	P. Mondrian : *Néoplasticisme* W. Gropius fonde le Bauhaus		F. Lang : *Metropolis*	L. Buñuel : *Un chien andalou*	
K. Malevitch : *Carré noir sur fond blanc* **G. Rietveld :** *Chaise rouge et bleu*	**El Lissitzky :** *Avec le coin rouge bats les blancs*	**G. Rietveld :** Maison Schrœder **A. Rodchenko :** *Affiche politique*	**T. Van Doesburg :** *Contre-Composition XVI*	**L. Van der Rohe :** Maison Tugendhat de Brno **J. Miró :** *Intérieur hollandais*	**A. Aalto :** Théâtre de Turku
1915-1918	1919-1921	1922-1924	1925-1927	1928-1930	1931-1933

Mario Sironi, L'Élève, *1924, collection Deana, Venise. Né dans le climat post-avant-gardiste, marqué par le « retour à l'ordre », ce tableau témoigne de l'adhésion de Sironi aux nouveaux canons esthétiques et, en même temps, à la continuité de certaines exigences de la période métaphysique, détectables par exemple dans le caractère mystérieux de la composition. Le rythme rigide de la géométrie, le temps comme suspendu, la grande rigueur de la construction, les renvois aux disciplines voisines de l'architecture et de la sculpture, la gravité et la fixité du personnage composent une image complexe, dans laquelle les sujets surgis de la tradition sont transposés en un langage d'une « modernité » unique.*

19 AU-DELÀ DES AVANT-GARDES

Dans les années qui suivent immédiatement la fin de la Première Guerre mondiale s'affirme de toutes parts et avec diverses connotations la nécessité d'une révision de l'activité artistique, essentiellement en vue de revitaliser le vocabulaire de la peinture bouleversé par les avant-gardes. C'est au cours de cette période de transition, caractérisée par de fortes tensions culturelles et politiques, que se renforce, sur la base d'un processus déjà engagé avant le conflit, une tendance à épurer la recherche artistique des excès d'expérimentation et de toute polémique avec le système social et culturel. Dans ce climat général de rappel à l'ordre, un intérêt croissant se manifeste pour une représentation de la réalité privilégiant les valeurs formelles, telles que l'équilibre et la rigueur de la composition, la clarté et la solidité de l'agencement figuratif. Le but est aussi de susciter chez le spectateur une perception différente de l'œuvre d'art : moins déterminante sur le plan émotif, beaucoup plus lucide et plus distante.

En résumé, on cherche une « modernité » dégagée des enthousiasmes et des clameurs avant-gardistes, qui réfléchisse sur les éléments propres à la peinture : formes, volumes, couleurs étudiés à l'intérieur d'une composition plus sereine. Il en découle la réhabilitation des valeurs culturelles traditionnelles et, avec elles, des œuvres figuratives du passé. L'« art de musée », tant vilipendé par les mouvements d'avant-garde, constitue dès la guerre le nœud central des réflexions de peintres comme Picasso, Derain et De Chirico, qui tracent avec leurs œuvres les lignes fondamentales du développement des diverses tendances artistiques de ces années. Dès 1911, Giorgio De Chirico élabore un vocabulaire propre à partir des suggestions de la peinture romantique et décadente (et tout particulièrement celle d'Arnold Böcklin) et de la mémoire du monde classique, qui se traduit par des décors architecturaux et des atmosphères magiques, annonçant la période « métaphysique ».

▲ *Giorgio De Chirico,* L'Énigme de l'oracle, *vers 1910, Staaliche Museen, Berlin. Ce tableau reflète les suggestions de la peinture germanique, en particulier d'*Ulysse et Calypso *d'Arnold Böcklin, et annonce la « sérénité tragique » des toiles métaphysiques.*

◄ *Gino Severini,* Maternité, *1916, collection Severini, Paris. A côté de tableaux très mouvementés, inspirés par la guerre, Severini expérimente au cours de ces années une relecture des classiques enrichie de la leçon formelle cubiste.*

La métaphysique

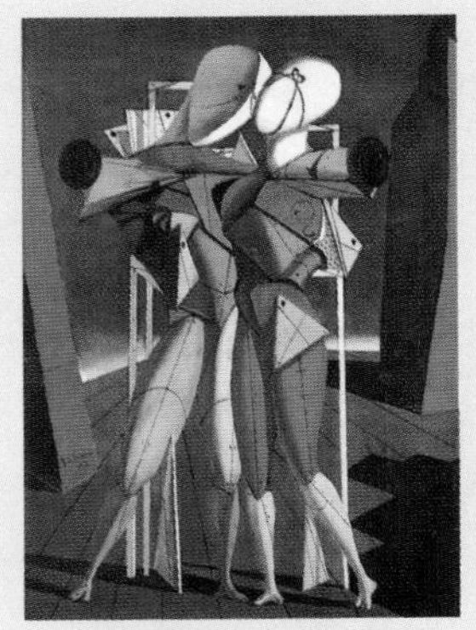

En 1917, Carrà est mobilisé à Ferrare où il rencontre les frères De Chirico ainsi que Savinio, qui, eux aussi, y font leur service militaire. De cette association fortuite à laquelle participe également le jeune De Pisis, va germer une toute nouvelle tendance artistique : la peinture métaphysique. Les signes avant-coureurs sont déjà présents dans quelques œuvres de De Chirico au début des années 10, mais c'est au cours de la période ferraraise que s'affirment les valeurs esthétiques et théoriques liées à une lecture du réel qui transcende les apparences pour dévoiler l'âme des choses, dans des atmosphères épurées et intemporelles. Pour Carrà, l'art « métaphysique » est une sorte d'abstraction qui se réalise à partir du fait objectif, perçu dans son intériorité formelle. Pour De Chirico (Hector et Andromaque, *vers 1917, collection privée, Milan), il s'agit de rapprocher des images et objets disparates dans des relations ambiguës, voire ironiques ; celles-ci renvoient à des significations différentes, de nature littéraire et philosophique, ou* arrêtent *le sens de la composition à son stade le plus magique.*

Le rapport instauré avec la réalité phénoménale par De Chirico et Carrà, au cours de l'expérience vécue à Ferrare en pleine guerre, est repris, mais avec des objectifs différents, par la revue *Valori Plastici*, qui reflète de manière rigoureuse et systématique le climat artistique de l'après-guerre. Éditée à Rome entre 1918 et 1922 (presque en même temps qu'une autre importante publication, *La Ronda*), *Valori Plastici* est dirigée par le peintre et collectionneur Mario Broglio, avec la collaboration de De Chirico, Carrà, Savinio, et de quelques autres jeunes artistes italiens : Melli, De Pisis, Morandi, Martini. La réflexion théorique qui y est développée concerne essentiellement l'art contemporain, conçu comme langage partant de la tradition et actualisant en permanence son rapport au classicisme, avec l'idée de continuité. Ce n'est pas un hasard si Carlo Carrà consacre une des premières biographies de la revue à Derain ; en effet, l'intérêt de ce dernier pour la figuration a toujours été accompagné d'une relecture actualisée du passé, de l'art romain à Caravage et Courbet. Particulièrement significatives sont les comparaisons critiques que Carrà établit entre sa propre expérience futuriste précédente, qu'il renie, pour passer à la relecture du XIXe siècle puis à l'art des XIVe et XVe siècles, depuis Giotto jusqu'à Masaccio.

Aux côtés de Carrà, un autre signataire du *Manifeste des peintres futuristes*, Gino Severini, entreprend, à partir de 1916, avec *Maternité*, une relecture personnelle du style classique, tout en tirant profit de la leçon cubiste sur le plan formel. L'approche de De Chirico de l'art du passé s'oriente différemment, à l'issue de son expérience métaphysique : vers 1919, l'artiste exécute des « copies » de tableaux célèbres

LES PROTAGONISTES

◆ **De Chirico,** Giorgio (Vòlos 1888 - Rome 1978). Il s'établit à Munich en 1909 : sa formation est marquée par la peinture et par la philosophie allemandes. Les rapports qu'il noue à Paris seront aussi importants, puisque c'est là qu'aura lieu sa première exposition en 1912. Avec Carrà et Savinio, il aborde en 1916 sa période métaphysique avant de se consacrer dans les années 20 et 30 à une recherche néobaroque et néoclassique.

◆ **De Pisis,** Filippo, Filippo Tibertelli, dit (Ferrare 1896 - Milan 1956). Après des débuts d'écrivain en 1916 avec les *Canti della Croara*, il se consacre à la peinture. Sa rencontre, en 1917, avec De Chirico, Carrà et Savinio se révèle déterminante, mais il conserve sa cursive et ses couleurs lyriques, encore accentuées par la connaissance des impressionnistes et des fauves.

◆ **Dix,** Otto (Untermhaus 1891 - Hemmenhofen 1969). Il effectue ses études à Dresde, puis participe à la Première Guerre mondiale, dont il revient marqué, comme en témoigne une série de dessins qui donneront lieu à plusieurs toiles

◄ *Giorgio Morandi,* Nature morte, *1919, collection privée, Milan. Le rapport de Morandi avec les « choses ordinaires » le rend plus proche de la manière « métaphysique » de Carrà que de celle de Chirico.*

► *Carlo Carrà,* Le Pin sur la mer, *1921, collection privée, Rome. Cette œuvre concrétise, dans sa sévérité et dans sa simplification de l'espace, les réflexions de Carrà sur la peinture de Giotto.*

de Lotto, Michel-Ange et Raphaël, approfondissant successivement le thème de la peinture du XVIIe siècle, qui deviendra quasi obsessionnel pour lui.
En dehors des contributions picturales et théoriques de De Chirico et de Carrà, et de la présence de Savinio, qui s'emploie à théoriser dans la revue les implications philosophiques de l'esthétique métaphysique, on trouve, proches de l'esprit de ce groupe, Giorgio Morandi et Arturo Martini. Le premier (qui expose avec les artistes de *Valori Plastici* à Berlin en 1921, puis à Florence en 1922, où il est présenté dans le catalogue par De Chirico) s'absorbe depuis longtemps dans une relecture personnelle des œuvres de Cézanne, Corot, Derain, et aborde l'expérience métaphysique comme une conséquence presque naturelle d'une attention continue pour la géométrie des volumes et les accords chromatiques. Sa manière de percevoir et de comparer entre eux les éléments de la réalité, vécue comme prétexte à un discours exclusivement pictural, le rapproche des primitifs : en particulier de Giotto et des maîtres du début du XVe siècle, comme le montre la série de natures mortes réalisée vers 1920.
Arturo Martini, indiscutablement l'un des plus grands sculpteurs du siècle, est présenté par Carrà, à l'occasion de sa première exposition personnelle, à la galerie Ipogei de Milan, en 1920. Une des parti-

exécutées vers 1920. Il adhère après la guerre au groupe dadaïste de Berlin puis, avec Grosz, à la Neue Sachlichkeit, enrichissant le rendu analytique des détails, typique de sa peinture, d'accents résolument caricaturaux.

◆ **Grosz,** George (Berlin 1893-1959). A l'issue de l'expérience cubo-futuriste, il publie, en 1917, une première série de dessins, âprement humoristiques. Il adhère ensuite au mouvement dadaïste de Berlin. Avec Heartfield, il crée les premiers photomontages et collages de satire politique, tout en faisant des incursions dans la mise en scène théâtrale. A l'arrivée du nazisme, il part aux États-Unis, où il exerce une influence notable sur le réalisme social des peintres américains, particulièrement sur Ben Shahn.

◆ **Magritte,** René (Lessines 1898 - Bruxelles 1967). Après avoir fait ses études à l'Académie de Bruxelles, il découvre en 1923 la peinture de De Chirico et se rapproche de l'esthétique surréaliste. Il séjourne à Paris de 1927 à 1930, puis rentre définitivement en Belgique, poursuivant sa propre « révision du quotidien » à travers une peinture toujours plus inquiétante et illusionniste. Son apport (involontaire) à l'art conceptuel sera fondamental.

◆ **Martini,** Arturo (Trévise 1889 - Milan 1947). Après un apprentissage dans diverses fabriques de céramiques, il étudie auprès de A. Carlini et U. Nono. Les rapports qu'il noue en 1909 avec le milieu munichois – où il fréquente l'école de Hildebrand – et son voyage à Paris en 1912,

▼ *Pablo Picasso,* Deux Femmes courant sur la plage (La Course), *1922, musée Picasso, Paris. La recomposition de l'image de manière ouvertement figurative répond ici à la reprise d'un vocabulaire et d'une thématique de souche classique, confirmés par les contours nettement délimités et la stature exagérée des femmes.*

cularités de l'art de Martini est la recherche d'une définition accomplie de la forme, inspirée aussi bien de la sculpture archaïque que des formes plastiques du XVe siècle.
Quelques-unes des propositions développées dans *Valori Plastici* sont reprises par le groupe des Sette pittori del Novecento (les Sept Peintres du XXe siècle), constitué à Milan en 1922 sous l'égide de Margherita Sarfatti et composé de A. Bucci, L. Dudreville, A. Funi, E. Malerba, P. Marussig, U. Oppi et M. Sironi. Au départ symboliste ou futuriste, le groupe se transforme, après l'exposition de 1923 à la galerie Pesaro de Milan et sa participation à la Biennale de Venise en 1924, pour accueillir les représentants les plus disparates de l'art italien, selon des critères précis de critique aussi bien que de marché. Les exigences d'origine, liées au contrôle de la forme et des volumes à l'intérieur de compositions parfaitement équilibrées et très raffinées, sont alors amenées à favoriser des principes – de goût généralement obséquieux – de la tradition nationale, plutôt que des raisons de style et d'expression réfléchies.

Il convient de citer, pour la cohérence de son travail, Mario Sironi. Dans des œuvres comme *L'Élève* et *L'Architecte*, il offre une admirable synthèse de valeurs de construction, étayées par une extraordinaire maîtrise du dessin et de la couleur. L'art classique est réutilisé même à des fins épiques (comme dans les grandes fresques des années 30) ; il se fond, chez Sironi, avec une interprétation personnelle des thématiques futuristes que l'on retrouve

où il s'intéresse à la sculpture de Maillol, sont déterminants. Vers les années 20, il intensifie sa recherche personnelle au niveau de l'essentialité plastique, amalgamant alors les formes de la tradition populaire à celles de la culture archaïque et du Quattrocento. De même que ses sculptures, son abondante production graphique est d'une qualité remarquable.

◆ **Morandi,** Giorgio (Bologne 1890 - 1964). Sa proximité des mouvements artistiques et littéraires italiens, du futurisme à la métaphysique et à *Valori Plastici,* ne le contraint qu'à une adhésion partielle aux motifs de ces expériences. Il est plus profondément influencé par la peinture de Cézanne et par les leçons des maîtres du Quattrocento.

◆ **Savinio,** Alberto Andrea De Chirico, dit (Athènes 1891 - Rome 1952). Sa formation s'effectue avec son frère entre la Grèce, Munich et Paris. Il se consacre à la musique et à la littérature, en plus de la peinture où il repense surtout les idées surréalistes.

◆ **Sironi,** Mario (Sassari 1885 - Milan 1961). A Rome, il fréquente l'atelier de Balla, puis, en 1914, s'installe à Milan où il participe au mouvement futuriste dont il réélabore la thématique, même après son adhésion au groupe Novecento, au début des années 20. Il déploie une intense activité d'illustrateur pour les revues italiennes les plus importantes. Les années 30 le voient s'occuper de décorations murales pour des bâtiments civils.

◄ *Arturo Martini,* Buveur d'eau, *1926, pinacothèque de Brera, Milan. Même dans son extrême liberté d'interprétation, cette œuvre illustre le rapport dialectique entre la sculpture de l'artiste et la statuaire antique.*

▼ *Filippo De Pisis,* Nature morte marine avec langouste, *1924, collection Cacciabue, Milan.*

dans les *Paysages urbains*, en un parcours qui connaît peu d'équivalents dans le panorama artistique de ces années. Après cet aperçu du climat artistique de l'Italie à la suite de la Première Guerre mondiale, la situation internationale offre un visage tout aussi complexe. Elle renvoie en partie aux expériences de la métaphysique et de *Valori Plastici*, et se retrouve également liée aux relectures de la tradition artistique de chaque nation, ainsi qu'aux travaux individuels de quelques personnalités marquantes de cette période. Il suffit de penser, par exemple, aux tableaux de Picasso du début des années 20, où le retour à une figuration plus reconnaissable, la récupération du classicisme, et en particulier la relecture d'Ingres, ouvrent de nouvelles voies à une définition plastique de la forme. En ce qui concerne la situation de la France de cette période, parallèlement aux répercussions des expériences de *Valori Plastici*, il convient de citer la

▼ *George Grosz,* Le Maquereau, *1918, Hessisches Landesmuseum, Darmstadt. Le style incisif de Grosz vise à une impitoyable analyse de la société de l'époque, analyse qui se transforme même en accusation politique.*

▼ *René Magritte,* La Trahison des images, *1928-1929, County Museum of Art, Los Angeles. Représentatif des intentions de Magritte, ce tableau illustre très bien le démantèlement des correspondances habituelles entre l'objet, son image et sa définition verbale, jetant les bases des futures recherches de l'art conceptuel.*

◄ *Edward Hopper,* Fenêtres dans la nuit, *1928, musée d'Art moderne, New York. Représentant de premier plan de la peinture américaine de l'entre-deux-guerres, Hopper conjugue le réalisme de la représentation avec une métaphysique des espaces sans vie, souvent illuminés artificiellement.*

fondation de la revue *L'Esprit nouveau* par A. Ozenfant et Le Corbusier (pseudonyme de Ch. E. Jeanneret), promoteurs d'une nouvelle tendance, le purisme. Dans le manifeste intitulé *Après le cubisme* (1918), qui est publié dans *L'Esprit nouveau*, le peintre et l'architecte délimitent les spécificités d'un art exempt de toute interprétation psychologique et concentré plutôt « sur les qualités intrinsèques des éléments plastiques », et non « sur leur possibilité représentative ou narrative ».

Dans l'imbrication des tendances qui caractérise cette période, on ne peut négliger l'affirmation progressive du mouvement surréaliste, témoignage d'une nouvelle perception des rapports avec la réalité à la lumière de suggestions amenées par la métaphysique. L'œuvre de René Magritte, qui se trouve proche, mais n'est absolument pas assimilable à l'esprit du surréalisme, prend dans ce contexte un relief particulier. A partir de la peinture de De Chirico (très appréciée par Breton), l'artiste belge explore de nouvelles possibilités de relation entre les hommes et les choses.

En Allemagne, la période de la fin des années 10 au début des années 20 est marquée par la Neue Sachlichkeit (« Nouvelle Objectivité »). Ce courant reprend les bases de la culture artistique nationale, se greffe sur l'art expressionniste et réélabore des solutions de la peinture métaphysique. Il en résulte une figuration crue, insérée dans des atmosphères vitreuses et un espace désorienté, « objectif » jusqu'au rendu des détails, avec un sens gênant de la vérité caricaturale, forçant le message au-delà de la donnée visuelle, vers une analyse critique de la situation morale et sociale de l'Allemagne de l'après-guerre. Parmi les représentants les plus significatifs de cette tendance, George Grosz et Otto Dix occupent une place particulière, avec un œuvre peint et graphique imprégné d'une acerbe satire politique.

Les États-Unis connaissent également un climat de désarroi existentiel et de tension, exacerbé par l'isolement et le nationalisme dans lesquels le pays s'enferme à l'issue du conflit mondial. C'est justement au cours de cette période, vers les années 20, que se créent les conditions de revendication d'une tradition réaliste purement américaine. Dans cette direction se distingue notamment Edward Hopper : sa peinture, fortement évocatrice et introspective, offre (par le caractère déroutant de la lumière et la netteté des compositions) un portrait parfaitement anonyme et désolé de l'Amérique. ■

Otto Dix, La Salle des miroirs à Bruxelles, *1920, collection Poppe, Hambourg.*

Après avoir dénoncé les horreurs de la guerre, Otto Dix s'en prend aux vices et aux mauvaises manières de la société berlinoise, symbole et métaphore d'un mal-être plus général. La violence du signe, les déformations des corps et des lieux rendent pleinement le tragique de sa peinture.

Alberto Savinio, Objets dans la forêt, *détail, 1927, collection privée, Rome.*

Bien qu'ayant participé à la naissance de la tendance métaphysique, Savinio ne se consacre vraiment à la peinture qu'à partir de 1926. L'ensemble de sa recherche se caractérise par une interprétation ironique de la réalité, « réaction infiniment fragile, mais élémentaire et humaine, que l'on peut nommer pudeur ». C'est sur ces bases que l'on peut aborder la qualité particulière du surréalisme hétérodoxe de Savinio.

René Magritte, La Durée poignardée, *détail, 1938. Art Institute, Chicago.*

La conception de l'espace, chez René Magritte, conduit au rapprochement imprévisible des images les plus familières, représentées avec un réalisme aussi incisif que mystérieux et déconcertant. L'immobilité du train est contredite par la pendule et par la fumée.

1917-1920	1921-1923	1924-1926	1927-1929	1930-1932	1933-1935
Révolution d'Octobre en Russie Traité de Versailles	Fondation du parti communiste chinois Mussolini au pouvoir	Dictature fasciste en Italie Dictature militaire en Espagne	Staline en Union soviétique Krach boursier à New York	Dollfuss en Autriche Proclamation de la république en Espagne	National-socialisme en Allemagne New Deal aux États-Unis
Tracteurs agricoles Feux rouges	Découverte de l'insuline Utilisation du BCG	Dix millionième Ford Radiodiffusion commerciale transatlantique	A. Fleming : pénicilline C. Lindbergh : traversée de l'Atlantique	M. Knoll-E. Ruska : microscope électronique	R. O. Gibson : polyéthylène E. Fermi : fission de l'uranium
D. Milhaud : *2 Poèmes tupi*	Premiers enregistrements de King Oliver et Jelly Roll Morton	Puccini : *Turandot*	M. Ravel : *Boléro*	P. Hindemith : *Concert Music*	A. Berg : *Lulu*
M. Jacob : *Le Cornet à dés* D. H. Lawrence : *Femmes amoureuses*	S. Lewis : *Babbitt* R. Radiguet : *Le Diable au corps*	T. Mann : *La Montagne magique* Saint-John Perse : *Anabase*	J. Cocteau : *Les Enfants terribles* W. Faulkner : *Le Bruit et la fureur*	R. Musil : *L'Homme sans qualités* E. Hemingway : *Mort dans l'après-midi*	G. Ungaretti : *Sentiment du temps* H. Miller : *Tropique du Cancer*
	Groupe Novecento Découverte de la tombe de Toutankhamon	Mouvement surréaliste à Paris Mouvement Strapaese	Revue *Domus*	B. Berenson : *Les Peintres italiens de la Renaissance*	Les Aéro-peintres futuristes italiens à la Biennale de Venise
G. Grosz : *Les Funérailles d'Oscar Panizza* **G. De Chirico :** *Hector et Andromaque*	**C. Carrà :** *Le Pin sur la mer* **M. Sironi :** *L'Élève*	**O. Dix :** *Portrait de la journaliste Sylvia von Harden* **A. Martini :** *Buveur d'eau*	**R. Magritte :** *La Trahison des images* **A. Savinio :** *Objets dans la forêt*	**F. De Pisis :** *Nu sur la peau de tigre* **R. Magritte :** *La Durée poignardée*	**G. Severini :** *Les Arts* **M. Marini :** *Petit Cavalier*

Marcel Duchamp, La Mariée mise à nu par ses célibataires, même (Le Grand Verre), *1915-1923, Museum of Art, Philadelphie. Fruit d'une très longue gestation et réalisation, cette œuvre réalisée sur panneau de verre représente l'aboutissement de la recherche de Duchamp et, en un sens, de tout le dadaïsme. Parmi les nombreuses innovations formelles proposées ici, on peut retenir le choix du support transparent, qui permet à l'œuvre de s'enrichir de façon fortuite et imprévisible de l'environnement où elle est présentée.*

20 DADA ET SURRÉALISME

Plutôt que d'un courant, il convient de parler du dadaïsme comme de quelques groupes ou d'un « esprit », d'une attitude commune à l'égard de la production et de la finalité de l'art. En effet, au-delà des manifestations extérieures de caractère typiquement avant-gardiste (de la publication de manifestes aux actions provocatrices à l'intérieur de la communauté artistique), dada se distingue des autres mouvements par l'autonomie créative de tous ceux qui sont impliqués dans cette aventure et par leur volonté de modifier radicalement l'approche mentale du produit artistique et donc de tout ce qui en fait partie intégrante : les figures essentielles de l'artiste et du « consommateur », les inévitables intermédiaires des musées, du marché et de la presse.

On a souvent soutenu que l'activité et la pensée dada étaient nihilistes, tournées vers la destruction de toute convention et incapables de proposer quoi que ce soit de constructif, aptes à nier mais pas à affirmer. En fait, la réalité est plus complexe. Si de telles affirmations contiennent une part de vérité, il faut cependant se souvenir que les déclarations provocatrices des dadaïstes étaient également utilisées comme caisse de résonance au sein d'une communauté déjà surchargée de nombreux autres mots d'ordre, et donc dans une optique de propagande autant que d'esthétique. En outre, selon la pensée dada, il n'était

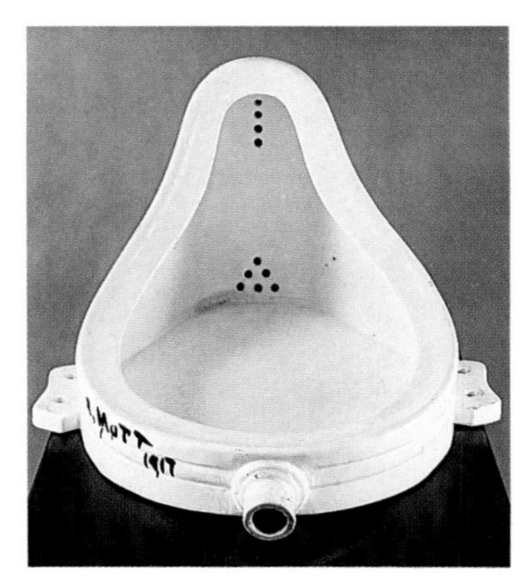

◄ *Marcel Duchamp,* Urinoir, *1964, (réplique de l'original de 1917), galerie Schwarz, Milan. Les objets les plus communs font leur entrée dans l'univers artistique. Pris tel que dans sa réalité quotidienne ou encore renommé par l'artiste, l'objet se fait véhicule de la pensée.*

▼ *Marcel Duchamp,* Roue de bicyclette, *troisième version, 1951, musée d'Art moderne, New York.*

plus question de modifier, de dévier le cours d'une esthétique et d'un art qui, de toute façon, se maintenaient dans un courant historiquement vérifié et accepté, mais de le refonder à travers des procédés d'apparence purement destructifs et autodestructifs.

D'autre part, les développements successifs de l'histoire de l'art sont, pour la plupart, inimaginables sans l'aiguillon du dadaïsme, des filiations directes comme le surréalisme, le new dada et l'art conceptuel, jusqu'à des expériences à première vue distantes comme l'art informel ou les différentes manifestations « pauvres » et comportementales des années 70.

En ce qui concerne la date de naissance du mouvement, établie officiellement à l'ouverture à Zurich, en 1916, du Cabaret Voltaire animé par Tristan Tzara et Hugo Ball, on considère que les œuvres de Marcel Duchamp et de Francis Picabia anticipent, dès 1913-1914, la publication du premier manifeste dada en 1918. De la même façon, la fin du mouvement est habituellement associée à l'éclatement du désaccord entre Tristan Tzara et André Breton en 1922, alors que des manifestations dada se poursuivirent pendant encore plusieurs années, mais privées de leur signification comme de leur puissance subversive.

▼ *Man Ray,* L'Énigme d'Isidore Ducasse, *1920. L'objet caché, et donc rendu* inconnaissable *de l'artiste lui-même, n'est réalisé qu'en fonction de la reproduction photographique. Par conséquent, il disparaît au profit de l'image, reproductible à l'infini. Le titre renvoie à l'un des pères idéaux du surréalisme, le poète Isidore Ducasse dit le comte de Lautréamont.*

Comme tout regroupement de l'avant-garde historique, dada tire ses racines de quelques lieux particulièrement actifs en matière d'expositions, d'édition, mais aussi de création théâtrale et musicale, de portée internationale. Il s'agit de Zurich, patrie d'adoption de l'exilé roumain Tristan Tzara et de Hans Arp ; Paris, le centre le plus important de ces années-là, point de convergence d'artistes du monde entier, et dépositaire d'une tradition d'avant-gardistes qui, de Baudelaire à Apollinaire, des scandales impressionnistes à ceux des cubistes, continue à connaître des courants extrêmement porteurs ; Hanovre, patrie de Kurt Schwitters ; Cologne, où Max Ernst et Hans Arp fondent en 1919 un groupe dada particulièrement actif ; Berlin, siège du groupe dada le plus directement actif au niveau politique, auquel – et ce n'est pas un hasard – adhère George Grosz ; New York enfin, où Man Ray atteint ses premiers et considérables résultats, dans le sillage de Duchamp et de Picabia.

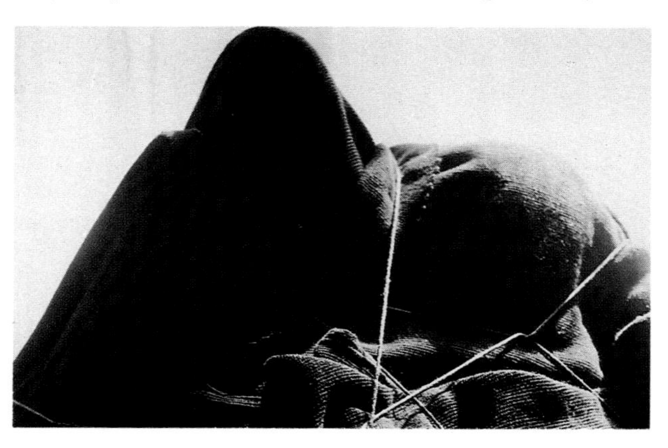

En dehors de Tzara, seuls des représentants d'une recherche visuelle se sont manifestés jusqu'alors, mais dada a investi d'autres domaines de l'activité artistique. Le compositeur Erik Satie, les poètes et écrivains André Breton, Louis Aragon, Philippe Soupault, Jean Cocteau, Robert Desnos ont joué un rôle déterminant dans cette formation. La même recherche visuelle s'est également exprimée aux plus hauts niveaux dans les domaines de la photographie et du cinéma, arts jeunes, considérés jusqu'alors comme mineurs, et dans lesquels dada verra des instruments riches en potentiel, en totale concordance avec une esthétique centrée sur la subversion des codes linguistiques et disciplinaires traditionnellement convenus. Enfin, il convient encore de

LES PROTAGONISTES

◆ **Dali,** Salvador (Figueras 1904-1989). Personnage controversé, capable de se créer sa propre légende, pas toujours justifiée, Dali s'est rapproché du surréalisme à la fin des années 20, en centrant sa poétique sur les thèmes de l'érotisme et d'un mysticisme visionnaire. En dehors de ses tableaux, on retiendra surtout sa collaboration aux deux chefs-d'œuvre du cinéma surréaliste de Luis Buñuel, *Un chien andalou* et *L'Age d'or.*

◆ **Duchamp,** Marcel (Blainville 1887 - Neuilly 1968). D'abord peintre dans la mouvance cubo-futuriste, s'intéressant à la représentation du mouvement sur la toile, Marcel Duchamp a lié son nom à l'invention du ready-made, œuvre d'art constituée simplement d'objets courants (« tout prêts ») sans aucune intervention de l'artiste. Bien que participant aux principales manifestations dada et surréalistes, il a toujours occupé une position isolée, préférant, à partir de 1928, au moins sur le plan public, son activité de joueur d'échecs à celle de membre d'une communauté artistique qu'il a pourtant contribué à modifier radicalement.

◆ **Ernst,** Max (Brühl 1891 - Paris 1976). Fondateur du groupe dadaïste de Cologne, Max Ernst est l'un des promoteurs d'une grande part des initiatives surréalistes jusqu'à la date de son expulsion du groupe, en 1954. Il s'est exprimé à travers diverses techniques, des premiers collages dadaïstes jusqu'au

Francis Picabia, Tickets, *1922, collection privée. L'univers des machines, source d'inspiration des recherches de Picabia. Même dans ce cas, on peut remarquer la totale absence de fonctionnalité des différents éléments de l'œuvre, articulée sur un jeu subtil d'ironie et de gratuité esthétique.*

▼ *Kurt Schwitters,* Merzbild 25A. La Constellation, *1920, Kunstsammlung Nordrhein-Westfalen, Düsseldorf. Les détritus, les déchets du monde font leur entrée dans l'œuvre d'art, placés au même niveau que les autres composantes plus traditionnelles du tableau. La surface devient alors le champ d'action de l'artiste, la reconstruction réelle d'un microcosme psychologique.*

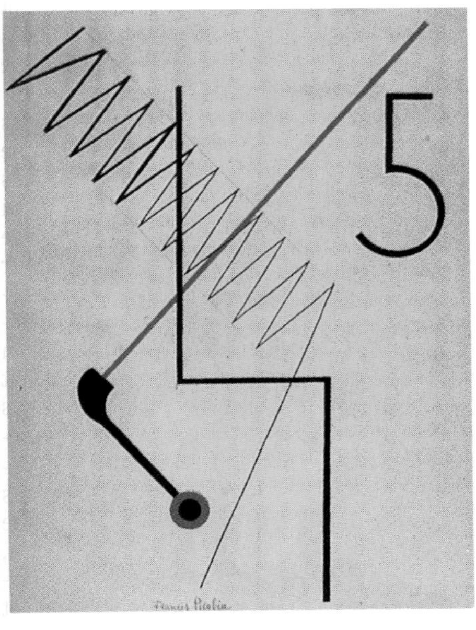

signaler que dada a été pour beaucoup d'artistes un lieu de transit fondamental vers d'autres expériences, avant tout le surréalisme, mouvement qui à vu parmi ses propres fondateurs les protagonistes de la période dada, en un passage particulièrement significatif d'une liberté créative absolue à une plus grande adhésion aux règles et préceptes esthétiques, édictés en premier lieu par André Breton.
Abrogation de la légitimité de tout langage artistique traditionnel, réinvention du rapport entre les objets et les mots destinés à les définir, « anesthésie » de l'œuvre d'art, ironie corrosive envers les statuts régissant le monde (pas seulement artistique), hasard et inconscient comme moteurs

renouvellement de la pratique de la gravure, de la peinture à la sculpture, partant des effets obtenus par la technique du frottage, autre expression de l'inépuisable volonté de recherche – y compris matérielle – qui a animé les meilleurs artistes du mouvement surréaliste.

◆ **Giacometti,** Alberto (Stampa 1901 - Coire 1966). Trop souvent mentionné seulement pour ses sculptures, qui lui ont apporté la notoriété après la Seconde Guerre mondiale, Giacometti a en réalité commencé par des œuvres d'esprit cubiste avant d'adhérer, en 1928, au groupe surréaliste. Au cours des brèves années passées aux côtés de Breton et de ses autres compagnons de route, il remet en cause, par son œuvre, les statuts canoniques de la statuaire : sa sculpture se situe entre l'*objet trouvé* et la mise en scène des impulsions les plus secrètes de l'inconscient, et présente un caractère ludique mystérieux, qui se révèle parfois sadique.

◆ **Man Ray,** Emmanuel Rudnitsky, dit (Philadelphie 1890 - Paris 1976). Représentant de tout premier plan du mouvement dada de New York, Man Ray s'installe en 1921 à Paris où il demeure jusqu'à sa mort, en dehors d'un bref retour aux États-Unis. Peintre, photographe, metteur en scène, Man Ray incarne l'artiste d'avant-garde, voulant franchir les frontières des disciplines pour affirmer l'égale dignité de chaque expression artistique. Comme ses compagnons de route, Man Ray a participé aux plus importantes manifestations et

premiers de la création artistique, adoption de techniques combinatoires (le collage, l'assemblage, le photomontage) ou inventées (le ready-made) ou encore redécouvertes dans une fonction créative nouvelle (la photographie off-camera) : ce sont là les éléments essentiels de la manière dada, qui a trouvé ses expressions les plus porteuses dans les œuvres de Duchamp, Man Ray, Schwitters, Ernst et Picabia.
Illustres, les ready-made de Duchamp sont désormais élevés au rang d'« images de la contemporanéité » : la *Roue de bicyclette* et le *Porte-bouteilles* ont acquis le titre de sculptures ; l'urinoir exposé sous le titre *Fontaine* et signé R. Mutt, la burette contenant de l'*Air de Paris*, œuvres qui, au-delà de l'intention provocatrice, font partie d'une recherche reposant sur la feinte, le détournement de l'objet de son lieu et de sa fonction naturels, dans le but de l'insérer à l'intérieur d'un code de représentation et de lecture, *esthétique*, qui à son tour est remis en question par l'entrée de tels produits dans sa sphère. Le rapport avec les objets, sorte de base continue de l'expérience dada, est confirmé, en dehors des ready-made, par les *Rayographes* de Man Ray (photos réalisées sans appareil, par le contact direct entre les objets et la surface sensible, où l'objet devient ombre, trace immatérielle) ou les *Merzbilder* de Schwitters. Le *Merzbild*, dont le premier exemplaire remonte à 1919, est une œuvre-objet constituée d'éléments les plus disparates, issus du quotidien, assemblés sur une toile où l'artiste intervient ensuite avec ses couleurs. Objets de récupération, coupures de journaux, peinture deviennent ainsi partie d'un même univers soutenu par une même intentionnalité, dans des œuvres où il est possible de percevoir la beauté

La photographie

Art jeune et jusqu'alors confiné dans les limbes des arts mineurs, la photographie a connu, au cours des périodes dada et surréaliste, une époque de grande richesse créative, s'affirmant alors comme un des instruments essentiels de diffusion de ces arts. Ce résultat est le fruit, d'une part, de la diffusion des revues, qui nécessitaient un nombre toujours plus important d'images ainsi qu'une caractérisation croissante, et, d'autre part, de la prise de conscience par les artistes que la photographie n'était pas uniquement un moyen de reproduction de la réalité mais pouvait aussi la réinventer, en offrir une vision subjective, matérialisant et rendant crédibles de pures inventions de l'esprit.
Le caractère ambigu de la photographie a ensuite été accentué par l'adoption de techniques comme le collage, le photomontage, la solarisation, la surimpression (ci-dessus, un Rayographe *de Man Ray de 1923), non plus considérés comme des trucages ou des déviations de la recherche photographique, mais comme des instruments modifiant de façon créative la perception de la réalité.*

expositions dada et surréalistes, avant et après la guerre.

◆ **Masson,** André (Balagny 1896 - Paris 1987). Après avoir rencontré Miró et Breton, Masson adhère en 1924 au groupe surréaliste, avec lequel il aura des rapports constants même s'il n'en approuve pas toujours l'évolution. Les *Peintures de sable* de 1927 et ses splendides dessins automatiques l'imposent comme l'un des auteurs les plus importants du mouvement, en dépit d'un parcours inconstant.

◆ **Miró,** Joan (Barcelone 1893 - Palma de Majorque 1983). Ce Catalan est au départ influencé par les recherches des fauves. Lors de son premier séjour à Paris, en 1919, il entre en contact avec le milieu dada et adhère en 1924 aux manifestations surréalistes. Dans cette mouvance, son art se développe avec succès et il connaîtra même la reconnaissance du public. A partir de son installation à Palma de Majorque, en 1944, il s'intéresse tout particulièrement aux arts graphiques, à la céramique et à la sculpture, domaines dans lesquels il parvient à des résultats remarquables.

◆ **Picabia,** Francis (Paris 1879-1953). Les débuts de Picabia

▼ *Max Ernst,* C'est le chapeau qui fait l'homme, *1920, musée d'Art moderne, New York. La reprise d'images et de phrases issues des plus diverses situations du quotidien devient pour Ernst le lieu central de bouleversement des canons habituels de communication. Le goût pour le catalogage donne naissance à une véritable encyclopédie du non-sens conduisant à l'effondrement du rapport entre mots et images.*

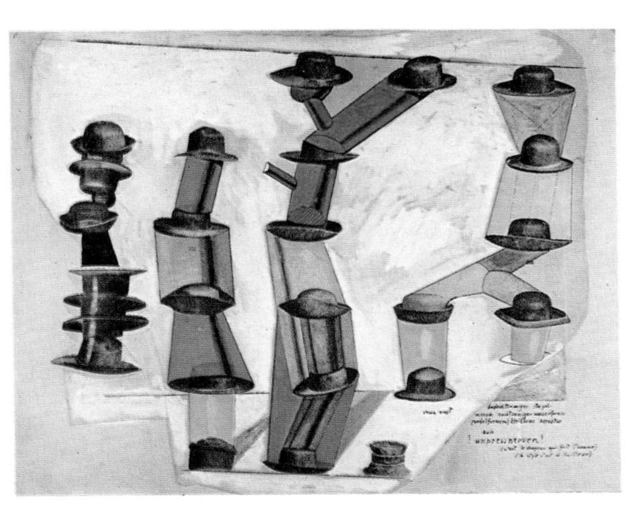

d'un quotidien réhabilité esthétiquement et le mépris pour une tradition de peinture agréable exécutée dans le respect aveugle des règles académiques.
Picabia se montre encore plus radical lorsque, en 1921, il expose *L'Œil cacodylate,* composé des signatures et des phrases inscrites par ses amis sur une toile dont l'unique élément figuratif est un œil peint : œuvre de Picabia, puisque c'est lui qui l'a conçue et exposée, mais non parce qu'il l'a réalisée. Il s'agit d'une voie différente de celle de Duchamp, mais elle la rejoint dans l'affirmation que la valeur artistique, et plus largement esthétique, de l'œuvre est conférée et déterminée par la pensée qui préside à sa constitution et par les différentes réactions qu'elle est en mesure de provoquer en chaque spectateur. Les collages de Max Ernst nous amènent enfin au point de convergence entre dada et surréalisme. En effet, si le principe du hasard demeure comme empreinte constitutive de ses travaux, Ernst tend essentiellement à associer des images incongrues qui ne sont pas des objets, et à canaliser l'inconscient selon une intention précise, toujours dans l'optique de cette *poétique du dépaysement* qui reste la base fondamentale de ces deux mouvements. Avec les gravures d'*Une semaine de bonté* (1934) et de *La Femme 100 têtes* (1929), Max Ernst atteint des sommets inégalés dans la transformation des langages populaires de l'illustration et du feuilleton en des œuvres d'un humour noir, d'une inquiétante violence psychologique, jamais clairement déclarée mais af-

---

s'effectuent sous le signe d'une recherche picturale qui touche les sphères les plus diverses, du premier impressionnisme au cubisme, jusqu'à la réélaboration des thèmes et du style fauve et orphique. Animateur du dada new-yorkais, puis de celui de Paris, Picabia s'est toujours singularisé par sa manière individualiste et provocante. Jamais disposé à adhérer complètement à un mouvement, il a néanmoins joui de l'estime du groupe surréaliste même lorsque, dans les années 30, il est revenu à une figuration aux limites du mauvais goût, d'interprétation et de décodage difficiles.

◆ **Schwitters,** Kurt (Hanovre 1887 - Ambleside 1948). Intellectuel dans le plein sens du terme, Schwitters participe comme rédacteur à la revue *Der Sturm,* se rapprochant ensuite du dadaïsme, fondant la revue *Merz* en 1923 et adhérant au groupe Abstraction-Création dans les années 30. Outre les *Merzbilder,* il reste le souvenir d'une œuvre, détruite au cours de la guerre, *Merzbau,* sorte de construction réalisée à l'intérieur de sa maison, précurseur de plusieurs opérations « environnementales » ultérieures.

▼ *Max Ernst,* Deux Enfants sont menacés par un rossignol, *1924, musée d'Art moderne, New York. L'angoisse, l'inquiétude provoquées par l'intervention de l'imprévu dans la réalité ne sont jamais très explicitement décrites par Ernst mais, comme ici, suggérées par d'infimes signaux, de brèves interruptions de la logique.*

fleurant partout, sapant de l'intérieur les certitudes de l'imaginaire collectif des premières années du siècle.
C'est à ces armes que les surréalistes auront recours, guidés par André Breton, à la recherche d'une organisation systématique de la transgression, fondée sur des bases théoriques maintes fois explicitées dans des manifestes et des déclarations, publiés dans les nombreuses revues qui ont accompagné le mouvement depuis ses débuts. Les surréalistes ajouteront aux fondements du dadaïsme deux éléments essentiels, ou la réélaboration et l'adoption dans le domaine créatif de deux pensées : celles de la psychanalyse et du marxisme, qui donneront au mouvement une orientation précise et parfois dogmatique, mais provoqueront aussi de fréquentes scissions, ruptures et excommunications à l'intérieur du groupe.
L'adhésion au marxisme, même convaincue, demeure une adhésion aux principes, valable sur le plan théorique, mais dramatiquement désavouée par l'orthodoxie culturelle communiste ; en revanche, l'influence des recherches psychanalytiques, et notamment freudiennes, est sans aucun doute déterminante pour le développement de la théorie et de l'œuvre surréalistes. C'est précisément par son principe d'élucidation des forces occultes de l'inconscient, de reconnaissance et de libération de toute une série de tabous et d'interdits dans le domaine de la sexualité, que la psychanalyse a conforté et éperonné Breton et ses compagnons d'aventure (y compris un extraordinaire dissident comme Georges Bataille) dans leur projet de recréation de tous les aspects de l'existence humaine. Ce projet se traduit dans le domaine artistique par la réalisation d'œuvres dont la composante thématique centrale est certes érotique, et dont la conséquence technique la plus valable est de porter au niveau de méthode le concept opérationnel d'*automatisme psychique*. C'est ainsi que se conçoit l'activité de l'artiste, réalisée selon l'immédiate correspondance entre l'inconscient et l'action, poétique ou picturale ; elle s'effectue alors sans aucun contrôle de la conscience sur les résultats obtenus, en une sorte de « cécité » réalisatrice, caractérisée par un individualisme absolu. Elle porte à ses

▼ *Joan Miró,* La Terre labourée, *1923-1924, Solomon R. Guggenheim Museum, New York. Miró transforme un genre traditionnel comme le paysage en une invention de formes et de couleurs dictées par l'inconscient. La composition, extrêmement complexe et dense, est riche d'éléments qui donnent à l'ensemble de la surface une sensation de mouvement désorientant.*

André Masson, Les Poissons dessinés sur le sable, *1927, Kunstmuseum, Berne. Il s'agit d'une des célèbres* Peintures de sable. *Bien plus qu'un simple expédient technique, l'adoption de ce matériau permet à Masson de donner aux surfaces des couleurs et une matérialité inédites. La disposition des signes dans l'espace témoigne de l'adhésion de Masson aux théories de Breton sur l'automatisme psychique.*

▼ *Joan Miró,* Personnage lançant une pierre à un oiseau, *1926, musée d'Art moderne, New York. Miró évolue sans idéologie préconçue, entre figuration et abstraction, saisissant des possibilités narratives contenues dans la libre disposition des formes dans l'espace. Son œuvre est, en outre, caractérisée par une palette éblouissante, propre à rendre lyrique l'évocation du réel.*

extrêmes conséquences quelques postulats déjà présents dans les esthétiques romantiques et symbolistes. Il s'agit, sans aucun doute, d'un moment fondamental du long processus qui libère la praxis artistique des sentiers imposés par les canaux traditionnels de communication ; il représente aussi et surtout le meilleur et le plus fructueux héritage laissé par les surréalistes aux artistes du futur (comme le démontre, par exemple, l'importance de cette technique

dans la naissance et le développement de l'Action Painting aux États-Unis).

Bien que les surréalistes aient toujours tenu, comme on l'a vu, à une poétique de groupe, soutenue par une forte adhésion idéologique, représentée par l'activité théorique de Breton, il n'en demeure pas moins que ce groupe a exercé son influence sur certaines individualités, et vice versa. Dans le premier cas, il convient de citer Picasso et Klee, qui, sans avoir jamais adhéré au mouvement, ont sans aucun doute été inspirés par la confrontation avec des œuvres et des personnages du milieu surréaliste. Les toiles des années 30 de ces deux artistes attestent l'importance et l'étendue de la diffusion de l'esthétique liée à l'exploration de l'inconscient comme noyau central de l'intuition poétique.

Il est, en revanche, plus difficile de déchiffrer le second cas. Les surréalistes annoncent en effet clairement leurs

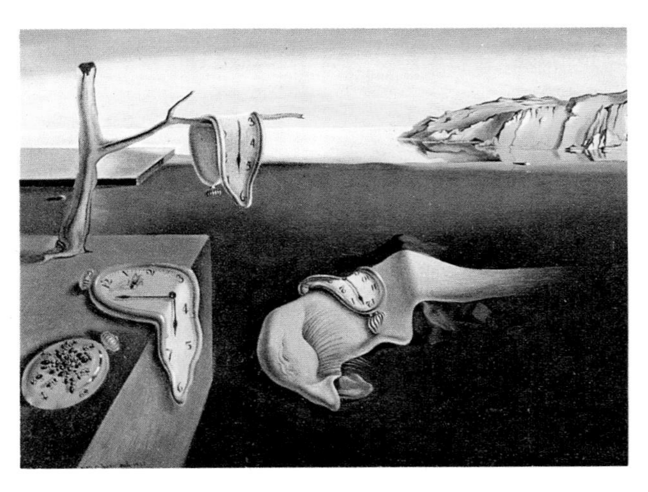

nairement lyrique. Aux côtés de Miró, les représentants de premier plan de l'art surréaliste sont André Masson et Alberto Giacometti, qui traduisent en images la partie obscure de la conscience, manipulateurs uniques des formes et des matières, témoins des possibilités infinies offertes à l'artiste par une interprétation non dogmatique des principes constituant l'esthétique surréaliste. Malheureusement, au-delà de ces cas et de ceux déjà cités de Ernst, Man Ray ou Picabia, qui transposent sans traumatisme leur poétique dans la sphère surréaliste, la peinture de ce mouvement consiste trop souvent en la création d'images de rêve, d'associations figuratives surprenantes mais empreintes d'un didactisme, d'une narration emblématique rapidement devenues un banal académisme de la transgression.

Même la technique des représentants les plus notoires de la peinture surréaliste, de Salvador Dali à Paul Delvaux ou Yves Tanguy, refuse en substance toutes les innovations et les bouleversements survenus dans les premières décennies du siècle, optant pour le retour à une peinture traditionnelle, aux limites de la virtuosité et, en conséquence, de la restauration de valeurs picturales désormais étrangères au contexte de l'aventure artistique. Mais ce ne sont certes pas ces tableaux et leurs nombreux épigones qui justifient l'importance du surréalisme. On retiendra plutôt les photogrammes des premiers films de Luis Buñuel et de René Clair, les œuvres photographiques de Man Ray et de Brassai, les inquiétantes sculptures-objets de Giacometti, la prose de Bataille et les vers d'Éluard, les peintures de Miró et de Masson, œuvres toutes admises à faire partie de l'imaginaire collectif contemporain. ■

▲ *Salvador Dali,* La Persistance de la mémoire (Les Montres molles), *1931, musée d'Art moderne, New York. Les cadrans de montres s'affaissant, vidés de toute matérialité, la précision de chaque détail confèrent à l'œuvre un caractère de vision onirique hallucinée.*

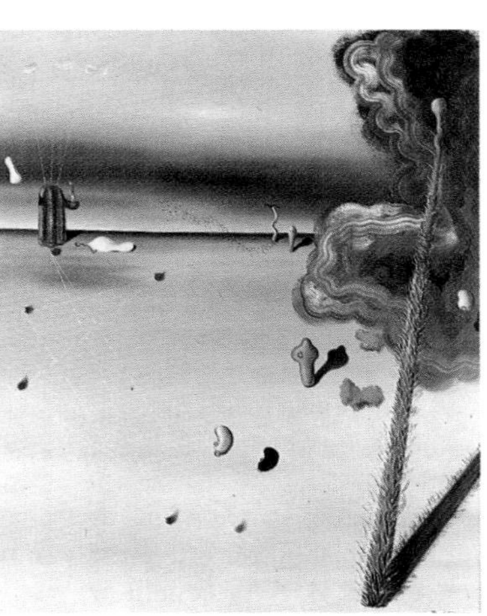

◄ *Yves Tanguy,* Maman, Papa est blessé ! *1927, musée d'Art moderne, New York. L'œuvre de Tanguy se situe en équilibre entre les différentes composantes du groupe surréaliste. Le privilège accordé à l'inconscient, le goût littéraire dans l'intitulé des œuvres, la technique raffinée, la création d'un espace à la fois réaliste et métaphysique, sont présents dans cette toile.*

Raoul Hausmann, Dada, *linogravure, 1918.*

Au nombre des principales caractéristiques de l'expérience dadaïste figure la diffusion de son esthétique par des revues, journaux et manifestes. A cet usage correspond également une nouvelle vision de la mise en page graphique, parallèlement à ce qui se passe chez les futuristes et les constructivistes. Des niveaux les plus élevés aux plus défavorisés de la culture, l'échange est constant.

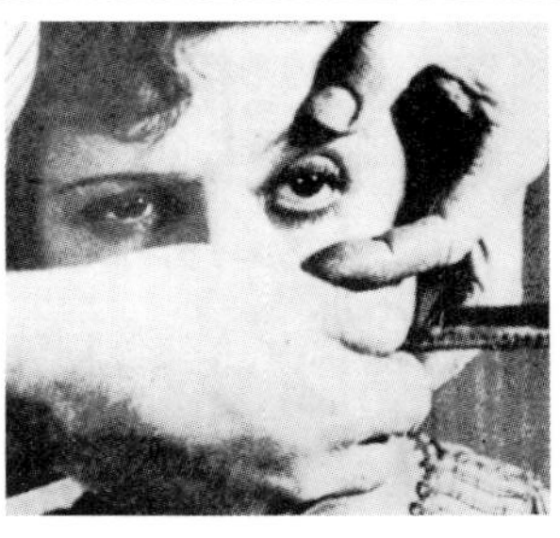

Luis Buñuel et Salvador Dali, *photo d'*Un chien andalou, *1930.*

Au fil du temps, l'œil entaillé est devenu une sorte de manifeste de la poétique surréaliste comme, par ailleurs, toute la production cinématographique de Luis Buñuel. La cruauté du geste ne constitue naturellement pas une fin en soi, mais entre dans un projet de révision totale des canons visuels et, en même temps, matérialise cette notion d'humour noir à la base du surréalisme. Pour ce film, Buñuel a bénéficié de la collaboration de Salvador Dali, comme démonstration d'une conception pluridisciplinaire de la création artistique.

Paul Delvaux, L'Aurore, *détail, 1937, collection Peggy Guggenheim, Venise.*

Paul Delvaux est l'un des principaux représentants de ce surréalisme qui, aux innovations techniques et conceptuelles présentes dans l'esthétique de Breton et de ses compagnons, a préféré utiliser des images oniriques peintes avec une technique et une disposition formelle traditionnelles, caractéristiques qui valent à son œuvre reconnaissance et succès.

Révolution d'Octobre en Russie Traité de Versailles	République de Weimar « Marche sur Rome » : Mussolini au pouvoir	Dictature fasciste en Italie Dictature militaire en Espagne	Krach boursier à New York Grande récession	Guerre civile en Espagne Axe Rome-Berlin	Invasion de la Pologne Seconde Guerre mondiale
S. Freud : *Introduction à la psychanalyse*	H. Rorschach : *Psychodiagnostik*	G. Marconi : communication radiophonique Londres-Sydney	Découverte de la planète Pluton	Débuts de la chimiothérapie	Lumière : cinéma tridimensionnel
F. Poulenc : *Mouvements perpétuels*	E. Satie : *Relâche ; Mercure*	A. Webern : *Symphonie opus 21*	I. Stravinski : *Symphonie de psaumes*	E. Varèse : *Ionisation*	P. Hindemith : *Mathis le peintre*
A. Breton-P. Soupault : *Les Champs magnétiques* L. Aragon : *Feu de joie*	P. Éluard : *Mourir de ne pas mourir* J. Cocteau : *Poésies*	A. Breton : *Nadja* R. Desnos : *La Liberté ou l'Amour*	A. Breton-P. Éluard : *L'Immaculée Conception* J. Cocteau : *Les Enfants terribles*	F. Garcia Lorca : *Noces de sang* R. Char : *Le Marteau sans maître*	A. Breton : *Anthologie de l'humour noir*
Le « Cabaret Voltaire » à Zurich Groupe dada à Cologne	A. Breton : *Manifeste du surréalisme* R. Clair : *Entr'acte*	A. Breton : *Le Surréalisme et la peinture*	Création du musée d'Art moderne de New York	Benjamin : *L'Œuvre d'art à l'époque de sa reproduction technique*	Découverte des grottes de Lascaux C. Chaplin : *Le Dictateur*
M. Duchamp : *Roue de bicyclette* **Man Ray :** *L'Énigme d'Isidore Ducasse*	**M. Ernst :** *L'Éléphant Célèbes* **P. Picasso :** *Trois Femmes à la fontaine*	**A. Masson :** *Les Poissons dessinés sur le sable* **L. Buñuel-S. Dali :** *Un chien andalou*	**S. Dali :** *Persistance de la mémoire* **A. Giacometti :** *La Boule suspendue*	**M. Ernst :** *Une semaine de bonté*	**C. Brancusi :** *Oiseau dans l'espace*
1916-1920	1921-1924	1925-1928	1929-1932	1933-1936	1937-1940

Jean Fautrier, Tête d'otage nº 1, *1943, Museum of Contemporary Art, Los Angeles. La série des* Otages, *prodrome décisif des mouvements informels, naît à la suite d'une expérience réelle vécue par Fautrier, et aussi d'une recherche artistique déjà commencée au cours de la décennie précédente. Le souvenir des corps des résistants fusillés par les nazis sur le mur qui entoure la maison de l'artiste se transforme en images vibrantes de matière et de soudaines illuminations chromatiques, en des masques tragiques d'une vérité nue et cruelle. Le matériel du peintre n'est plus un moyen mais l'essence même de la peinture ; l'élaboration de la forme se lie désormais de façon indissoluble à celle de la matière.*

21 LE DEUXIÈME APRÈS-GUERRE

Bien qu'il soit impossible de superposer de façon mécanique les événements historiques et artistiques sous peine d'un déterminisme qui se vérifie rarement dans les faits, il est certain que la Seconde Guerre mondiale a tracé une inéluctable ligne de partage des eaux dans le développement de l'histoire de l'art de ce siècle. Cela pour une série de raisons assez évidentes, qui méritent néanmoins d'être sommairement recensées. Tout d'abord, la guerre éclate dans une situation culturelle qui avait déjà vu, au cours des années 30, l'émigration de nombreux intellectuels européens vers les États-Unis, entraînant ainsi un enrichissement des connaissances et de nouvelles stimulations pour la culture américaine. Ce phénomène sera suivi, à la fin de la guerre, par l'important déplacement des centres de distribution et de valorisation de l'art des capitales européennes vers les grandes métropoles américaines, New York en tête. D'autre part, la durée et l'extension géographique du conflit, en plus de leurs conséquences économiques et sociales, permettent d'englober sous le terme de « deuxième après-guerre » toute la durée des années 40 et une étendue territoriale qui, probablement pour la première fois dans l'Histoire, implique au même moment la recherche artistique en Europe et dans les pays non européens avancés.

▲ *Jean Dubuffet,* Nœud au chapeau, *1946, Moderna Museet, Stockholm. Dubuffet détruit par l'intérieur la tradition picturale, en en assumant chacun des principes constitutifs pour en renverser le sens.*

Il convient enfin de se rappeler la dimension tragique de ce conflit, dans ses multiples manifestations ; l'aboutissement en sera la bombe atomique, qui va peser sur les consciences les plus éclairées, bien au-delà de l'événement en soi, marquant la fin d'un cycle de l'histoire de l'humanité, en rendant possible la destruction de la planète.

A ces prémices viennent s'ajouter les difficultés naturelles de marché et de capacité matérielle d'agir, ainsi que les enthousiasmes d'après-guerre pour la nouvelle circulation des idées et des connaissances, permises par la réouverture des frontières tant politiques que culturelles. Tel est le panorama aux multiples facettes dans lequel alternent continuité et innovation, ouvertures internationales et défense des traditions locales, drames du présent et projections sur un futur à imaginer et à construire.

Ainsi, dans le domaine des arts figuratifs, à la démarche innovatrice de quelques maîtres

◄ *Hans Hofmann,* Cataclysme, *1945, collection privée. Un des premiers exemples de l'usage du* dripping, *technique fondée sur le principe d'un hasard absolu, où l'action picturale et l'élaboration de la forme trouvent une parfaite coïncidence. Ainsi, la peinture d'Hofmann tente, par cette voie, de se faire l'enregistrement très fidèle des attitudes psychiques autrement incommunicables.*

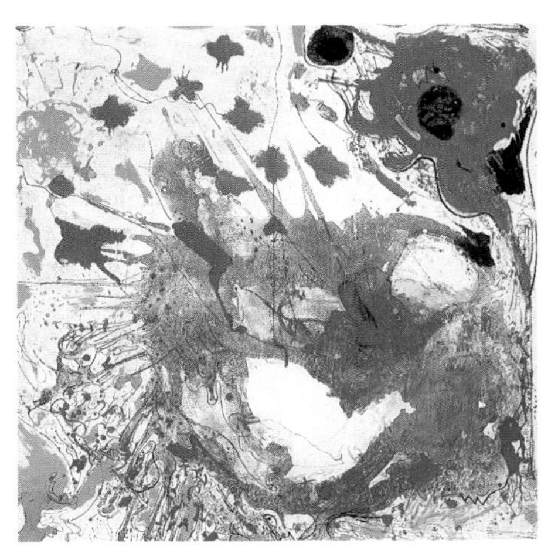

instrument, même brutalement extrait d'un quotidien insignifiant, non revalorisé esthétiquement mais adopté pour affirmer sa nature d'*épave*, la constante référence critique, sarcastique à la réalité environnante indiquent la volonté de Dubuffet de dialoguer avec le monde, de continuer à reconnaître à l'art, ou à sa caricature, le devoir d'agir sur la réalité.

Réunis par ces coïncidences, ne devant rien au hasard, de dates et de lieu d'exposition, Fautrier, Wols et Dubuffet tracent au cours de ces années les voies principales des *esthétiques informelles* à venir et, surtout, atteignent les sommets les plus élevés de chacun de leurs trois parcours, déjà entamés depuis quelques années et destinés à se prolonger (à l'exception de Wols, qui meurt en 1951) au cours des décennies suivantes.

A ceux-ci s'ajoutent, aux États-Unis, les figures d'Arshile Gorky et de Hans Hofmann, pères, pas seulement spirituels, de la génération suivante de l'Action Painting. Pour Gorky, réfugié arménien, 1945 est l'année d'une exposition fondamentale à la galerie Julian Levy de New York. Les tableaux présentés à cette occa-

◆ **Hofmann,** Hans Weissenburg 1880 - New York 1966). Allemand à Paris dans les premières années du siècle, il s'établit aux États-Unis en 1932. Là, il devient un point de référence central pour les jeunes artistes américains, surtout en tant que professeur capable d'apporter une expérience directe de l'histoire de l'abstrait et du surréalisme européens.

◆ **Tobey,** Mark (Centerville, 1890 - Bâle 1976). La première exposition personnelle de Tobey a lieu dès 1917 chez Knoedler, à New York, mais c'est dans les années qui suivent, par des contacts répétés avec la culture orientale, que sa recherche prend son autonomie. Après avoir été initié aux fondements de la religion bahai et avoir rencontré en 1922, à Seattle, le peintre chinois Teng Kuei, il accomplit en 1926 une série de voyages en Europe et en Orient, puis en Chine et au Japon en 1934, où il passe même un mois dans un monastère zen à Kyoto. Tobey influence de manière décisive les recherches sur le signe qui se développent en Europe et aux États-Unis.

◆ **Wols,** Otto Wolfgang Schulze, dit (Berlin 1913 - Paris 1951). Figure typique de l'intellectuel « maudit », Wols s'établit en 1932 à Paris, où il fréquente le milieu surréaliste et entreprend une activité de photographe, à laquelle il ajoute celle plus privée de peintre, se consacrant tout particulièrement à l'aquarelle. C'est précisément avec cette technique de l'aquarelle que Wols atteint ses meilleurs résultats.

▼ *Mark Tobey,* Idiome esquimau, *1946, Art Museum, Seattle. Un long périple parmi les diverses cultures extra-occidentales amène Tobey à élaborer un alphabet de signes saturant la surface.*

▼ *Lucio Fontana,* Concept
▼ spatial avec lumière noire, *1949, archives Fontana, Milan. Le geste sort de la toile pour se faire mouvement lumineux dans l'espace, en en modifiant radicalement la perception habituelle. Fontana anticipe ici les futures recherches « spatiales » qui joueront un rôle déterminant dans l'art des années 60.*

◄ *Renato Guttuso,* Crucifixion, *1940-1941, collection Guttuso, Rome. Une des périodes les plus significatives de Guttuso, cherchant à conjuguer l'engagement dans les débats de la société et un langage artistique en équilibre entre tradition et innovation. Son réalisme prend ici une forte valeur symbolique.*

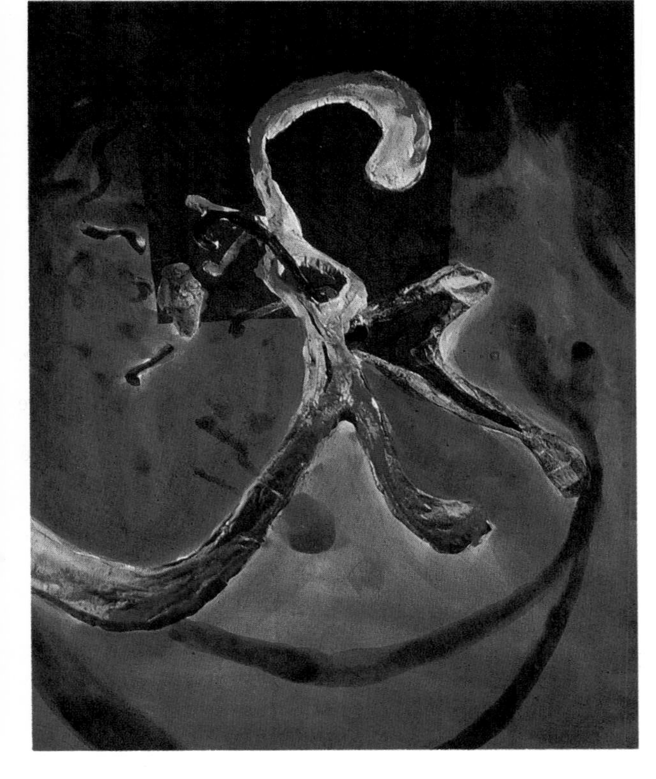

sion témoignent de l'affranchissement de l'influence de Picasso présente dans son œuvre jusqu'au début des années 40, et de sa nouvelle relecture personnelle de l'automatisme surréaliste, dans le but de rendre le processus de vision de la réalité comme processus de transformation organique des formes élaborée par l'inconscient.

Plus âgé, Hofmann joue un rôle déterminant comme enseignant dans une école d'art qu'il a fondée, et comme l'un des premiers artistes à avoir adopté de façon méthodique la technique du dripping, évolution extrême des « germes » contenus dans la révolution linguistique entreprise par le surréalisme. C'est également au cours de ces années que Mark Tobey atteint sa pleine maturité, avec ses écritures de signes proliférant sur la surface, aux échos orientaux, tournant une nouvelle page de la recherche picturale, centrée sur les valeurs expressives autonomes du signe.

A ce panorama répond, en Europe, un climat encore en formation, qui voit les premières germinations de l'art informel espagnol dans le groupe Dau al Set animé par le jeune Antoni Tápies (1947) et, au nord, du néo-expressionnisme exaspéré du groupe Cobra (1948). En Italie aussi, le climat est marqué par de grands débats, d'importantes prises de conscience, bien plus que par des résultats tangibles, le cas du groupe romain Forma est symptomatique : constitué en

▼ *Osvaldo Licini,* Amalassunta sur fond cinabre, *1949, collection privée, Milan. La réinvention de la réalité en termes lyrico-magiques, exaltée par une chromie antique, tradition séculaire.*

▼ *Henri Matisse,* La Nageuse dans l'aquarium (*maquette pour* Jazz), vers 1944, collection privée. Aboutissement de la synthèse de Matisse sur les formes et couleurs, qui donne au papier collé valeur décorative.

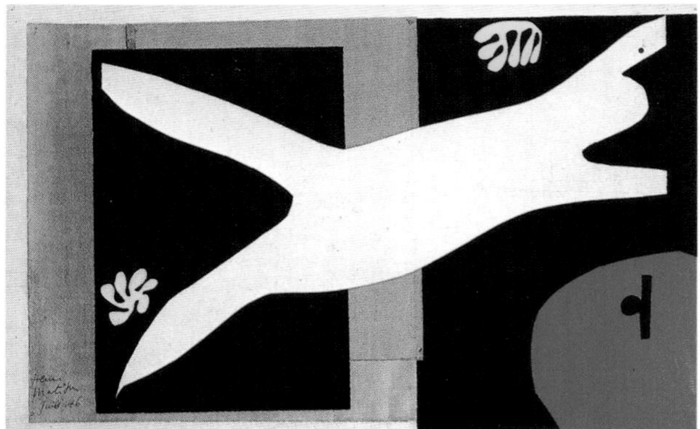

1947 par ceux qui figureront parmi les acteurs des expériences artistiques des années 50, d'Accardi à Dorazio et à Turcato, assurément plus avancés à cette époque dans les formulations théoriques que dans les œuvres, celles-ci restant pour la plupart marquées par une abstraction héritée du passé. Ce sont d'ailleurs les polémiques entre abstraits et figuratifs, éclatant de manière retentissante en 1947, avec le célèbre éreintement par Togliatti de tout ce qui ne répond pas aux règles d'un réalisme incarné par l'œuvre de Renato Guttuso, qui attardent l'art italien en une interminable et stérile diatribe s'attachant, plus qu'aux résultats eux-mêmes, à leurs valeurs idéologiques et formelles.

Il s'agit donc d'années de transition pour de nombreux artistes, des très jeunes représentants de Forma aux protagonistes de l'École romaine (dont Guttuso), ou de Corrente, destinées à actualiser le langage sur les positions d'un néocubisme à peine redécouvert, jusqu'aux abstraits du Movimento Arte Concreta (1948). En ce qui concerne les œuvres italiennes de cette période, les plus significatives demeurent celles réalisées par des artistes déjà actifs avant la guerre, et désormais disposés à s'engager sur de nouvelles voies, avec la solidité d'un répertoire linguistique et formel à présent dominé, comme le montrent les cas exemplaires de De Pisis, Licini, Morandi et, surtout, Fontana. Acteur d'un des événements parmi les plus complexes et fascinants du siècle, Fontana mûrit, dans l'immédiat après-guerre, les premières expériences, déjà accomplies, dans le domaine de ce spatialisme dont il s'est fait le théoricien avec le *Manifeste blanc* de 1946.

L'environnement de lumières au néon réalisé à la galerie du Naviglio de Milan, en 1949, transforme visuellement et psychologiquement l'espace de la galerie par un dépassement radical des frontières traditionnelles entre peinture et sculpture. La pratique artistique est conçue comme pure extension physique et conceptuelle de l'espace. A de telles intentions répondent les *Concepts spatiaux*, les téléviseurs troués que Fontana commence à réaliser dans les mêmes années, contribuant à élever la culture italienne, d'une situation apparemment dispersée, à une position prééminente dans le panorama artistique contemporain. ■

Roberto Matta, Les Dryades, *détail, 1941, collection Peggy Guggenheim, Venise.*

Matta représente un cas typique de confluence des racines surréalistes et des arts informels. Du surréalisme, il reste chez Matta le noyau figuratif traduit par une vision onirique. Aux esthétiques suivantes, l'artiste offre une narrativité libérée des exigences descriptives, en une fluidité du signe libre et épurée.

Otto Wols, Composition, *1947-1948, collection Didisheim, Lausanne.*

Wols saisit l'image au moment de sa naissance, de la constitution d'une réalité psychique et physique en forme picturale. L'image ne s'achève jamais, s'impose comme fragment, accompli en soi, d'une plus vaste interrogation lyrique sur le monde. Le devenir de la forme coïncide avec le devenir du signe, avec la succession des actions infimes du peintre sur la surface. Ce n'est pas un hasard si l'une des œuvres les plus célèbres de l'artiste s'intitule Le Bateau ivre, *hommage explicite à Rimbaud.*

Giorgio Morandi, Nature morte, *1950, Galleria Civica d'Arte Moderna, Turin.*

L'incessante exploration de Morandi autour de la consistance perceptive de l'objet trouve son motif central dans le thème des « bouteilles », repris à différentes phases de sa recherche. La fusion du fond et du sujet, les infimes variations de tonalités présentes dans ce dossier caractérisent parfaitement cette période du parcours de Morandi.

Seconde Guerre mondiale	Capitulation de l'Italie Débarquement en Normandie	Conférence de Yalta Capitulation allemande	Plan Marshall Première guerre israélo-arabe	Naissance du Conseil de l'Europe Fondation de l'OTAN	Convention de Bonn (seule Berlin reste occupée)
G. A. Gamow : théorie du « big bang » W. von Braun : missiles V2	S. A. Waksman : streptomycine Pile à uranium	Bombe atomique sur Hiroshima Commissariat à l'énergie atomique en France	Télescope de l'observatoire du mont Palomar (É-U) Microsillon, transistor	A. Einstein : théorie de l'expansion de l'univers Première bombe à hydrogène	E. Fermi : *Physique nucléaire* T. Parsons : *Le Système social*
B. Britten : *Sinfonia da Requiem*	O. Messiaen : *Vingt Regards sur l'Enfant Jésus*	C. Parker, D. Gillespie, R. Russel, M. Roach : *Ko-Ko*	I. Stravinski : *Orphée*	A. Honneger : *Symphonie n° 5*	L. Nono : *Polifonica-monodica-ritmica*
Buzzati, Koestler, Hemingway, Camus, Greene, Brecht, Bachelard	Andric, Bataille, Hesse, Borges, Sartre, Anouilh, Saint-Exupéry	Pound, Buzzati, Prévert, Thomas, Orwell	Moravia, Mann, Beauvoir, Mailer, Calvino	Miller, Pavese, Ionesco, Lévi-Strauss	Yourcenar, Steinbeck, Kawabata
		Cinéma néoréaliste italien	Découverte des manuscrits de la mer Morte	J. Dubuffet : *L'Art brut préféré aux arts culturels*	J. Beck fonde le Living Theatre Le Corbusier : « Unité d'habitation » à Marseille
R. Guttuso : *La Crucifixion*	**J. Fautrier :** *Otages* **J. Dubuffet :** *Femme épinglant ses cheveux*	**J. Dubuffet :** *L'Homme au chapeau bleu* **O. Wols :** *Composition V*	**G. Morandi :** *Nature morte*	**L. Fontana :** *Milieu spatial à la lumière noire* **A. Gorky :** *Agonie*	**E. Vedova :** *Barrage* **C. Still :** *Peinture*
1940-1942	1943-1944	1945-1946	1947-1948	1949-1950	1951-1952

Willem De Kooning, Femme, I, *1950-1952, musée d'Art moderne, New York. Le mouvement américain de l'*Action Painting *constitue le fer de lance de cette vaste tendance internationale qui sera ensuite appelée* art informel. *Férocement iconoclaste, la peinture de De Kooning représente un chapitre fondamental de la composante outre-Atlantique. Ses œuvres présentent très souvent des visages aux traits figuratifs ambigus, comme des traces oniriques ou encore mnémoniques de pulsions incontrôlées, en partie inconscientes, déformées par la grande violence expressionniste de la technique* (dripping) *qui les envahit et les agresse.*

22 L'ART INFORMEL

Dans l'immédiat après-guerre, l'esprit de l'avant-garde s'impose à New York, impliquant tout le devant de la scène artistique. Il y avait eu des précédents notoires, entre 1910 et 1945, avec l'immigration progressive d'intellectuels européens (Duchamp, Masson, Kandinsky, Mondrian, Albers ou Moholy-Nagy) qui avait enrichi un milieu tout à fait disposé – étant donné le développement économique et social – à accueillir les principes du « modernisme ». Ainsi, de nombreux artistes américains (Man Ray, Alfred Stieglitz, Mark Tobey, Arshile Gorky) avaient reçu de la façon la plus positive les propositions dada, surréalistes et d'abstraction contribuant, à leur tour, à préparer la pleine floraison d'une avant-garde américaine. Celle-ci, comme il a déjà été dit, n'éclôt qu'après la fin de la guerre, alors que l'étiquette générale d'expressionnisme abstrait réunit à New York deux importants courants picturaux. Il peut sembler difficile de les distinguer, car la frontière qui les sépare les réunit en même temps, faisant en quelque sorte fonction de zone intermédiaire de transfert osmotique presque imperceptible.

◄ *Mark Rothko,* Numéro 10, *1950, musée d'Art moderne, New York. L'expressionnisme américain des années 50 comprend également une composante plus ouvertement abstraite, éloignée de la violence du* dripping *informel, mais elle aussi animée par l'idée d'une « peinture d'action » donnant alors la parole à la réalité profonde de la psyché.*

▼ *Barnett Newman,* Vir Heroicus Sublimis, *1950-1951, musée d'Art moderne, New York.*

Une des deux composantes de cette situation se révèle plus conforme aux principes de l'art abstrait historique. Ses modèles sont les œuvres de Malevitch, Matisse, Mondrian et Kandinsky. Mais il faut, par ailleurs, rappeler que des artistes comme Barnett Newman, Ad Reinhardt, Mark Rothko, Clyfford Still poursuivent, chacun à sa manière, un idéal de peinture absolue qui n'a d'équivalent à aucun autre moment de l'histoire de l'art et semblent animés par la réaction la plus radicale à l'empreinte pragmatique de la culture de leur pays. Dans leurs œuvres, l'image se fait événement rituel, magique, sacré ; et, en reprenant des paramètres de type ésotérique, elle veut agir psychologiquement au moyen des mêmes prérogatives qui animent, par exemple, les représentations de la mythologie asiatique. Nous sommes donc confrontés au paradoxe d'un art qui devient métaphysique, se dématérialise, tente d'être pur concept, idée de l'absolu, et pourtant produit de cette façon le maximum de l'objectalité picturale, réduisant nécessairement le tableau aux éléments minimaux de sa structure : la toile, le châssis, la forme rectangulaire ou géométrique des bords, le chromatisme simplifié. Par rapport au

suprématisme de Malevitch et au néoplasticisme hollandais, l'idée même de « forme » manque, ou en tout cas se réduit jusqu'à ne plus être, dans la meilleure des hypothèses, que la rencontre de deux ou trois couleurs, cantonnées en larges zones sur la surface et dépourvues la plupart du temps de références spatiales définies.
L'autre tendance est représentée par l'Action Painting, dont les protagonistes (Pollock, Kline, De Kooning, Guston, Francis, Gottlieb), souvent proches biographiquement et parfois « solidaires » de leurs contemporains dont nous venons de parler, montrent pourtant une indifférence globale pour l'art abstrait européen et déséquilibrent ainsi une fois pour toutes la distinction naïve entre art abstrait et art figuratif. L'Action Painting tire en effet le meilleur parti du concept central du surréalisme, ou plutôt de la définition d'*automatisme* élaborée par Breton en 1924 et 1929. Utilisant les découvertes de la psychanalyse, l'automatisme psychique établit un rapport direct entre l'inconscient et le geste créatif, encourageant la libre expression sans contrôle éthique et esthétique, ou l'activation, à des fins artistiques, de latences et de pulsions indemnes de filtrage culturel.
Dans la peinture informelle, et dans l'Action Painting en particulier, c'est la matière picturale en soi, prise en tant qu'instance non rationnelle, comme matière non encore transformée en langage, qui se fait le véhicule d'un contenu intérieur qui, parallèlement, n'est pas encore, ne pourra jamais être disposé selon des structures logiques et discursives : puisqu'une délimitation exacte, le rendant conscient, le détruirait. Cela explique le recours à des techniques qui favorisent l'intervention du hasard, dans les œuvres de Pollock, par exemple, réali-

L'automatisme psychique

Jackson Pollock, Numéro 12, *1952, collection Nelson A. Rockefeller, New York. L'art informel, considéré en tant qu'expression immédiate des strates les plus profondes du moi, répond à la volonté d'abolir le contrôle rationnel que le sujet exerce sur sa propre main quand il exécute un tableau* (gestualisme). *A l'origine de ces préceptes se trouve le concept d'« écriture automatique », dont Breton s'était fait le théoricien dans les années 20, et que les surréalistes avaient appliqué partiellement et avec des résultats médiocres. Pour Breton, l'art doit être « pur automatisme psychique par lequel on se propose d'exprimer oralement, par écrit ou par tout autre moyen le fonctionnement réel de la psyché, c'est-à-dire la dictée de la pensée, en l'absence de tout contrôle exercé par la raison, en dehors de toute préoccupation esthétique ou morale. »* (Manifeste du surréalisme, *1924). L'idée que la psyché (la pensée) puisse « dicter » sa propre vérité, quand le sujet évite de se soumettre aux censures socio-culturelles, légitime l'état de transe requis pendant la réalisation de l'œuvre informelle.*

LES PROTAGONISTES

◆ **Bacon,** Francis (Dublin 1909). Lorsqu'il s'installe à Londres, en 1925, il débute comme décorateur et illustrateur. Ce n'est qu'après 1945 qu'il s'oriente vers une peinture sociale, alimentée par un puissant esprit polémique, qui l'amène à déformer de façon agressive les images figuratives (surtout des portraits).

◆ **Burri,** Alberto (Città di Castello 1915). Après quelques années d'activité professionnelle, il renonce à la médecine pour se consacrer entièrement à la peinture. En 1952, les œuvres de Burri s'imposent à l'attention générale par la force expressive des solutions fondées sur des matériaux hétérogènes et très inhabituels. En dépit du caractère tout à fait révolutionnaire de sa recherche, il reste lié aux valeurs de la culture paysanne et populaire italienne.

◆ **De Kooning,** Willem (Rotterdam 1904). D'origine hollandaise, il s'installe

▼ *Willem De Kooning,* Porte sur la rivière, *1960, Whitney Museum of American Art, New York. Œuvre stupéfiante d'intensité émotive et de précision formelle. L'auteur a presque réussi à synthétiser deux exigences contradictoires, démontrant ainsi le très haut niveau technique et linguistique de sa peinture.*

Jackson Pollock, Lucifer, *détail, 1947, collection Hazen, New York. Le* dripping *(littéralement « éclaboussement, dégoulinade ») trouve en Pollock son adepte le plus assidu et le plus heureux. Cette technique consiste à laisser la matière chromatique tomber sur la toile, de façon libre et presque aléatoire ou par des contrôles et des équilibres inhabituels.*

sées dans des conditions psychologiques de vitalité effrénée. Grâce à ces conditions, la main, le bras, le corps tout entier de l'artiste « oublient » de dépendre de la volonté et de l'esprit, et se libèrent dans une sorte de fureur sacrée oublieuse de tout décor, de toute norme de composition, de toute esthétique. La qualité des résultats souvent obtenus n'enlève rien à cette singulière révélation du chaos. Dans sa phase la plus audacieuse (de 1947 à 1952), Pollock vit la peinture comme une sorte de corps à corps entre lui et la surface à peindre : la technique du dripping (qui remonte à certaines expériences de Max Ernst) lui offre la possibilité de violenter la toile, d'exploiter les éclaboussures, les taches obtenues par hasard... Au départ, le tableau est posé sur le sol, puis recouvert de vernis liquides, et placé à la verticale pour permettre à la force de gravité de créer des

à New York en 1926. Dans les années 30, il exécute des œuvres abstraites et figuratives, peu préoccupé par la cohérence de son style. Après la guerre, son expressionnisme devient un des points de référence de l'art informel ; et les précédentes oscillations de son art ne disparaissent pas, mais contribuent au contraire à établir l'originalité de son œuvre.

◆ **Hartung,** Hans (Leipzig 1904). Très jeune, il s'intéresse déjà à la peinture expressionniste dans sa version la plus anarchique et déréglée (Nolde, Kirchner). En 1935, il s'établit à Paris et travaille sur les notions de gestualité libre et de langage de l'inconscient. Dans les années 50, au contact du nouveau climat international, son art atteint l'équilibre de la pleine maturité.

◆ **Kline,** Franz (Wilkes-Barre 1910 - New York 1962). Après ses études à l'université de Boston et à Londres, il expose ses premières œuvres gestuelles à New York en 1950. Celles-ci, par leurs larges et très rapides touches de couleur noire sur fond blanc, révèlent deux principales composantes : la calligraphie des idéogrammes orientaux et l'automastisme surréaliste.

◆ **Leoncillo,** Leoncillo Leonardi, dit (Spolète 1915 - Rome 1968). De 1939 à 1942, il dirige une fabrique de faïences, tout en perfectionnant sa technique de sculpteur et de céramiste, et arrive en 1944-1945 aux premiers résultats notables. A partir du milieu de la décennie suivante, il s'attache à l'art informel avec une qualité poétique très élevée.

▼ *Sam Francis,* Moby Dick, *1958, collection Bartos, New York. Auteur de tableaux puissants, Sam Francis se livre à une peinture moins fébrile et moins violente que celle de Pollock.*

▼ *Robert Motherwell,* ▼ Personnage (autoportrait), *1943, collection Peggy Guggenheim, Venise. Motherwell est l'un des premiers Américains à s'être inspirés de l'automatisme psychique des surréalistes.*

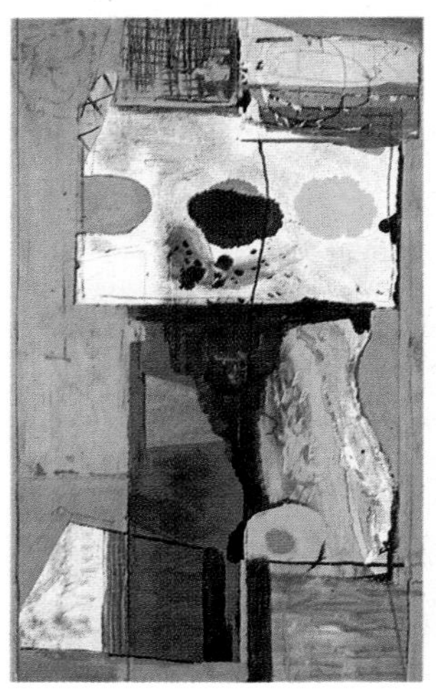

non-formes imprévisibles ; ou bien le peintre laisse dégouliner sur la toile la couleur d'une boîte trouée intentionnellement. Il s'agit d'une interprétation moderne de l'idée romantique de l'inspiration, étant donné que l'œuvre ne peut être obtenue qu'à partir d'une sorte d'« état de grâce ». Nous nous trouvons face à une nouvelle poétique de l'authenticité, qui demande la participation « totale » de l'artiste au geste qu'il accomplit ; un expressionnisme effréné, capable d'évoquer des violences ancestrales, et d'impliquer les nerfs et les muscles, le corps et l'esprit, la pensée et les viscères, en en retrouvant l'unité profonde dans un rectangle tourmenté d'enchevêtrements et de grumeaux palpitants qui ne sont rien d'autre, en fait, que l'écran sur lequel se projettent les incurables lacérations du moi contemporain. Dans un certain sens, l'art informel des années 50 recueille l'héritage d'une grande partie de l'avant-garde historique : conjuguant des indications du groupe allemand de la Brücke, du primitivisme du début du siècle, du dadaïsme et du surréalisme, du Blaue Reiter et du fauvisme. Cette peinture se proclame « abstraite », mais elle n'est pas tout à fait inconciliable avec les images du monde réel (même déformées), comme en témoignent certaines œuvres de Willem De Kooning, dans lesquelles la gestualité semble demander un substrat figura-

◆ **Motherwell,** Robert (Aberdeen, Washington 1915). Il rejoint en 1948 l'école The Subjects of the Artists, qui rassemble à New York une grande partie de la jeune avant-garde (Newman, Rothko, Baziotes). Bien que se mouvant dans le domaine de l'abstraction, il ne dédaigne pas l'utilisation de formes oniriques ambiguës, assez structurées, qui paraissent vouloir se réclamer des tableaux surréalistes de Masson et de Miró.

◆ **Newman,** Barnett (New York 1905-1970). Il représente, après Ad Reinhardt, le pôle le plus rigoureusement abstrait de tout l'expressionnisme américain. Dès le début des années 40, il élabore en effet une conception néomystique de la surface picturale, envisagée comme le réceptacle d'instances psychologiques et linguistiques non traduisibles autrement.

◆ **Pollock,** Jackson (Cody, Wyoming 1912 - Long Island 1956). En 1929, il s'installe à New York, où il subit, tout d'abord, l'influence de la peinture mexicaine, puis du surréalisme et du cubisme. Vers 1940, il commence à donner libre cours, dans ses toiles, à ses impulsions irrationnelles, évoluant vers un gestualisme qui aboutit au dripping des œuvres réalisées après 1946. Il meurt en 1956, en pleine maturité créatrice, dans un accident d'automobile.

◆ **Riopelle,** Jean-Paul (Montréal 1923). Il fonde en 1940 le groupe Automatisme, inspiré des théories de Breton. A Paris à partir de 1947, il adhère au tachisme, le principal courant français d'art informel, dont il offre une interprétation

▼ *Franz Kline,* Chiffre Huit, *1952, collection Rubin, New York. Il y a chez Kline une recherche de l'essentialité du geste pictural (à laquelle répond, sur la toile, la monochromie), envisagé comme moment mystique d'« examen » de la conscience. Dans ce sens, il est donc possible de rapprocher son œuvre de certaines expériences orientales d'autoanalyse philosophique.*

tif sur lequel s'acharner : en général un corps humain, nu féminin ou autre, capable de dialoguer, semblerait-il, avec le psychisme de celui qui l'a réalisé sur la toile, et de déclencher les mouvements inconscients qui en provoqueront la défiguration. Chez Franz Kline, en revanche, le geste est toujours ample, ouvert, accompli à bras déployé, presque schématique dans sa monochromie de lignes noires sur fond blanc, et néanmoins intense et tragique, contenu dans sa frémissante précision, comparable en cela au coup de pinceau orageux et caustique de l'Européen Hans Hartung. A partir de 1950, le rapport entre l'Europe et les États-Unis semble s'inverser, les artistes américains commençant à influencer la peinture française, italienne, espagnole, allemande et belge. La norme de la priorité chronologique américaine n'est cependant pas absolue : Jean Fautrier agit vers 1930 sur les mêmes trames, ce qui fera de lui (à juste titre) un des maîtres de l'art informel. Sa position est alors et demeure par la suite celle d'un artiste isolé, se consacrant entièrement à approfondir un véritable cauchemar d'agrégations perceptives et d'immersions maniaques dans le langage. En Europe, la tendance gestuelle montre un caractère plus mo-

Clyfford Still, Peinture, *1951, musée d'Art moderne, New York. L'expressionnisme de Clyfford Still tire profit d'un gestualisme ample et solennel, assez éloigné de l'échelle humaine. Son approche de l'image presque « religieuse » fait contrepoint à la froideur des bandes et des « déchirures » de couleurs, distribuées sciemment en fonction de l'effet qu'il veut atteindre.*

assez personnelle, procédant par solides constructions de tesselles chromatiques élaborées au couteau.

◆ **Rothko,** Mark (Dvinsk 1903 - New York 1970). Il quitte la Lettonie pour s'installer à New York en 1913. Dans les années 20, il découvre la peinture de Matisse, et aussi les théories surréalistes. Son art abstrait, à partir de 1945, concilie le goût pour la couleur des maîtres européens avec toutes les exigences d'expressivité gestuelle des représentants américains de l'Action Painting.

◆ **Staël,** Nicolas de (Saint-Pétersbourg 1914 - Antibes 1955). Il entre à l'Académie de Bruxelles en 1932, puis s'établit en France en 1938. Sa peinture est construite par amples surfaces de couleur et elle se révèle liée à l'expressionnisme allemand et belge, à la tradition française du XIXᵉ, du matiérisme de Courbet à celui de Cézanne.

◆ **Vedova,** Emilio (Venise 1919). En 1952, il aborde une gestualité qui tient beaucoup des expériences allemandes (Hartung et Wols) et du dripping de Pollock et de Kline. Son œuvre est chargé de sens dramatique et a le mérite de s'être renouvelé au cours des années 60, avec les environnements picturaux (*Plurimi*) qui ne trahissent pas les principes de l'art informel.

▼ *Hans Hartung,* Peinture, *1958, collection privée. Le* tachisme *est, en France, la principale interprétation de l'art informel. Cette peinture de « taches », primant sur le geste et la matière, où l'impulsion créative effrénée se répand en une négation de la forme, affirme l'impossible contrôle rationnel du moi profond.*

déré et réflexif que celui de l'Action Painting d'outre-Atlantique. C'est d'ailleurs à partir de ce constat que le critique français M. Tapié forge la définition de l'art informel qui, en évitant le concept américain d'action, souligne la résultante de cette dernière : l'abolition de la forme. Les toiles de Wols (Wolfgang Schulze) et de Hartung, pour ne citer que deux de ses pères spirituels, se révèlent souvent attentivement calibrées, même si chez Wols, qui arrive à l'expressionnisme abstrait, après le traumatisme de la réclusion dans un camp de concentration, le signe apparaît comme une griffure, parfois enragée. L'« écriture » ample et essentielle de Hartung se réclame, en revanche, de la tradition orientale de la calligraphie qui, redécouverte alors, exerce une influence notable sur les expérimentations de l'avant-garde européenne : on en trouve la trace chez des artistes tels que Pierre Soulages et Georges Mathieu. En Italie, le gestualisme connaît des résultats significatifs avec Emilio Vedova, qui présuppose une idée d'implication psychique proche, par certains côtés, de celle des Américains, proche également de quelques « spatialistes » comme Crippa et Peverelli, ou encore, dans une certaine mesure, des travaux de Scanavino et de Santomaso. Plus souvent, l'esthétique du geste s'unit à celle de la matière, comme dans l'œuvre de Afro, Moreni, Birolli, Scialoja, Bendini. La peinture gestuelle trouve aussi des applications dans un domaine qui ne dédaigne pas l'image figurative : dans les tableaux de l'Irlandais Francis Bacon, par exemple, interprète extrêmement original d'un style qui se situe entre expressionnisme et pop art et qui, sous certains aspects, anticipe la « photographie informelle » de l'Autrichien Arnulf Reiner.

▼ *Emilio Vedova,* Image du temps (Barrage), *1951, collection Peggy Guggenheim, Venise. L'« environnement angoissant » sur lequel se fonde ce tableau est exploré par Vedova pour cerner la dimension authentique de l'expérience intérieure, opposée à l'espace rationnel de la réalité quotidienne. On peut ici remarquer les angles tranchants, produits par le mouvement violent du geste, avec des coups de pinceau nerveux et rapides changeant brusquement de direction.*

En dehors du cas de Fautrier (archétype de l'existentialisme pictural avec des œuvres centrées sur des caillots de matière), des auteurs d'une force expressive considérable s'affirment : Georges Sécan, proche des manières américaines,

Jean-Paul Riopelle, Rencontre, *1956, Wallraf-Richartz Museum, Cologne. Non dépourvue de qualités décoratives, la surface des tableaux de Riopelle est recouverte de lourdes couches de couleurs pures : comme une « paroi » rythmique et géométrique, constituée d'un très surprenant ensemble de petites touches de matière appliquées au couteau.*

▼ *Nicolas de Staël,* Agrigente, *1953, collection Henie, Oslo. L'art informel européen connaît des expériences d'équilibre syntaxique insolite dans les œuvres d'artistes comme Nicolas de Staël, créateur de structures colorées qui sont à la fois des paysages de la réalité, de la mémoire et de l'âme.*

Jean-Paul Riopelle, d'origine canadienne, qui travaille sur des mosaïques d'innombrables plaques de pâte colorée. Et Nicolas de Staël, qui peint par zones denses, chargées de substance chromatique, et – se maintenant dans un équilibre difficile entre l'image figurative et sa négation – atteint presque toujours des sommets d'un lyrisme et d'une intensité surprenants. Autre figure essentielle, l'Espagnol Antoni Tápies, proche, seulement en apparence, de l'Italien Burri.

▼ *Antoni Tápies,* Grande Peinture, *1958, Salomon R. Guggenheim Museum, New York. La forte présence de la matière dans l'œuvre d'Antoni Tápies donne une peinture dont la capacité expressive tient plus à son épaisseur (à la limite de la sculpture) qu'à la représentation.*

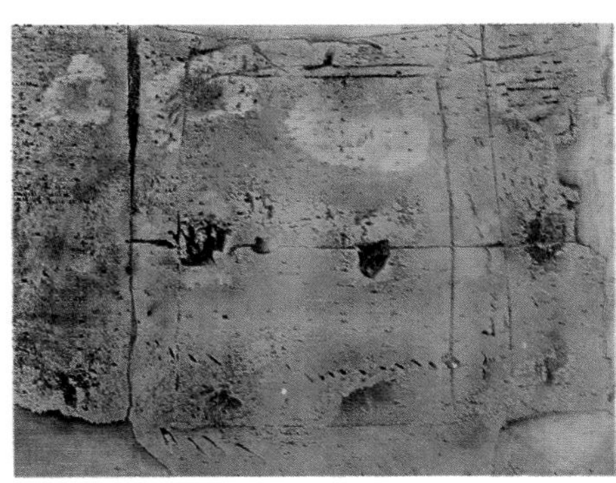

Dans sa peinture, comme l'écrit Dora Vallier, se réalise une sorte de trompe-l'œil de la matière, allant jusqu'au paradoxe de s'« imiter » elle-même. Dans le domaine italien, il faut citer le travail d'Ennio Morlotti, protagoniste d'un courant naturaliste-informel à partir duquel le critique Francesco Arcangeli a dressé la théorie du lien de continuité entre les esthétiques romantiques et la peinture du deuxième après-guerre. A ce groupe, qui n'existe que peu d'années, appartiennent Pompilio Mandelli, Sergio Vacchi et Vasco Bendini.
Parmi les rares exemples de sculpteurs informels, on peut citer Leoncillo (Leonardi), qui, avec ses œuvres en céramique et terre cuite, manifeste une adhésion inconditionnelle au sens mystérieux de la matière brute. Parfois complètement déconceptualisée, la « forme » de ses sculptures est celle d'une ancienne coulée de lave, dont la bichromie éteinte semble plutôt le produit chimique d'agents naturels que le résul-

► *Francis Bacon,* Étude d'après le portrait du pape Innocent X par Velázquez, *1953, collection Burden, New York. L'Irlandais Bacon poursuit un idéal de l'art conçu comme instrument de critique sociale et de réflexion philosophique existentialiste. Bien qu'assez différent stylistiquement, son œuvre peut être rapproché, par les procédés qu'il utilise, de celui de Willem De Kooning.*

expérimentation active et concrète de nouveaux matériaux, hétérogènes entre eux et étrangers au bagage technique traditionnel du peintre ou du sculpteur. Ces matériaux sont déjà en eux-mêmes (avant d'être « mis en œuvre ») riches de contenu psychologique, existentiel, culturel : métaphores brutes de leur histoire terrestre, ils véhiculent la douleur, la passion, la misère qu'ils ont traversées et qu'ils reversent généreusement dans l'espace de représentation. Là,

► *Alberto Burri,* Fer, *1958, palais Citterio, Milan. Moins connus que ses* Sacs *et* Plastiques, *les* Fers *de Burri sont l'une des inventions les plus importantes de l'expérimentalisme informel, fondé sur la conviction d'une valeur linguistique de la matière en soi.*

tat d'un artifice ; ailleurs, l'artiste reprend des thèmes classiques de l'iconographie religieuse et les transpose dans la révélation charnelle et directe d'une pure présence corporelle, atteignant souvent des niveaux d'une intensité dramatique, comparables à ceux de la peinture de Soutine.

Les représentants de ce que l'on pourrait nommer la « composante hérétique » de l'art informel sont les artistes qui, sur la base d'expériences toujours différentes, ouvrent la voie aux recherches des années 60 : Lucio Fontana, Alberto Burri, Yves Klein, Pinot Gallizio, les « situationnistes » et le groupe international Cobra (Copenhague, Bruxelles, Amsterdam). Ils ont en commun le besoin d'un franchissement de l'œuvre hors de l'espace de la réalité, ou bien le refus du cadre comme lieu fermé et indépendant, comme dimension « autre » et inutilisable sur le plan du vécu social et individuel. Le travail de Burri, par exemple, est dicté par la ferme conviction qu'un intérêt authentique pour l'expressivité de la matière ne peut être appliqué, si ce n'est par une ils sont modifiés, leur signification revue, réagissant au contact de la lecture émotive qu'en offre la sensibilité de l'artiste. Ce sont donc les métaux, les matières plastiques, les bois, les sacs, les draps usés, sales, abîmés, brûlés, rapiécés et recousus avec des cordes, qui se disposent (comme pour une solennelle déclaration du vécu qui les a créés) entre les limites du cadre ; le tableau devient un « suaire » laïc et humain, un lieu de mémoire, un théâtre rituel où est célébré le sacrifice répété de la vie. ■

Arshile Gorky, Les Fiançailles II, *1947, Whitney Museum of American Art, New York.*

Aux origines de l'avant-garde américaine de l'après-guerre se trouvent des peintres comme Mark Tobey et Arshile Gorky, dont l'œuvre montre un rapport certain avec la peinture surréaliste. Plus que d'« écriture automatique » (comme ce sera le cas chez Pollock et chez Kline), il s'agit ici d'une nouvelle application de cette pensée onirique déjà présente, par exemple, chez Miró et Matta.

Pierre Soulages, Peinture, *1953, collection privée.*

Un aspect caractéristique de l'art informel européen réside dans le gestualisme contrôlé (et dans une certaine mesure « élégant ») que l'on trouve chez des artistes comme Pierre Soulages, Hans Hartung, Georges Mathieu, Nicolas de Staël. Sur leurs toiles, l'idée d'une action qui exprime de la façon la plus directe la pensée intime s'unit à des exigences esthétiques – souvent inconscientes et, de toute façon, « naturelles » en Europe – que la culture américaine néglige.

Leoncillo, Saint Sébastien, *1961, collection Sargentini, Rome.*

Rare exemple de « sculpture informelle », l'œuvre de Leoncillo se caractérise surtout par une interprétation révolutionnaire de la terre cuite, conçue comme métaphore dramatique de la matière brute.

Conférence de Yalta Partition de l'Allemagne	IVe République Plan Marshall	Conseil de l'Europe	Pacte de l'Atlantique Début de la révolution algérienne	Pacte de Varsovie Crise de Suez	De Gaulle élu président : Ve République
Fermi : pile atomique Création du CEA	Premier bulletin météo télévisé en France	Prototype d'avion de ligne à réaction Premiers microsillons	Première ascension de l'Everest Découverte de l'ADN	URSS : Spoutnik 1, premier satellite artificiel, puis Spoutnik 2 avec la chienne Laïka	États-Unis : Explorer 1 Premier laser
F. Poulenc : *Figure humaine*	T. Monk : *Round About Midnight* Parker, Young	L. Dallapiccola : *Le Prisonnier* Début du be-bop	P. Boulez : *Le Marteau sans maître* Miles Davis, Basie	K. Stockhausen : *Gruppen*	J. Coltrane : *My Favorite Things*
Sartre, Andric, Mann, Levi, Vittorini	Calvino, Morante, Beauvoir, Sartre, Lowry	Bernanos, Pavese, Orwell, Borges, Dürrenmatt, Yourcenar	Salinger, Sagan, Huxley, Steinbeck, Miller, Hemingway	Nabokov, Butor, Bataille, Durrell, Kerouac, Michaux, Gadda, Osborne, Marcuse, Robbe-Grillet	Grass, Mishima, Queneau, Burroughs, Sarraute
		Création du *Berliner Ensemble* à Berlin *Beat generation* aux États-Unis		H. G. Clouzot : *Le Mystère Picasso*	F. L. Wright : musée Guggenheim à New York
J. Pollock : *Composition avec graffiti* **R. Motherwell :** *Personnage*	**M. Chagall :** *La Chute de l'ange* **J. Pollock :** *Lucifer*	**W. De Kooning :** *Femme, I* **B. Newman :** *Vir Heroicus Sublimis*	**F. Kline :** *Chiffre Huit* **F. Bacon :** *Étude d'après le portrait du pape Innocent X par Velázquez*	**M. Rothko :** *Noir sur marron* **J.-P. Riopelle :** *Peinture*	**A. Burri :** *Fer D* **Leoncillo :** *Saint Sébastien*
1942-1945	1946-1948	1949-1951	1952-1954	1955-1957	1958-1960

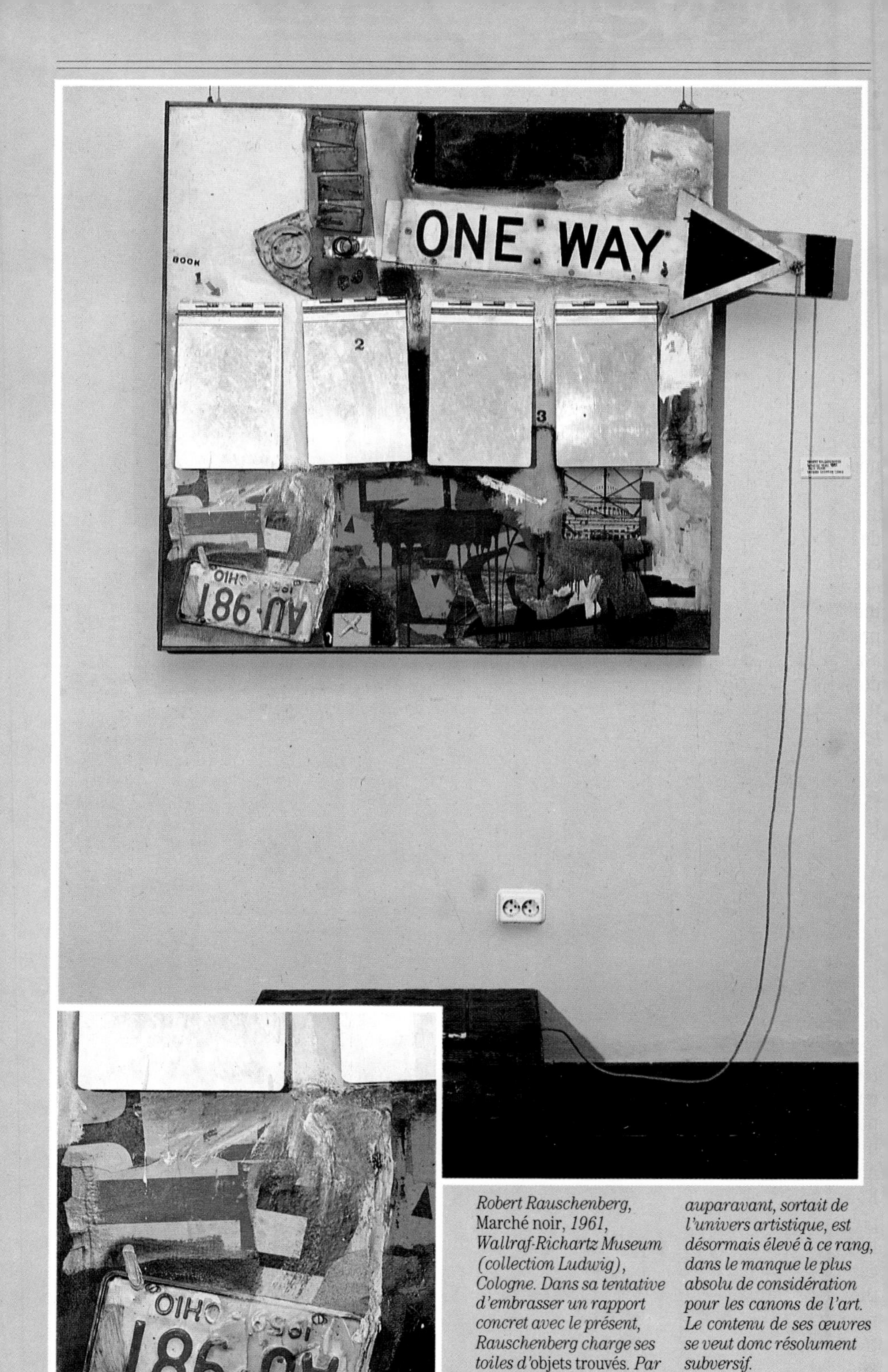

Robert Rauschenberg, Marché noir, *1961, Wallraf-Richartz Museum (collection Ludwig), Cologne. Dans sa tentative d'embrasser un rapport concret avec le présent, Rauschenberg charge ses toiles d'objets trouvés. Par l'insertion dans l'œuvre d'éléments tirés de rebuts et de détritus, l'artiste veut souligner que tout ce qui, auparavant, sortait de l'univers artistique, est désormais élevé à ce rang, dans le manque le plus absolu de considération pour les canons de l'art. Le contenu de ses œuvres se veut donc résolument subversif.*

23 LE POP ART

Dans l'introduction de son livre sur le pop art, Lucy R. Lippard affirme qu'il a connu deux naissances : la première en Angleterre, la deuxième, indépendamment, à New York. Ce nouveau mouvement succède à une période de presque vingt ans de complète domination de l'art abstrait. La foi en l'art, ce cri palpitant s'élevant au-dessus de l'apathie générale imposée par l'atmosphère oppressante des métropoles, qui avait jusqu'ici constitué l'épine dorsale de l'Action Painting, n'anime plus les artistes pop. La désillusion les pousse à ne plus voir en elle une réhabilitation et à ne plus considérer l'individu en tant qu'élément libre et autonome. Ils éliminent donc l'homme de leurs œuvres, ou, s'il apparaît, ce n'est que sous forme de robot. Parce que ce mouvement naît de la désillusion des convictions qui l'ont précédé, il doit être considéré comme héritier de la tradition abstraite plutôt que figurative.

▲ *James Rosenquist,* F-111, *détail, collection R. C. Scull, New York. Le détail de cette œuvre met en relief le procédé par lequel l'artiste unit le naturel à l'artificiel en des visions qui sont obsessionnellement futuristes.*

◄ *Jasper Johns,* Chiffres en couleur, *1958-1959, Albright-Knox Art Gallery, Buffalo. Johns veut donner une dignité artistique à des images banales et habituelles, revalorisant un* cliché *visuel apparemment privé de contenu par excès de familiarité.*

Le pop art ne trouve pas un terrain fertile partout : comme nous allons le voir, il connaîtra une diffusion différente en Amérique et en Europe. Les États-Unis, dont le public est plus réceptif à son message, se montreront davantage propices à son développement authentique et significatif. Le nouveau courant fait son entrée à New York à l'orée des années 60. Dès 1956-1957, on découvre dans des tableaux de tendance encore gestuelle, héritage de l'École new-yorkaise, les premiers objets inanimés, d'usage ouvertement quotidien, peints ou tout simplement disposés sur l'œuvre. Ce sont des personnalités telles que Larry Rivers, Jasper Johns et Robert Rauschenberg qui, en insérant dans leur peinture puissamment expressive des éléments incongrus de caractère résolument inexpressif, font la transition entre les représentants de l'abstraction et ceux qui vont devenir les fers de lance du pop art de la maturité. Si, à l'origine, ces manipulations semblent en effet assimilables au domaine de l'assemblage, à partir de 1961, avec les œuvres de Dine, Oldenburg, Lichtenstein et Rosenquist, elles montrent des caractéristiques résolument antiabstraites, recourant à des symboles et techniques résonnant du langage publicitaire. Même si l'apparition du pop art n'est pas à rattacher à des influences historiques, on peut retenir comme précurseurs : le surréalisme, le new dada et, surtout, Duchamp. Ce cheminement est dû à l'avènement de l'objet qui, chez

▼ *Robert Rauschenberg,* Buffalo II, *1964, Leo Castelli Gallery, New York. Cette œuvre met en évidence la volonté de Rauschenberg de maintenir le contact avec l'existence, comme en témoigne la présence de détails qui sont tirés de la vie quotidienne. Il recourt en outre, à diverses techniques : le collage, l'insertion d'objets, le décalque et la sérigraphie.*

Duchamp, est prélevé de son milieu naturel, transplanté dans un contexte entièrement différent et, chargé de connotations inédites, proposé comme absolu poétique. Si l'on retrouve bien la mise « hors contexte » de l'image, la manière dont l'objet est reproposé ne coïncide pas chez les artistes pop, qui le restituent au contraire tel un élément de refus, éliminé de la société qui l'a produit.

Pour comprendre pleinement le pop art, en justifier les procédés, en cerner les contenus, il faut avant tout avoir présent à l'esprit qu'il s'agit d'un mouvement lié à la contemporanéité, caractérisé par un élan et un style indissolublement calqués sur les rythmes des cités modernes. Étranger aux limitations et conditionnements, cet art nouveau veut élargir son propre champ d'action de la toile vers le monde, prendre possession des lieux et des événements et coïncider avec eux. Les sources d'inspiration seront donc les aspects les plus outranciers et sans doute les plus provocants de la culture contemporaine : l'univers de la société de masse, les images marquantes du langage commercial. « Ce qui caractérise le pop art, c'est avant tout l'usage qu'il fait de ce qui est dévalorisé », affirme ainsi Roy Lichtenstein.

La naissance du pop art s'effectue en deux temps. A la suite d'un moment d'exaspération et d'égarement, un groupe d'artistes ressent un sentiment de méfiance à l'égard de la spontanéité qui les conduit, au départ, à une attitude sceptique envers une éventuelle libération et, en conséquence, à une prise de position pessimiste. Craignant le pouvoir de l'image dans le processus de soustraction de l'art à l'indus-

► *Claes Oldenburg,* Grand Interrupteur mou, *1966, Museum Ludwig, Cologne. Cette œuvre est exemplaire de la volonté de l'artiste de puiser ses modèles dans la vie réelle. Les sujets sont des objets quotidiens monstrueusement déformés : énormes ersatz, objets très ironiquement outrageants, disproportionnés et contradictoires atterrissant ainsi dans le monde de l'art.*

LES PROTAGONISTES

◆ **Adami,** Valerio (Bologne 1935). Il reproduit avec un trait noir et épais, typique de la bande dessinée, des silhouettes évoluant dans un récit évoqué par allusions.

◆ **Angeli,** Franco (Rome 1935-1988). Peintre à l'activité très intense et prématurément disparu, Angeli recourait par pure provocation à des symboles du consumérisme, comme les dollars et les aigles répétés de façon obsessionnelle sur ses toiles et parfois dissimulés au regard par de légers voiles.

◆ **Dine,** Jim (Cincinnati 1935). Plus que sur des images communes, l'attention de l'artiste se concentre sur des objets personnels, généralement liés à son travail. Toutefois, ce n'est pas l'objet qui l'intéresse, mais la façon de le proposer par le biais d'une peinture complexe et exubérante.

◆ **Hamilton,** Richard (Londres 1922). Cet artiste conçoit l'envahissement des images du XXe siècle comme source de matériau évocateur, doué de propriétés imaginatives parfaitement utilisables à des fins artistiques. Il se sert ainsi de la photographie pour explorer non seulement des thèmes technologiques, mais aussi les fantaisies qui animent la réalité humaine.

◆ **Hockney,** David (Bradford 1937). Dessinateur de grand talent, il aime fixer la vie contemporaine avec une précision lucide, au moyen d'un graphisme très pur et simplifié.

▼ *Roy Lichtenstein,* M-Maybe, *1965, Wallraf-Richartz Museum (collection Ludwig), Cologne. L'utilisation de la bande dessinée permet ainsi à Lichtenstein d'exprimer toutes les émotions de façon totalement détachée. Défenseur acharné d'un antipicturalisme exaspéré, il cherche surtout à mettre en relief la technique par rapport au contenu.*

Jim Dine, Le Costume blanc (Autoportrait), *1964, Stedelijk Museum, Amsterdam. Les vêtements apparaissent souvent dans l'œuvre de Dine, observateur sensible et dessinateur très raffiné. Parmi les objets qui l'entourent, il aime arrêter son regard sur les plus familiers, acteurs de la vie de tous les jours.*

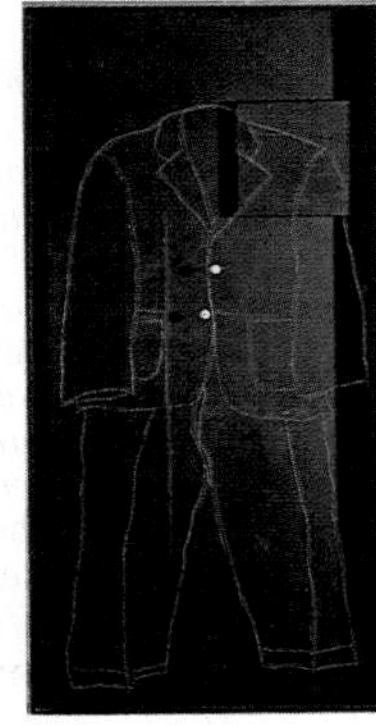

trie culturelle, Rauschenberg, Johns, Dine, Lichtenstein, Rosenquist et Segal connaissent une assez courte phase de critique. Lui succède, en effet, une attitude plus cynique, d'abandon complet à la banalité redondante du quotidien. Ainsi tombent les barrières entre l'art et la vie ; la sphère artistique s'identifie non seulement au monde, mais aussi à la sous-culture : le langage des

◆ **Indiana,** Robert (New Castle, Indiana 1928). Il réalise des œuvres où cohabitent des lettres et des signes qui, combinés, invitent à une série de solutions verbales et visuelles.

◆ **Johns,** Jasper (Allendale, Caroline du Sud 1930). Tentant de sortir enfin de l'accoutumance aux sens établis, favorite de la familiarité visuelle, l'artiste se propose de mettre en relief des images banales et usuelles comme des drapeaux, des cibles, des séries de nombres, en les élevant au rang artistique.

◆ **Jones,** Allen (Southampton 1937). Probablement le plus « américain » des artistes anglais, il se réfère à des images très érotiques peintes ou rendues par de la toile moulée, avec des intentions surtout décoratives.

◆ **Kaprow,** Allan (Atlantic City 1927). Initiateur du concept d'*environnement*, c'est sur cette idée qu'il fonde une nouvelle forme de théâtre appelée happening, mimant des lieux, des objets et des actions de la vie quotidienne.

◆ **Lichtenstein,** Roy (New York 1923). Il reproduit des bandes dessinées, des citations, des fragments décoratifs, au moyen du contour graphique appuyé et du *pointillisme* caractéristique des trames employées en photogravure. Cela lui permet de privilégier la technique par rapport au contenu et garantit un style sarcastique et distant, qui empêche de façon définitive toute émotion de transparaître.

◆ **Oldenburg,** Claes (Stockholm 1929). Il pratique un art qui puise ses formes de la

mass media est élevé, de manière provocante, à une représentation esthétique, dans le plus total manque de considération pour les conventions de l'art. L'espace urbain, avec son misérable fardeau de conformisme et de mythomanie, devient ainsi le scénario à partir duquel des artistes comme Warhol, Wesselmann, Oldenburg, Indiana et ceux précédemment cités puisent leurs images stéréotypées et parfaitement inertes.

Le processus par lequel ils consacrent les objets les plus ordinaires au rang d'œuvre d'art ne se fonde pas sur une prise de position critique ou une contestation, mais sur l'acceptation du système. Les mass media ont assuré une méthode de connaissance des images saisie par tous de la même façon, et, au lieu de se révolter contre un tel nivellement idéologique, les artistes pop le confirment énergiquement. Ils n'exorcisent pas le réel, mais entendent l'accepter en le mettant en relief. Trituré par l'étau de l'engrenage productif, nourrissant le rêve de bien-être, l'individu se satisfait des images stéréotypées que les instruments de persuasion occulte lui procurent quotidiennement. L'accoutumance à ce schéma l'amène à devenir lui-même victime des biens de consommation. La prolifération de ces images conduit inévitablement à une incapacité de discernement, à un nivellement de la pensée. On ne peut rien faire contre cette standardisation du comportement, sauf l'accepter puisqu'elle est générale. Les artistes pop, tout à fait conscients de ce processus, extrapolent les composantes de cette réalité visible et les reproposent de la manière la plus impersonnelle possible.

Les langages employés se réfèrent à l'art de l'affiche, à la photographie, à la sérigraphie, à l'aérosol, à la bande dessinée

Le happening

L'interpénétration de l'art et de la vie conduit à une réunion des hommes et des objets qui confine à une identification réciproque : sujet passionnant pour le théâtre qui tire de la vie sa propre substance. Une fois abolies les barrières entre art et langage de la représentation, l'occasion se présente pour les artistes pop d'intervenir sur le plan théâtral. Le happening est la forme d'expression qui présente de nombreux points de contact avec les recherches figuratives du moment. Sorte d'enregistrement des événements les plus communs, ce type de représentation attire l'attention, plutôt que sur le comportement humain, sur les lieux, l'environnement, *scène du réel et de l'ordinaire. Théoricien et initiateur du happening, Allan Kaprow (ci-dessus :* Going to the Dump *(Aller à la poubelle), extrait du happening collectif* Gas, *1966, Springs, Long Island, New York) s'y engage dès la fin des années 50. D'autres artistes se révèlent particulièrement sensibles au théâtre : Oldenburg, Dine et Rauschenberg, ce dernier étant stimulé par sa double collaboration avec le chorégraphe Merce Cunningham et le musicien John Cage.*

vie même, créant ainsi des succédanés disproportionnés, doués d'une vie propre, qui se replient sur eux-mêmes en se déformant : allusion directe au caractère périssable des produits de consommation.

◆ **Rauschenberg,** Robert (Port Arthur, Texas 1925). Parti vers les années 50 d'une peinture abstraite, il charge ensuite ses tableaux d'objets de consommation puis de récupération. Ces *combine paintings*, s'opposant à la distinction entre matériau artistique et extra-artistique, constituent un moyen d'établir une relation concrète avec le monde contemporain.

◆ **Rosenquist,** James (Grand Forks, North Dakota 1933). Agressé par le bombardement incessant des mass media et inquiet de la superposition de l'artificiel au naturel, il donne naissance à des paysages « fanta-scientifiques » issus des bandes dessinées et élaborés à partir de photos peintes.

◆ **Schifano,** Mario (Homs, Libye 1934). Il réduit toute son iconographie à des motifs récurrents, souvent centrés dans des cadres

◄ *Andy Warhol,* Colored Campbell's Soup Can, *1965, collection Powers, Aspen. Image symbolique non seulement de l'œuvre de Warhol mais aussi de toute une période où l'homme devient victime du consumérisme.*

▼ *Andy Warhol,* Marilyn Monroe, *détail, 1967, collection Powers, Aspen. L'exaltation de la star, soulignée par la répétition de la même image, est également caractéristique de cette époque.*

et au dessin publicitaire. Si, d'un côté, l'interaction de figures inanimées et dépouillées, servilement calquées sur l'univers commercial, mène à une perte d'identité de l'auteur lui-même au profit de l'art, de l'autre, l'artiste, en adoptant la standardisation, cherche ainsi à déprécier non seulement l'activité artistique, mais aussi les réflexes de consommation, tout à l'avantage de sa propre image. Le pop art est un mouvement pour lequel le gain et le succès revêtent un caractère de toute première importance. Transplanté en Europe, ce discours se complique sensiblement, en raison des multiples facettes politiques que présente le continent et les différences qui en découlent. Le climat culturel est dominé, d'une part, par l'art informel, et, de l'autre, par la tradition formaliste des avant-gardes. Là où ces dernières tendances sont les plus profondément enracinées, l'influence du pop art américain rencontre les plus grandes difficultés à s'imposer. Son développement sera

évoquant des écrans de télévision, ou peints avec des teintes vives et vernies sur du simple papier d'emballage.

◆ **Segal,** George (New York 1924). Il transpose sa propre existence dans des mannequins de plâtre disposés dans un espace habité par de véritables objets. L'immobilisation du geste et le moulage augmentent beaucoup le sentiment d'ennui et de solitude qui est transmis par toutes ces silhouettes anonymes et spectrales.

◆ **Smith,** Richard (Letchworth, Hertfordshire 1931). Il appartient à cette phase dans laquelle l'attention se déporte des objets vers l'environnement, capable d'évoquer des souvenirs d'objets grâce à une technique partiellement figurative, provoquant inévitablement chez tout spectateur des tensions et aussi des interrogations.

◆ **Warhol,** Andy (Pittsburgh 1928 - New York 1987). Les acteurs de ses œuvres sont les événements qui défraient la chronique, des mythes du cinéma aux collisions d'automobiles, de la publicité pour des boîtes de conserve à la chaise électrique, des fleurs aux travestis, proposés en une suite d'images répétées et souvent provocantes, aux couleurs vives.

◆ **Wesselmann,** Tom (Cincinnati, 1931). Parti des techniques très traditionnelles du collage et de l'assemblage, l'artiste parvient à une peinture aux teintes plates et vives, aux contenus ironiques, avec l'insertion d'objets réels et de figures grandeur nature.

▼ *Richard Hamilton,* Just What Is It That Makes Today's Homes So Different, So Appealing ?, *1956, collection privée, Thousand Oaks.*

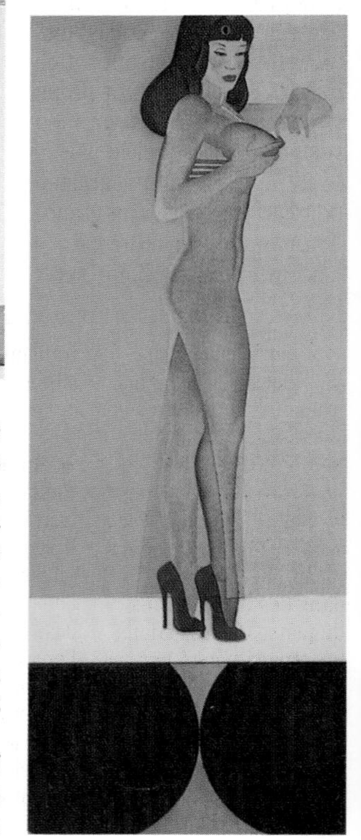

▼ *Allen Jones,* Bare me, *1972, Konstmuseet, Göteborg. La peinture de cet artiste anglais s'inspire souvent de la vie animée de la scène, pleine de lumières et de couleurs.*

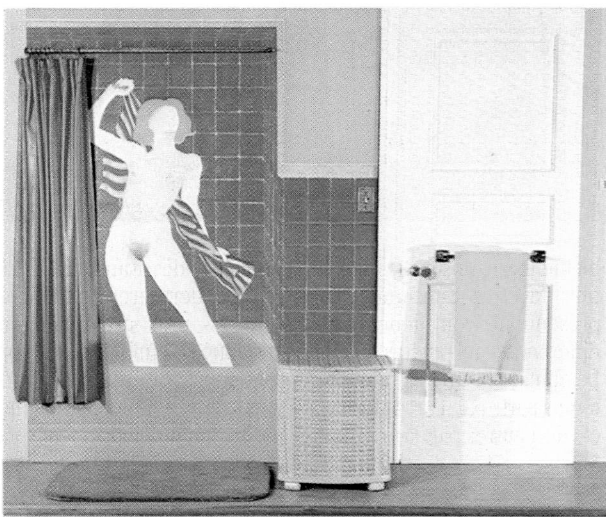

▼ *Tom Wesselmann,* Baignoire N° 3, *1963, Wallraf-Richartz Museum (collection Ludwig), Cologne. L'œuvre reproduit grandeur nature l'ambiance d'une salle de bains et repose sur l'utilisation d'éléments présentés artificiellement et d'éléments réels re-présentés.*

de toute façon très différent d'un pays à l'autre et l'expérience pop ne sera, le plus souvent, pour les artistes européens, qu'une phase tout à fait transitoire.

L'Angleterre constitue, cependant, un cas à part. Là, le mouvement se développe de manière presque autonome, avec sa thérorie et sa propre histoire. Le terme « pop » remonte à 1955, lorsque Fiedler et Banham appellent ainsi les expressions issues du langage de masse – de celui des bandes dessinées et autres illustrés, comme du cinéma et de la télévision –, en opposition avec d'autres sociologues qui qualifient de *kitsch* les images dérivant d'une culture commerciale en total contraste avec la tradition plus aristocratique et élitiste.

C'est autour de l'Institute of Contemporary Art de Londres que se réunit, dès 1955, un groupe d'intellectuels partageant le même pôle d'attraction : la culture de la civilisation urbaine. Ils se penchent en priorité sur les techniques, et en particulier la photographie. Précédemment utilisée par Bacon, cette dernière va devenir, pour les artistes de la première vague pop anglaise, (Hamilton, Cordell, McHale, Paolozzi), un support de composition idéal, évocateur à la fois d'images réelles et d'hypothèses fantastiques.

Si cette première phase est reliée à des thèmes technologiques, la deuxième est typiquement abstraite. Fidèle aux préceptes du premier groupe,

Ronald B. Kitaj, An Urban Old Man, *1964, collection Reeves, New York. D'une ironie très aiguë, la peinture de Kitaj représente très certainement le niveau le plus élaboré de la culture pop anglaise. Nourrie de références sociologiques ou encore littéraires, son œuvre est souvent inspiré par la publicité, la bande dessinée et les magazines illustrés.*

▼ *Mario Schifano*, Propaganda, *1965, Studio Marconi, Milan. C'est à partir de ces années que font irruption dans les toiles de l'artiste romain des stéréotypes tels que les gigantesques caractères d'imprimerie inspirés de marques de produits de grande consommation banalisés par leur diffusion excessive. Ces images sont souvent agressées par un chromatisme libre et éclatant.*

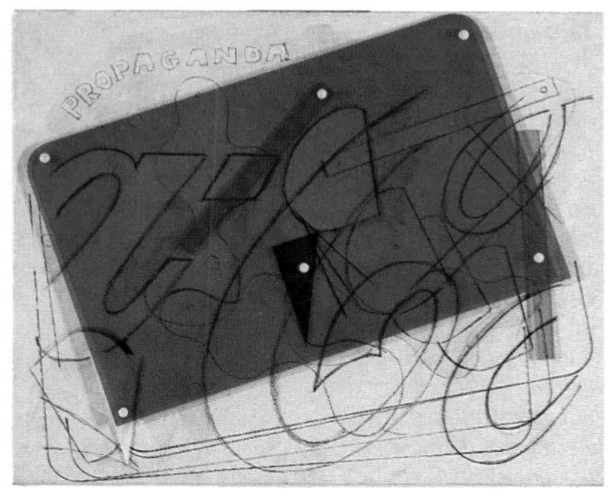

▼ *George Segal*, Rock and Roll Combo, *1964, Hessisches Landesmuseum, Darmstadt. Cette sculpture est un exemple du procédé utilisé par l'artiste, qui reproduit des figures humaines par moulage de plâtre. L'arrêt dans le temps des actes les plus ordinaires accroît le climat de solitude dans lequel ils sont suspendus.*

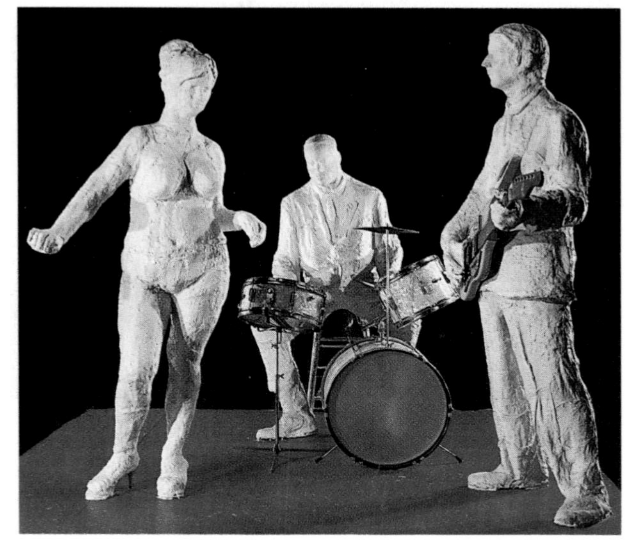

le deuxième (constitué de Smith, Coleman, Blake, Green et Denny) reporte son regard sur l'environnement. Des symboles connus s'imposent dans des espaces mentaux presque illusionnistes, rappelant les toiles abstraites des Américains.

La troisième vague propose un retour au figuratif. Kitaj, Jones, Phillips, Tilson, Boshier, Caulfield, Hockney, Bates, Toyton mélangent des emblèmes de provenances les plus disparates. Parmi les diverses techniques employées, l'utilisation de la bande dessinée et de la décalcomanie contraste avec le recours aux arts graphiques et à la peinture. On peut donc conclure à une totale absence d'homogénéité de groupes et de styles dans le pop art anglais.

En ce qui concerne le reste de l'Europe, on tend à identifier au nouveau réalisme l'aire d'influence de la vague américaine. Bien que présentant certains points communs, il s'agit en réalité de deux mouvements distincts. Pour le courant européen, il est impensable d'utiliser une image commerciale sans la manipuler, de lui conférer une dignité esthétique sans une intervention personnelle de l'artiste. Des personnes comme Klein, Villeglé, Arman, César, Ro-

▼ *Peter Blake,* Drum Majorette (Tambour), *1957, collection privée. Les figures de Blake sont souvent issues du cinéma, de la télévision, de la publicité, mais s'inspirent également du folklore anglais, du climat magico-féerique de l'époque victorienne. Les images sont créées au moyen d'un procédé qui allie le montage photographique à un picturalisme intense.*

▼ *Mario Ceroli,* Cassa Sistina, *1966, installation. Il s'agit d'une œuvre où l'espace devient le motif central, où sont disposées des silhouettes de personnages taillées dans un bois pauvre et nu, répétées de façon obsessionnelle. L'adoption du bois brut comme moyen d'expression traduit une volonté de récupérer des valeurs antiques, mais également d'élever le « populaire » et l'« artisanal » à une dimension artistique.*

tella, Deschamps, Christo, Niki de Saint-Phalle, Dufrêne, Hains, Tinguely, Raysse et Spoerri centrent leur attention sur les multiples implications possibles contenues dans un objet courant, mais ils se refusent totalement à proposer servilement la simple banalité de la société urbaine.

L'Italie accueille tardivement les sollicitations du pop art, qui donnent lieu au développement de styles très divers. Ce n'est qu'à partir de 1963-1964 que se dessine une tendance italienne, suivant deux directions fondamentales. Au nord (Milan, Turin, Bologne), l'influence européenne est davantage ressentie. Adami, Tadini, Mondino adoptent la technique du trait continu qui rappelle la bande dessinée. Des profils noirs et pesants circonscrivent des silhouettes communes ou moins connues, en un récit frénétique et fragmentaire. Enrico Baj, personnalité du cercle milanais, crée en revanche des personnages monstrueux, suivant une méthode voisine de l'assemblage ; à Bologne, Concetto Pozzati élève au rang de représentation esthétique les images publicitaires de fruits, grâce à une peinture sûre et très séduisante.

La région de Rome, au contraire, se trouve beaucoup plus proche du courant américain. Bien que n'acceptant jamais l'exhibition simpliste de l'objet, Schifano, Festa et Angeli se limitent à un nombre restreint de symboles récurrents, emblématiques et complètement allusifs, contenus entre des écrans de télévisions, disposés derrière des fenêtres fermées ou à demi cachés par des rideaux.

Fioroni et Tacchi interviennent sur des photographies avec des couleurs éclatantes et violentes, annulant les silhouettes répétées du fond. Ceroli utilise la technique de la sculpture dans la représentation de figures humaines, animales ou même de lettres de l'alphabet, taillées dans du bois d'emballage, inspirée ironiquement de l'activité artisanale. Ce panorama montre de façon tout à fait évidente que le pop art, souvent réduit à une expérience passagère, n'a pas connu d'équilibre et, encore moins, de continuité en Italie. ■

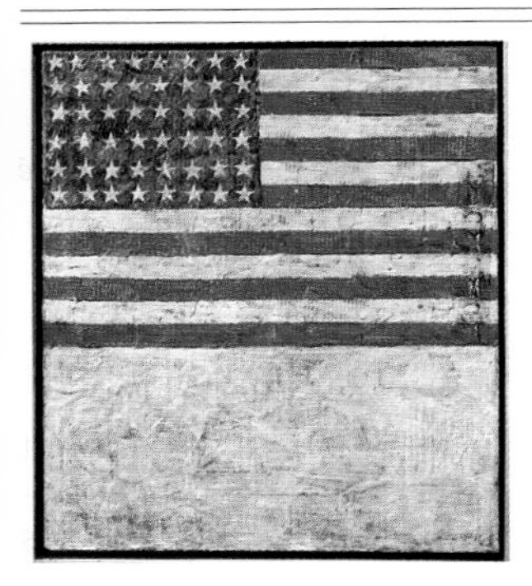

Jasper Johns, Flag above White with Collage, *1955, collection de l'artiste.*

Le drapeau fait partie de ces objets neutres, ces stéréotypes massifiés qui reviennent dans les œuvres de Johns de cette période. L'artiste s'attache à déclarer artistique ce qui ne l'est pas du fait de son excessive familiarité : il insère des objets d'usage courant dans des tableaux d'un raffinement chromatique exubérant.

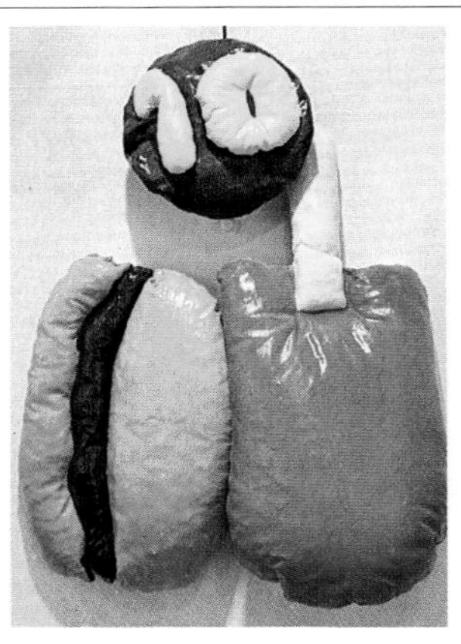

Claes Oldenburg, Hamburger, Popsicle, Price, *1962, collection Carpenter, New Canaan (Connecticut).*

Cette sculpture « molle », structure privée de support et à l'aspect flasque et vidé, fait également partie de ce répertoire fétichiste d'aliments et d'objets d'usage domestique caractérisés par des dimensions et des formes altérées. L'intention est de critiquer le consumérisme dont l'homme est victime.

Robert Indiana, Numbers (from 0-9), *détail, 1968, collection Powers, Aspen.*

L'œuvre d'Indiana s'articule généralement autour de lettres de l'alphabet et de chiffres. Des signes tracés régulièrement, des images conventionnelles, aseptiques deviennent des sujets artistiques. Ces motifs ont la capacité de catalyser l'attention, non seulement par leurs couleurs plates et vives, mais aussi parce qu'ils s'organisent en des compositions à la fois verbales et visuelles.

Pontificat de Jean XXIII Formation de l'OPEP	Fin de la guerre d'Algérie Crise de Cuba	Assassinat de J. F. Kennedy Fondation de l'OLP	Guerre du Vietnam Révolution culturelle en Chine	Guerre des Six Jours « Événements » de mai	Élections de : G. Pompidou, A. el Sadate, W. Brandt
Enregistrements stéréophoniques Premiers circuits intégrés	Y. Gagarine, premier homme dans l'espace Satellite Telstar	V. Terescova, première femme dans l'espace Première bombe A chinoise	Langage Basic Premiers alunissages	Première transplantation cardiaque Scanner	Premier vol du Concorde N. Armstrong, premier homme sur la Lune
J. Cage : *Fontana mix* Lee Lewis, Cochran	B. Britten : *War Requiem* Dylan, Beatles	E. Dolphy : *Out to lunch* Rolling Stones, Animals	S. Bussotti : *La Passion selon Sade* Coltrane, Gato Barbieri	J. Hendrix : *Electric Ladyland* Velvet Underground	Soft Machine : *Soft Machine I* Doors, Stockhausen
Pasolini, Queneau, Grass, Burroughs, Calvino, Canetti	Sciascia, Genet, Soljenitsyne, Ecco	Gadda, McCarty, Asturias, Mailer, Neruda, Marcuse	Perec, Weiss, Bataille, Siniavski, Mishima, Lacan	Garcia Marquez, Baudrillard, Amado, Kundera, Malraux, Yourcenar	Roth, Bukowski, Monod, Segal, Borges, Barthes, Handke
Festival des 2 mondes J.-L. Godard : *A bout de souffle*	E. Ionesco : *Le Roi se meurt*	A. Miller : *Après la chute*		S. Kubrik : *2001, l'odyssée de l'espace*	Woodstock
J. Johns : *Trois Drapeaux*	**M. Schifano :** *Mécanisme de propagande* **R. Rauschenberg :** *Marché noir*	**R. Lichtenstein :** *Hopeless* **J. Dine :** *Le Costume blanc*	**T. Wesselmann :** *Grand Nu américain* **C. Oldenburg :** *Grand Interrupteur mou*	**G. Segal :** *Homme descendant d'un autobus* **A. Warhol :** *Marilyn Monroe*	**Indiana :** *Chiffres*
1958-1960	1961-1962	1963-1964	1965-1966	1967-1968	1969-1970

chair (chār), *n.* [OF. *chaiere* (F. *chaire*), < L. *cathedra*: see *cathedra*.] A seat with a back, and often arms, usually for one person; a seat of office or authority, or the office itself; the person occupying the seat or office, esp. the chairman of a meeting; a sedan-chair; a chaise†; a metal block or clutch to support and secure a rail in a railroad.

Joseph Kosuth, One and Three Chairs, *1965, musée d'Art moderne, New York. Trois types de représentation et trois langages différents, présentés dans un contexte unitaire. Exempte de toute référence esthétique, dénuée d'expressivité véritable, cette sobre installation de Kosuth se propose comme une sorte de « manifeste » de l'art conceptuel : elle illustre en effet de la façon la plus efficace une idéologie artistique qui vise à exclure ce qui n'est pas élément pur de communication, ou exemple abstrait de « langage », assimilant l'acte créateur à la réflexion philosophique ou encore à l'exercice mathématique.*

24 L'ART CONCEPTUEL

A partir de 1965 s'impose, en Amérique comme en Europe, une conception du travail artistique sans précédent dans l'histoire de l'esthétique, en dehors de quelques débuts très occasionnels de l'avant-garde historique. A première vue, il semble s'agir d'une démarche radicalement idéaliste, où ce qui importe dans l'œuvre n'est plus son apparence objectale, sa facture concrète ou le fait matériel de sa présence, mais plutôt l'idée (le concept, l'assertion, la proposition) qui réside derrière elle, la précède et lui donne forme. Cette tendance, qui va bien vite devenir dominante, renonce à « avilir » le projet artistique en le ramenant à l'unicité d'un objet réel, mais veut en conserver toute la vitalité (les potentialités sollicitées) en l'énonçant dans son abstraction, comme une pure réflexion philosophique dénuée d'applications pratiques. L'individu, l'être ou l'objet concret, tout ce qui est singulier, représente – sur les bases de cette position – un appauvrissement du concept qui le produit, une illustration par l'exemple, partielle et provisoire. Si l'art est une action linguistique, un acte de communication et de formation de la pensée, il doit être appelé à récupérer la capacité propre au langage de généraliser, d'abandonner l'exemple (le phénomène) pour circonscrire la notion qui nous permet en quelque sorte de le « posséder » culturellement.

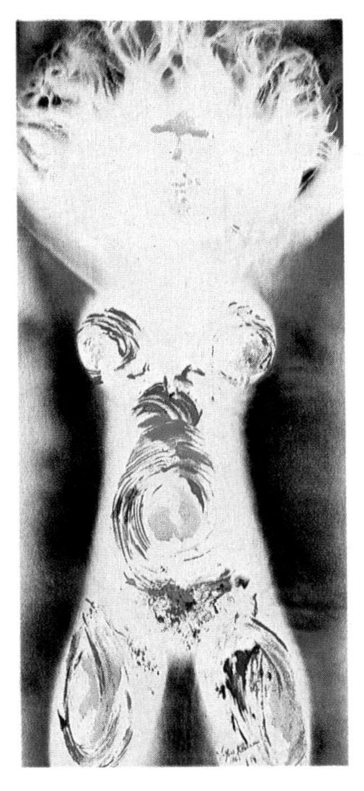

▲ *Yves Klein,* Anthropométrie. Suaire. ANT SU 2, *1961, Moderna Museet, Stockholm. Le corps du « modèle » devient ici instrument générateur de sa représentation.*

Quand, en 1966, l'Américain Joseph Kosuth expose son *One and Three Chairs,* et place devant l'observateur trois manifestations de l'entité « chaise » (une chaise réelle dépourvue de connotation stylistique, une photographie de cette chaise, la définition du mot « chaise » issue d'un dictionnaire et reproduite sur un panneau), il veut mettre le public face à trois appréhensions différentes de la réalité : verbale (ici sous forme écrite), la plus acculturée ; par l'image (neutre, photographique), la plus proche des arts plastiques ; et, enfin, la présence physique, la moins acculturée, qui peut illustrer la notion par l'exemple. Aucune de ces trois méthodes n'atteint réellement l'objet, toutes constituent de

▼ *Sol LeWitt,* Part Set 789 (B), *1968, Museum Ludwig, Cologne. Cette œuvre met en jeu les concepts de modularité et de développement géométrique, et ceux de plein et de vide.*

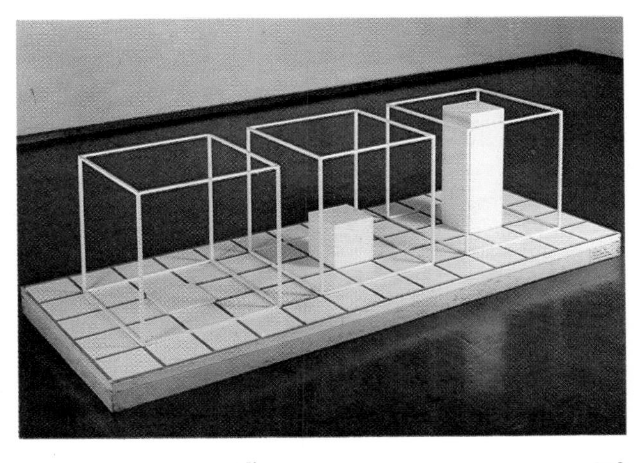

façon égale des propositions de langage : la chaise « réelle » ne sert qu'à indiquer, à travers un des innombrables cas concrets possibles, le *concept* de chaise ; la photographie répond – de la même façon que la description verbale – à un code linguistique qui, par sa nature, en évoquant l'objet, l'exclut, faisant abstraction de lui. L'œuvre de Kosuth se place ainsi dans le sillage des recherches sémiologiques de Magritte, centrées sur le problème de la confrontation de différents systèmes de représentation et donc de « nomination » de la réalité : à partir, dans le cas du peintre belge, du célèbre *Ceci n'est pas une pipe* de 1928. Kosuth radicalise la méthode de Magritte, et en fait une pure analyse de laboratoire du langage et de son fonctionnement. Au même titre, le groupe Art & Language, en Angleterre, limite son action à l'intervention théorique, évitant de « se salir les mains » (ou le cerveau) avec des brosses et des couleurs, et déclare que l'artiste de la société multimédia et de l'ère informatique s'occupe exclusivement de problèmes philosophiques.

Comme le démontrent les opérations de Robert Barry, Jan Dibbets, Lawrence Weiner, On Kawara, Vincenzo Agnetti, Bernard Venet et Joseph Kosuth dans l'art conceptuel, la théorie prend la place de la pratique, et le travail coïncide avec la « réflexion sur le travail ». La poétique se substitue définitivement à la poésie ; l'artiste est celui qui cesse de produire des objets – notamment parce qu'il se sent en dehors du triomphe des masses médias – et se limite au contraire à analyser le langage dans ses aspects fonctionnels et scientifiques. Tout cela renouvelle le *refus de l'œuvre,* déjà présent chez Marcel Duchamp (à la fin des années 10), et pose de nouveau des

La tautologie

pāint'ing, *n.* 1. the act or occupation of covering surfaces with paint.
2. the act, art, or occupation of picturing scenes, objects, persons, etc. in paint.
3. a picture in paint, as an oil, water color, etc.
4. colors laid on. [Obs.]
5. delineation that raises a vivid image in the mind; as, word-*painting.* [Obs.]

Selon Joseph Kosuth (ci-dessus : Art as Idea, *1966. Mounted photostat, collection Dorothy et Roy Lichtenstein, New York), chaque œuvre n'est rien d'autre, dans sa qualité innovatrice individuelle, qu'une nouvelle définition du concept d'art. Par conséquent, « l'œuvre d'art est une* tautologie *en tant que présentation des intentions de l'artiste : il indique que cette œuvre* est *de l'art, impliquant ainsi qu'elle est une* définition *de l'art » (*Art after Philosophy, *1968). La série de tableaux intitulée* Art as Idea *s'inscrit comme un cercle vicieux : l'œuvre ne décrit plus rien d'autre que ce qu'elle est objectivement, ici une définition logique de l'acte pictural. Probablement pour la première fois dans l'histoire du langage, le* signifié *d'une proposition coïncide alors parfaitement avec la description objective et empirique de son* signifiant. *L'œuvre ne prétend pas raconter le monde mais, en cohérence avec les préceptes philosophiques dont elle est issue, elle confirme sa propre présence par le geste même qui la crée. Art dépourvu d'ambition narrative, dégagé de tout lien avec la réalité extérieure, et dont les énoncés sont, pour cette raison même, tout à fait vérifiables.*

LES PROTAGONISTES

◆ **Agnetti,** Vincenzo (Milan 1926-1981). Auteur de provocations intellectuelles très raffinées, il agit avec cohérence dans le domaine d'un art soustrait à la logique des circuits mercantiles et surtout constitué d'illuminations profanes immatérielles, de gestes occasionnels et autodestructeurs dont on peut retrouver le sens par la grande leçon de Piero Manzoni.

◆ **Art & Language.** Groupe anglais formé par Terry Atkinson, Michael Baldwin, Daniel Brainbridge, Harold Hurrel et d'autres. Il représente la tendance la plus intransigeante de l'art conceptuel. Ses différentes opérations sont toutes centrées sur les « possibilités théoriques » d'objets qui, par définition, restent cependant absents.

◆ **Flavin,** Dan (New York 1933). Ses interventions se rapportent toujours à l'espace dans lequel elles prennent place : l'utilisation de « lignes » lumineuses au néon lui permet en effet de modifier totalement l'environnement en mettant en œuvre des

▼ *Robert Barry,* Sans titre, *1970, Edizioni Sperone, Turin. Ce « livre d'artiste » présente une série d'affirmations autour d'un objet absent, uniquement envisagé, évoqué : « Il change continuellement », « Il possède un ordre », « Ses limites ne sont pas stables », « Une partie peut en être décrite, mais toute description est incomplète et sujette à modification... »*

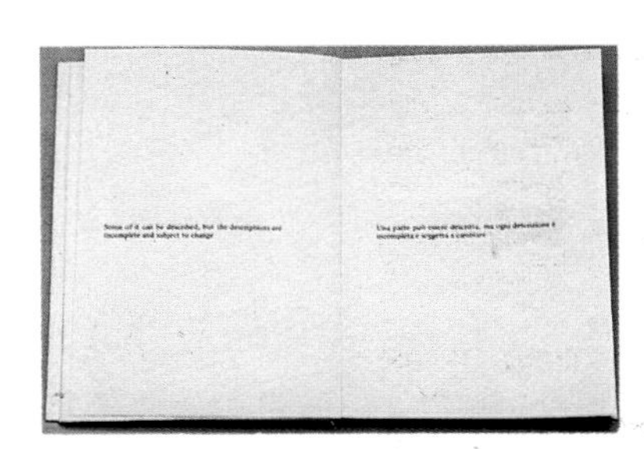

Maurizio Nannucci, Boîte à poésie, *1967, collection privée, Florence. Les vastes intérêts et champs d'investigation linguistique auxquels s'est livré Nannucci se trouvent résumés dans ce recueil de « traces de travail ».*

questions générales sur le rôle, la raison d'être, la survivance même de l'art au XXe siècle : le problème de la reconnaissance publique de l'artiste, par exemple, et celui de l'incidence de cette reconnaissance sur l'attribution de valeur ; celui de l'emplacement de l'œuvre (galerie, musée, marché) en tant que passage obligé de sa « légitimisation » ; enfin le problème, global et central, de la fonction de l'art dans une société qui a tendance à le percevoir comme inutile, puisqu'elle dispose de moyens bien plus efficaces pour arriver à l'approbation politique.

Au-delà de la rigueur presque maniaque de ces artistes, chez lesquels il est bien difficile de repérer des opérations qui ne soient pas purement théoriques et construites avec une matière verbale, il faut signaler, d'un côté, l'utilisation massive de la photographie par certains « conceptuels » (Douglas Huebler, par exemple), qui l'adoptent comme moyen linguistique « froid » par opposition à la peinture, de l'autre, le vaste halo de conceptualisme modéré qui se crée rapi-

---

instances qui sont à la fois linguistiques, picturales, sculptées et architecturales.

◆ **Judd,** Donald (Excelsior Spring, Missouri 1928). Son interprétation de la sculpture minimaliste se caractérise surtout par la répétition obsessionnelle (sérielle) d'éléments géométriques identiques entre eux, capables de prendre possession de l'espace qui les entoure en le ramenant à sa propre logique mathématique.

◆ **Klein,** Yves (Nice 1928 - Paris 1962). Avec Marcel Duchamp, Piero Manzoni et Lucio Fontana, il est l'un des pères historiques du conceptualisme. Son œuvre, radical et subversif, culmine vers 1958-1962, avec toute une série d'interventions cruciales : les *Éponges*, les *Cosmogonies*, les *Peintures de feu*, l'*Architecture de l'air*, les *Anthropométries*. Il faut aussi rappeler son travail théorique (conférence de 1959 à la Sorbonne sur l'*Évolution de l'art et de l'architecture vers l'immatériel*) et ses compositions musicales diverses (*Symphonies monotones*).

◆ **Kosuth,** Joseph (Toledo, Ohio, 1945). Très jeune, il s'impose sur la scène mondiale de l'avant-garde avec une œuvre destinée à provoquer un trouble général (*One and Three Chairs*, 1965-1966). Puis il poursuit sa recherche sur les implications philosophiques et scientifiques du langage de l'art, avec des interventions qui utilisent des définitions verbales et d'autres méthodes théoriques. En raison de ses très nombreux essais, il est

dement autour du mouvement. On oscille entre des tendances aux implications indépendantes (comme dans le cas du minimalisme américain) et des attitudes simplement moins intransigeantes, où l'œuvre existe encore en tant qu'objet physique, mais où elle est également destinée à illustrer un concept, à matérialiser une idée. C'est le cas de Giulio Paolini, par exemple, qui transforme catégoriquement l'activité artistique en un moyen d'investigation du fonctionnement de l'art même, se consacrant en substance aux « préliminaires » et aux « fondamentales » (géométrie, perspective, couleur) de la représentation picturale ; de même, les installations de Claudio Parmiggiani peuvent être interprétées comme des réflexions sur l'histoire de la peinture, ou du langage en général ; quant à l'aveugle Jiri Kolar, il pratique pendant des dizaines d'années les zones frontières entre la poésie et les arts plastiques.
Une autre branche du conceptualisme est représentée par le mouvement international Fluxus, dont les pères fondateurs sont Brecht et Maciunas, et qui a de nombreux adeptes, même occasionnels. Il professe un caractère totalement précaire, provisoire, hasardeux et même quotidien du geste artistico-créatif, qui est, pour cette raison, confié à n'importe quel moyen ou est « découvert » par de petites idées immédiatement figées en œuvres – si l'on admet que ce terme peut s'appliquer aux interventions de Ben Vautier, de Robert Filliou, de George Brecht, ou encore aux petites stupeurs, aux miraculeuses manifestations de l'intellect que nous trouvons dans certains « momenti » de Maurizio Nannucci ou dans certaines « pièces » magiques et issues

▼ *Claudio Parmiggiani,* Synecdoques, *1976, installation en 1988 au Kunsthistorisches Museum, Vienne. Le tableau de gauche est un original de Dosso Dossi (vers 1530) dédié au mythe de Jupiter peintre. Parmiggiani en extrapole une partie, une « synecdoque », qui théâtralise la scène et invite le spectateur à se substituer psychologiquement au protagoniste.*

l'un des principaux acteurs du débat actuel sur le rôle de l'artiste dans la société.

◆ **LeWitt,** Sol (Hartford 1928). Auteur de différents textes sur le problème de la dématérialisation de l'œuvre d'art. Ses travaux minimalistes mettent en évidence la qualité structurelle de l'espace par rapport aux systèmes humains de mesure et de connaissance.

◆ **Morris,** Robert (Kansas City 1931). Ses premières œuvres sont les sculptures géométriques qui, peu avant 1964, ouvrent la voie à la tendance minimaliste. Après 1968, il s'oriente vers des expériences d'anti-form et de land art.

◆ **Nannucci,** Maurizio (Florence 1939). Situé à la frontière entre la recherche visuelle et la pratique de la poésie, son travail se définit par une utilisation sans préjugés mais très ponctuelle de tous les médias modernes (photographie, bande vidéo, disque, livre, radio, cinéma, etc.), conçus comme dépôts physiques d'une activité mentale plus vaste.

◆ **Paolini,** Giulio (Gênes 1940). Sa première œuvre est annonciatrice de ce que sera son parcours futur. *La Squadratura del foglio* (1960) est en effet une toile monochrome sur laquelle seules sont tracées les lignes préliminaires d'une hypothétique construction spatiale. La recherche de Paolini se présente comme une enquête sur la notion d'art menée à travers les instruments mêmes de l'art ; dans certains cas, les résultats se révèlent didactiques, dans d'autres fortement

▼ *Ad Reinhardt,* Numéro 119, Noir, *1958, Hirshhorn Museum, Washington. Les « quasi-monochromes » de Reinhardt jouent sur des nuances légères, imperceptibles, de la luminosité. Par leur rigueur de construction et leur densité mentale, ils préparent le minimalisme, aussi bien en sculpture qu'en peinture, et anticipent l'art conceptuel proprement dit.*

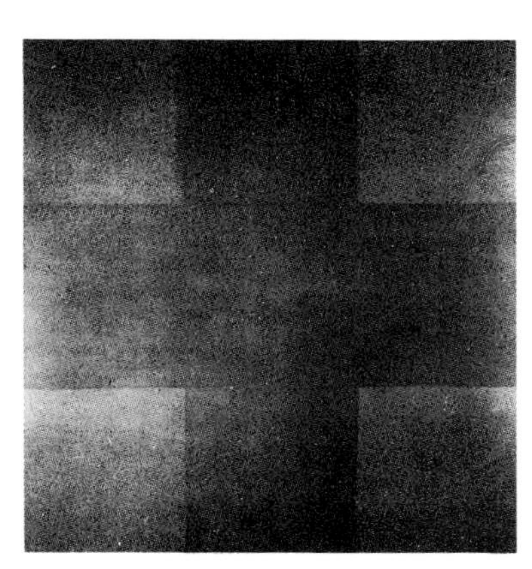

Antonio Dias, Niranjanirakhar, *1977, collection privée. Le rapport entre avant-garde et expériences philosophiques orientales est riche en exemples. Cette œuvre, dont le titre signifie « l'imprononçable nom de dieu » dans certaines communautés népalaises, rappelle la typologie magico-représentative des* mandalas *indiens.*

du rêve de Ian Hamilton Finlay, Dick Higgins ou Emmett Williams. Il est cependant difficile de reconnaître la tradition de l'œuvre d'art dans les étranges suites conceptuelles de Daniel Spoerri et de Marcel Broodthaers. Ici, et dans toute l'activité de Fluxus, existe l'idée d'un incessant devenir des choses, à laquelle se superpose la précarité de l'intention artistique, du geste créatif comme acte merveilleux en face du déroulement autonome et toujours renouvelé de l'existence.
Proche de cette tendance se trouve la base théorique qui soutient la pratique de la performance. Elle peut être considérée comme la théâtralisation et l'utilisation du corps (body art), plus généralement comme une conséquence extrême du gestualisme informel ou comme une réintégration des systèmes d'expression du théâtre et de la danse dans la sphère des arts plastiques. Elle

mystérieux et très suggestifs, toujours surprenants.

◆ **Parmiggiani,** Claudio (Luzzara 1943). Il appartient à la phase de maturité de la tendance conceptuelle. Entre 1968 et 1977, ses installations tentent d'examiner les catégories méta-historiques à l'origine de l'activité créatrice, et pour cela elles utilisent des renvois directs à la peinture du passé, de la Renaissance au suprématisme.

◆ **Reinhardt,** Ad (Buffalo 1913 - New York 1967). Son abstraction, d'abord très proche de celle de Barnett Newman, évolue dès les années 50 vers l'annulation des faits perceptifs à l'intérieur du tableau. Des monochromies absolues ou, tout au plus, des dialogues géométriques entre quelques couleurs déclinées en des variations infinies de tonalité constituent les constantes de sa peinture, qui anticipent ainsi le minimalisme aussi bien pictural que sculpté.

◆ **Weiner,** Lawrence (New York 1940). Représentant éminent du conceptualisme rigoureux (dit aussi tautologique), il confie à l'écriture des théorèmes analytiques sur l'hypothèse de l'œuvre et de l'art en général. Son travail peut être rapproché de celui de Robert Barry, Douglas Huebler et Bernard Venet.

peut aussi être qualifiée d'« action » esthétique racontée et enregistrée grâce aux nouveaux médias (vidéo, disque, bande magnétique pour Nam June Paik, Wolf Vostell, Keith Sonnier, Joseph Beuys, pour les musiciens Philip Glass, Terry Riley, Steve Reich, La Monte Young, Giuseppe Chiari).

Par tous les moyens, cette tendance admet la supériorité de la logique de l'œuvre en tant qu'entité physique, objectale et formelle ; elle la nie en tant que « produit », fait durable et définitif, et lui substitue le principe de l'événement, du *hic et nunc* existentiel.

A côté de la leçon apparemment improvisée et provocatrice de Duchamp, ou d'extrémistes plus récents comme Piero Manzoni et Yves Klein, il convient, pour comprendre la base philosophique de ce grand courant, de penser à l'acception que Maurice Merleau-Ponty a donnée de l'existentialisme... mais aussi aux suggestions jaillies de cette inépuisable source d'impulsions que constitue, pour nous, la pensée d'Antonin Artaud. La ligne de frontière qui sépare l'art conceptuel des autres avant-gardes des années 60 et 70, comme le body art, le land art, l'art pauvre, n'existe pas en réalité. D'un côté, nous avons les attitudes drastiques des conceptualistes au sens strict, de l'autre, les différentes modalités de *dématérialisation* de l'œuvre : celle-ci peut, justement, se transformer en gestualisme corporel, en intervention sur le paysage, en évocation d'une créativité libérée de l'idéologie du « produit ». Les recherches de Fontana, de Klein et de Manzoni ont préparé le terrain à l'émancipation de l'artiste de l'esclavage de l'objet, lui permettant d'étendre son champ de travail vers les frontières ouvertes de l'action indéterminée et de l'activité mentale. Aux États-Unis, le courant minimaliste est très proche,

◄ *Frank Stella,* New Madrid, *1961, Kasmin Gallery, Londres. De très nombreuses recherches de la nouvelle avant-garde sont dans une certaine mesure annoncées par la peinture abstraite américaine des années 50 et 60, par les œuvres de Stella, Kelly, Noland, Newman, Albers et Reinhardt.*

◄ *Donald Judd,* Eight Modular Unit V - Channel Piece, *1966, musée d'Art moderne, Francfort. Le minimalisme accentue l'idée de régularité sérielle et mathématique déjà présente dans les œuvres abstraites des années 20 et 30. En effet, l'œuvre créatrice ne s'offre pas comme reflet de données émotives, épiques ou lyriques, mais correspond à la froide analyse des structures expressives mises en action.*

Robert Smithson, La Jetée en spirale, *1970, Great Salt Lake, Utah. En dépit de la distance entre les moyens employés, cette œuvre est révélatrice du creuset abstracto-géométrique qui relie le land art au minimalisme.*

◄ *Carl André,* Cedar Piece, *1964, Kunstmuseum, Bâle. Il s'agit de l'un des tout premiers exemples de construction de l'objet sculpté à partir d'un motif abstrait de développement sériel.*

▼ *Robert Morris,* Sans titre, *1965, collection privée, Colorado. Le minimalisme de Morris révèle une réduction opiniâtre de l'objet sculptural à ses lignes directrices géométriques essentielles. C'est en ces termes que l'auteur exprime la base de la perception visuelle, le fondement psychologique de toute l'expérience esthétique.*

par de nombreux aspects (en peinture comme en sculpture), de l'art conceptuel, mais reste lié à l'existence de l'œuvre concrète. Dans les installations de Robert Morris, Carl André, Donald Judd, Dan Flavin, Sol LeWitt, l'analyse de la forme géométrique élémentaire est le fondement de l'objet esthétique et le principe de son rapport avec l'environnement extérieur. D'un côté, donc, ce mouvement s'insère dans la tradition de l'art abstrait, dont il constitue le dernier épisode important, de l'autre, il présente une puissante veine d'idéalisme platonicien qui le relie à l'art conceptuel, ses œuvres entendant mettre en évidence les « structures primaires de la connaissance », comme le signale le titre d'une exposition collective de 1966.

Par rapport à beaucoup de précédents en sculpture abstraite, les travaux de Morris se présentent comme l'extrême

réduction de l'objet à son âme mathématique : la « forme », dans l'acception artistique du terme, se trouve abolie, et l'œuvre est dématérialisée au moment même où elle se fait hyper-concrète : pure manifestation d'une idée. Que ce soit un prisme à base triangulaire, la conjonction de deux parallélépipèdes à angle droit ou un anneau circulaire, dans tous les cas la matière dont elle est formée se présente comme présupposé neutre à son existence (et rien d'autre), ses surfaces n'offrent aucun point

▼ *Dan Flavin,* The Nominal Three, *1963, collection Panza di Biumo, Varèse. Le concept à l'origine de cette installation (dont le thème s'inspire de Guillaume d'Occam) est théologique.*

▼ *Walter De Maria,* Dessin long d'un mille, *détail, 1968, désert Mohave, Californie. L'autre aspect de la « fermeture » géométrique minimaliste est le franchissement du milieu ambiant, proposé par le land art.*

d'appui pour le regard (de valeurs optiques, esthétiques ou sensuelles), sa substance est une révélation silencieuse du calcul dont elle est issue. A ce vocabulaire, les travaux de Judd ajoutent le terme « sérialité » et ceux de LeWitt et de Carl André le principe de la « modularité ». Ainsi, ce n'est pas un hasard si LeWitt est également un des plus grands théoriciens de l'art conceptuel, bien qu'en pratique il ait toujours agi au côté des minimalistes. Les notions de module et de série sont utilisées par ces artistes relativement à la physique posteuclidienne, c'est-à-dire au répertoire cognitif de l'homme contemporain. Dan Flavin s'en sert également, lui qui occupe une place à part dans le mouvement, car le seul à essayer de produire des « sculptures de lumière » au moyen de tubes au néon rectilignes, disposés dans l'espace d'exposition selon des rythmes métriques et sériels précis. Robert Grosvenor, Philip King, Tony Smith occupent des positions plus modérées, conciliant la rigueur minimaliste et les différents héritages de la sculpture d'avant-garde.

Il faut enfin rappeler qu'il existe une version picturale du minimalisme dont Ad Reinhardt est le père spirituel. Les peintures de Frank Stella, Kenneth Noland, Ellsworth Kelly maintiennent en vie, dans les années 60, la tendance expérimentale inaugurée dans l'immédiat après-guerre par Barnett Newman et Mark Rothko ; Reinhardt l'avait conduite jusqu'à la possibilité, en peinture, de la mise au zéro du fait perceptif en faveur de la révélation immatérielle du concept qui le soustend. Parmi les représentants de cette tendance figurent Agnes Martin, Robert Ryman, Brice Marden, Richard Tuttle, Robert Mangold, qui sont réunis en 1966 au cours d'une exposition cruciale intitulée *Systemic Painting* (peinture systématique) et organisée par Lawrence Alloway pour le musée Guggenheim de New York. Ces artistes représentent le pendant américain de la « peinture analytique » européenne alors naissante, qui voit le jour en France avec le groupe Support-Surface, et qui reçoit également l'adhésion de peintres italiens, allemands et espagnols. ■

Piero Manzoni, Achrome, *1958, musée d'Art moderne, Francfort.*

Les tableaux blancs que Manzoni réalise au début de sa carrière confient la perception du fait pictural aux suggestions « tactiles » du coton, de la gaze, etc. L'artiste cherche à éliminer de l'œuvre tout mobile de représentation et à la mener aux limites de ses capacités expressives : dans ce sens, il est déjà qualifié d'« artiste conceptuel » à part entière avant d'atteindre les performances de 1960-1963.

Giulio Paolini, Jeune Homme regardant Lorenzo Lotto, *1967, collection privée.*

Typique de la période médiane de l'art conceptuel, cette œuvre repose sur le renversement de logique effectué par le titre. Elle n'est en effet qu'une reproduction photographique d'un célèbre tableau de 1505, et sa qualité technique n'a aucun rapport avec son sens. Ce titre fait que, autour du pivot d'un tableau ancien, ready-made, le cours de l'Histoire s'enroule sur lui-même, renversant les catégories du temps et du sujet.

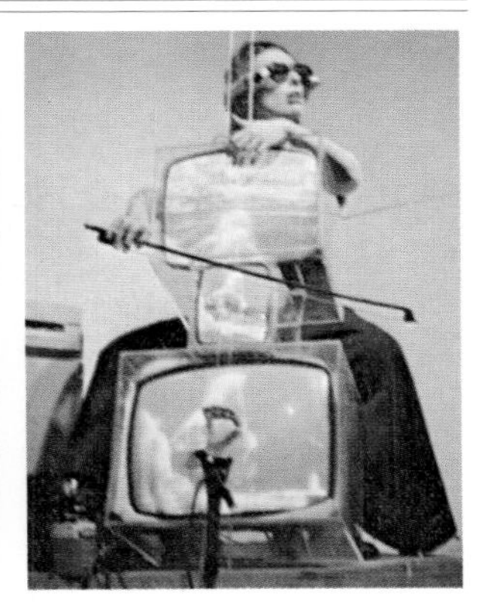

Nam June Paik, Violoncelle TV *(à l'instrument, Charlotte Moorman), 1971, performance donnée à New York.*

L'activité artistico-théâtrale de la « performance », dérivée des expériences « dématérialisantes » du conceptualisme, se développe essentiellement dans les années 60. Le Coréen Nam June Paik, bien qu'agissant avec l'idée d'exhiber le corps de l'artiste au lieu de l'œuvre (body art), se sert de techniques modernes, comme la vidéo, le disque et la bande magnétique.

Fin de la guerre d'Algérie Crise de Cuba	Assassinat de Kennedy Escalade au Vietnam	La France quitte l'OTAN Révolution culturelle en Chine	Dictature en Grèce Guerre des Six Jours Assassinat de Che Guevara	Traité de non-prolifération nucléaire Élections de G. Pompidou, W. Brandt, A. el-Sadate	Septembre noir à Munich Scandale du Watergate aux États-Unis
Premiers hommes dans l'espace Satellite Telstar	Première femme dans l'espace	Langage Basic Sonde sur la Lune	Transplantation cardiaque Scanner	Premiers pas sur la Lune Avion civil supersonique	Premiers microprocesseurs Sonde sur Vénus
B. Britten : *War Requiem*	Ayler : *Ghosts*	S. Bussotti : *La Passion selon Sade*	L. Dallapiccola : *Ulysse*	K. Stockhausen : *Opus*	Y. Xenakis : *Polytope de Cluny*
Genet, Foucault, Soljenitsyne, Lévi-Strauss, Kawabata	Gadda, McCarty, Bellow, Barthes, Leroi-Gourhan	Weiss, Siniavski, Perec, Bataille, Lacan, Lorenz	Kundera, Amado, Garcia Marquez, Yourcenar, Derrida	Roth, Bukowski, Segal, Borges, Monod, Barthes	Moravia, Böll, Sarraute, Laborit, Deleuze
M. Foucault : *Histoire de la folie à l'âge classique* C. Lévi-Strauss : *La Pensée sauvage*	Pop art à la Biennale de Venise	Op art au musée d'Art moderne de New York	Land art aux États-Unis	Exposition « Happening et Fluxus » à Cologne	
F. Stella : *New Madrid* **Y. Klein :** *Anthropométrie*	**D. Flavin :** *The Nominal Three*	**J. Kosuth :** *One and Three Chairs*	**G. Paolini :** *Jeune Homme regardant Lorenzo Lotto* **R. Barry :** *Sans titre*	**S. LeWitt :** *Sans titre*	**Nam June Paik :** *Violoncelle TV*
1960-1962	1963-1964	1965-1966	1967-1968	1969-1970	1971-1972

Pino Pascali, Veuve bleue, *1968. Au cours des quatre années qui ont vu son expérience artistique atteindre les plus hauts sommets de la maturité, Pascali a donné vie à des cycles d'œuvres comme les murs, les armes, les sculptures blanches, les fragments anatomiques féminins, les éléments de la nature. Apparemment achevés et indépendants, ils sont cependant liés par une idée de fond commune et par une fantaisie toute débordante. Ses créations se présentent en effet comme la synthèse de cet équilibre entre culture et nature que l'homme contemporain cherche à retrouver. Il n'existe pas une idée esthétique dominante chez Pascali, mais des nécessités : la fantaisie, l'ironie, la forme. C'est dans cette direction que l'on peut interpréter le rapport avec les matières que l'artiste, contrairement au postulat des paupéristes, ne veut pas afficher de façon tautologique, mais récupérer.*

25 NOUVELLES AVANT-GARDES

La transition entre les années 50 et 60 est dominée par un climat particulièrement intolérant qui aboutit à un refus des angoisses liées à l'existentialisme et à l'informel. Les expériences artistiques de cette période s'expliquent par un irrésistible besoin de renouvellement et surtout une nette opposition à tout dogmatisme et au concept d'autorité. Les artistes sont profondément animés par un esprit de révolte envers l'idéologie contemporaine et de profanation des moyens d'expression traditionnels. Ils aspirent à une complète liberté pour une plus grande rapidité d'exécution. Dans ce but, la sphère des instruments d'expression s'élargit, leur multiplicité étant aussi favorisée par le progrès industriel. L'art est considéré comme « procédé de connaissance », et s'y livrer signifie étendre son champ d'action à des opérations de tous genres. Cela justifie l'entrée dans le processus créatif d'une autre donnée : la « durée ». L'art réussit donc à affirmer son indépendance, conçue non pas comme autonomie du tableau, mais comme *lieu central d'expérience* : en effet, non seulement la notion d'artiste est changée, mais aussi à présent celle de geste et d'espace artistique. Cette mutation est impensable sans Burri et Fontana, et sans les modifications du rapport entre le milieu et le bénéficiaire, introduites par Yves Klein ; Manzoni, Lo Savio et Castellani sont les figures emblématiques aussi bien pour un réveil de cette rigueur révolutionnaire propre aux avant-gardes que comme anticipateurs de mouvements fondamentaux à venir immédiatement. Les *Achromes* permettent à Piero Manzoni d'aborder le problème de l'espace. Pour affirmer sa liberté de geste, l'artiste enduit la toile d'une couleur unique. Grâce à l'absence d'image, il arrive à une « mise à zéro » du tableau, qui crée le rapport avec l'espace environnant par la seule propriété lumineuse de la couleur. Par la suite, Manzoni réalisera des œuvres animées d'une intention ouvertement démystificatrice à l'égard de l'art. Des pièces fortement provocatrices comme *Lignes, Sculptures vivantes, Merde d'artiste* ne font qu'exalter le processus de désacralisation de l'œuvre d'art. Chez Enrico Castellani, la relation entre peinture et espace est recherchée par la tension de la toile. Ces tableaux, absolument purs

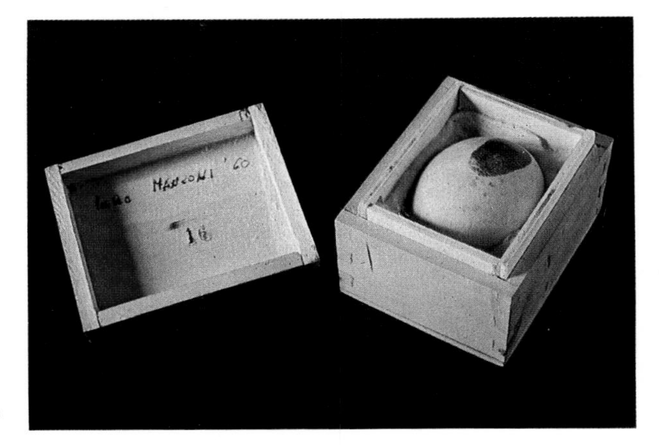

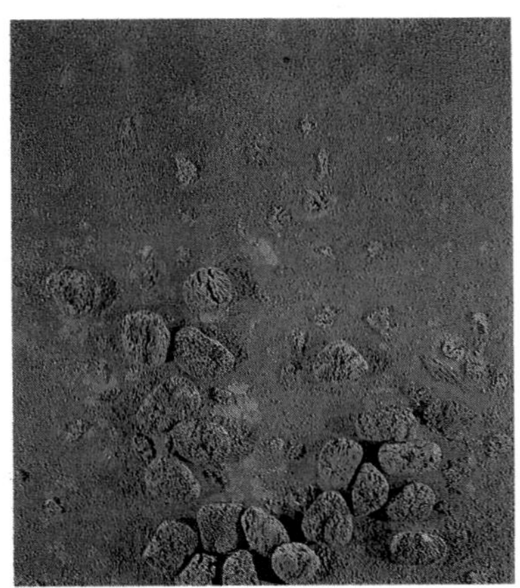

▲ *Piero Manzoni,* Consécration à l'art de l'œuf dur, *1960, collection privée, Milan. Manzoni exprime, par la consécration artistique de produits de consommation, son commentaire satirique sur la vénération accordée aux beaux-arts.*

◄ *Yves Klein,* Relief éponge bleue : RE 19, *1958, Wallraf - Richartz Museum, Cologne.*

▼ *Joseph Beuys,* Sculpture spatiale, *1968, Hessisches Landesmuseum, Darmstadt. Pour cet artiste, l'objet compte moins en tant que tel que la relation qui le lie aux autres éléments de l'installation. Tout acte assume une forte connotation allégorique, à l'intérieur d'un discours voulant protéger la nature de l'emprise abusive de l'homme.*

et immaculés, sont doués d'une mobilité intrinsèque qui pousse le spectateur à en explorer les anfractuosités et les saillies. On s'éloigne ainsi du cadre comme écran pour aboutir à une idée d'œuvre active dans l'espace.
Lo Savio réalise également des monochromes, mais sa recherche est orientée sur la poétique de la lumière. Celle-ci se fait interprète de l'idée de base, et l'artiste en explore les relations avec l'espace et la couleur. Le prélude aux avant-gardes suivantes, en premier lieu à l'art pauvre, est le travail d'un artiste à la personnalité très marquée : Joseph Beuys. Dès les années 50, il refuse le « tout fait », aspirant à retrouver l'état primordial de toute chose, où les différences entre homme, animal et végétal sont difficilement perceptibles. L'artiste allemand travaille sur la fusion de l'art et de l'expérience, convaincu de la capacité de l'un à contenir l'autre : le résultat en est une graphie rapide et réductrice, aux couleurs liquides et terreuses, sans phase préparatoire. A partir des années 60, Beuys arrive à interagir avec l'espace extérieur, l'envahissant de matériaux élémentaires, d'un puissant impact physique. Ces opérations n'ont pas seulement pour but de souligner la suppression des barrières entre les arts, mais d'abord de mettre en évidence l'implication de l'artiste, en tant qu'homme, dans la vie économique et politique qui l'entoure et dans le rapport harmonieux avec la nature.
La recherche de la « réalité absolue », en privilégiant le concept, l'idée, vis-à-vis de

LES PROTAGONISTES

◆ **Anselmo,** Giovanni (Borgofranco d'Ivrée 1934). Son activité doit beaucoup à ses études de physique, de phénoménologie et de logique, menées autour des concepts de la stase, de l'équilibre, des lois de la gravitation, de l'entropie. Pour Anselmo, le langage possède déjà en soi, avant même d'être conjugué (c'est-à-dire « réduit en une forme »), toutes les composantes de sens qu'il est en mesure de véhiculer.

◆ **Beuys,** Joseph (Krefeld 1921 - Düsseldorf 1986). Toute sa vie, ce grand artiste allemand a poursuivi son rêve d'une interpénétration totale de l'existence quotidienne et de l'expérience artistique. L'idée du corps et de la trace qu'il laisse (qu'elle soit travail humain, écriture, signe dans l'espace, ou bien hiéroglyphe pictural ou image technologique) est au centre de son activité, constituée d'innombrables « interventions » en prise directe, avec la présence *effective* du public, de mémoires objectales de gestes, d'enregistrements électroniques, de signes laissés.

◆ **Castellani,** Enrico (Rovigo 1930). Fondateur avec Manzoni de la revue *Azimuth*, il réalise des surfaces monochromes modelées ou cloutées, qui se veulent miroir de la pensée et de ses mouvements. Les toiles tendues sur les cadres offrent leur dynamisme reflet d'émotions intrinsèques, et la lumière les parcourt et les modifie.

◆ **Fabro,** Luciano (Turin 1936). Promoteur de l'« espace imposé par la matière

Richard Long, Wiltshire 12-15 October, *1969, collection Panza di Biumo, Varèse. Immédiatement reconnaissable, l'œuvre de Long consiste à disséminer des parcours, distincts d'une organisation géométrique rigide, en plein air comme à l'intérieur d'espaces traditionnels. Son esthétique plonge ses racines dans le minimalisme et dans le land art.*

▼ *Enrico Castellani,* Superficie blanche, *1968, collection Marconi, Milan. Depuis le début des années 60, Castellani poursuit obstinément cet idéal rigoureux de table rase, de mise à zéro intransigeante d'une surface sévèrement monochrome, animée de modulations à peine perceptibles à l'œil. La toile s'anime de saillies plastiques, très contenues grâce au cadre.*

l'objet, constitue donc le principe de l'activité artistique de cette époque. Parallèlement à ces expériences, quelques artistes s'intéressant aux phénomènes perceptifs et « cinétiques » concrétisent leur recherche. Leur volonté de donner une structure à l'expérience les pousse à réaliser des œuvres qui « bougent ». L'apparente sophistication visuelle et psychologique de ces travaux contraste avec l'extrême simplicité (et même rusticité)

des mécanismes mis en œuvre, fruit de la fantaisie plus que de la présence d'un réel apport technologique. Ce courant se nomme, selon les cas, art cinétique, programmé, optical. Les artistes engagés sont le plus souvent organisés en groupes : *Zero* en Allemagne, *Kalte Kunst* en Suisse, *Groupe de recherche d'art visuel* en France, *Nove Tendencije* en Yougoslavie, *Groupe N* à Padoue et *Groupe T* à Milan.

même », Fabro fonde son activité sur la conviction que l'art doit être considéré comme acte d'expérience, devant lequel le spectateur abandonne tout préjugé. Parmi ses œuvres les plus remarquables, citons *Italie*, *Portemanteau*, *Pieds*.

◆ **Hesse,** Eva (Hambourg 1936 - New York 1970). Disparue jeune, cette artiste a laissé peu d'œuvres, mais certaines figurent parmi les meilleures de la nouvelle avant-garde. Ses enchevêtrements de filaments artificiels et incorporels témoignent d'une sensibilité percevant la frontière ténue entre le monde des objets et l'immatérialité transparente de la pensée.

◆ **Kounellis,** Jannis (Le Pirée 1936). Cet artiste construit son esthétique personnelle sur l'échange de deux perspectives opposées mais qui sont tout à fait inséparables : l'existence quotidienne et l'Histoire. Et c'est le long de ces lignes de tension que se développe son œuvre, qu'il conçoit comme une pratique sociale avant d'être esthétique, où l'héritage de la tradition européenne et le poids de la réalité contemporaine sont alors pris en égale considération.

◆ **Lo Savio,** Francesco (Rome 1935-Marseille 1963). Lo Savio commence par réaliser des toiles monochromes qui lui permettent d'observer les effets de la lumière sur la surface. Il est vite convaincu que seul le phénomène lumineux peut organiser une structure visuelle complète. Il étale des voiles sur ses tableaux afin d'étudier les différents rapports entre la pénétration

Si, d'un côté, la technologie est exaltée par l'optical art, de l'autre, elle est utilisée également dans la recherche des formes archétypes naturelles de l'anti-form. Cette désignation n'indique pas un mouvement visant à une annulation totale de la forme, mais plutôt un courant qui cherche à créer des structures évocatrices de la nature, à l'aide d'instruments et de procédés techniques. Les images qui en résultent n'ont aucune prétention iconographique mais, par les attitudes qui leur ont donné naissance et grâce aux matériaux qui les ont formées, elles ont la propriété de susciter des émotions particulières. Des artistes comme Eva Hesse, Bob Morris, Bruce Nauman, Ger Van Elk, Keith Sonnier donnent vie, par exemple, à des œuvres exaltant la sensorialité. Le funk art, dont le nom dérive de la musique du même nom, présente de nombreux points communs avec l'anti-form. Ce courant, qui se développe dans la région de San Francisco, est très ancré dans la vie contemporaine, où il puise les images, mais qu'en même temps il regarde avec une attitude provocatrice. Il en naît des œuvres au caractère fortement allusif et ironique, irrespectueuses de la moralité publique, beaucoup plus proches des œuvres dada que de la sculpture traditionnellement admise.
La délimitation du panorama artistique des années 60 et d'une partie de la décennie suivante demande de s'arrêter sur des mouvements comme le land art et le body art, qui présentent des points communs importants et indéniables avec l'art conceptuel. Nombreuses sont les relations entre land art et minimalisme, dont les expériences, en s'élargissant, exigent des espaces toujours plus vastes. On peut même observer, dans certains cas, l'abolition de la fron-

Le théâtre de la nouvelle avant-garde

Il est indiscutable que les arts figuratifs ont joué un rôle considérable dans la formation du théâtre contemporain. Mais le phénomène inverse est aussi évident : l'osmose entre œuvre artistique et événement scénique reflète la corrosion des barrières historiques qui séparaient l'art de la réalité. Figure de premier plan dans les recherches théâtrales des années 60, le Polonais Jerzy Grotowsky ramène le processus de représentation à un ensemble de phrasés corporels issus de la vie réelle.
La « récitation » se fonde sur une gestualité sommaire et sèche, capable d'impliquer le spectateur de la façon la plus directe, tandis que la présence du texte est considérée comme un obstacle à l'instantané et à l'authenticité du spectacle. La finalité de ce dernier est de se confondre avec l'existence réelle. Dans le living theater (ci-dessus, représentation d'Antigone*), dont le nom rappelle cette ambition, la structure de la narration est confiée à des voix extérieures et l'improvisation ainsi que l'idée du corps de l'acteur pivot de la représentation sont des éléments décisifs.*

de la lumière et la formation de l'image. Ses dernières œuvres sont constituées de surfaces métalliques recourbées, toujours conçues dans la même perspective de vaste recherche.

◆ **Long,** Richard (Bristol 1945). Principal représentant du land art britannique, Long a façonné son image sur les idées de « dissémination » et de « parcours », concevant l'œuvre d'art comme prise de possession d'un espace existentiel grâce aux modèles géométriques de la rationalité.

◆ **Manzoni,** Piero (Soncino 1933 - Milan 1963). A partir de 1959, il anime avec Castellani la revue (et ensuite la galerie) *Azimuth.* Expérimentant des matériaux nouveaux comme la cire, l'huile, la colle, il cherche à donner des sens inédits à l'œuvre d'art, qu'il conçoit comme événement cérébral avant d'être physique. Paradoxalement, il parvient à ce caractère physique dans des œuvres comme *Ligne, Consécration à l'art de l'œuf dur, Merde d'artiste,* qui lui permettent d'attaquer le marché de l'art et de

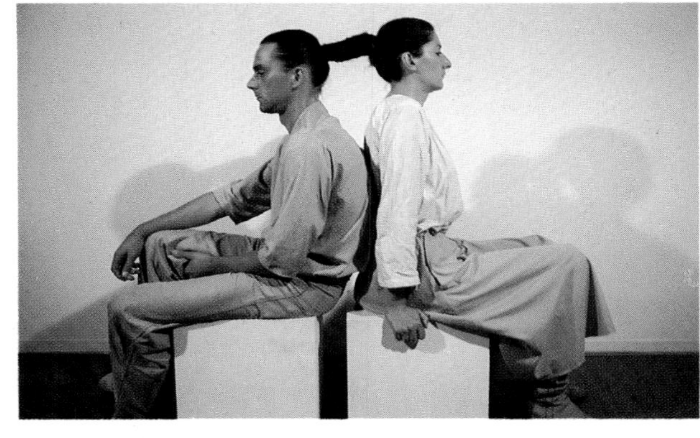

Marina Abramovič et Ulay, Relation dans le temps, *1977, Studio G7, Bologne. De telles performances se fondent souvent sur des actions d'une extrême dureté.*

tière entre ces deux courants. L'expansion de l'œuvre artistique à des dimensions extraordinaires, typique du land art, entraîne l'abandon de lieux traditionnels comme les galeries et les musées au profit de grands espaces extérieurs, ce qui implique une conquête de l'espace par l'art. La nécessité de vastes étendues explique que le mouvement prenne moins facilement en Europe qu'en Amérique, où de grandes zones, souvent désertiques, ne portent que peu de signes de présence humaine. Les interventions du land art se développant sur une vaste échelle, la genèse préparatoire de l'œuvre est très longue et laborieuse, en raison de la recherche du site et de l'utilisation considérable de matériel. A cette phase si complexe succède souvent une durée minime de l'œuvre, exposée à l'évolution naturelle et aux variations climatiques. Ces raisons, et le gigantisme qui ne permet pas toujours d'appréhender l'intervention dans toute sa dimension, entraînent la nécessité d'une documentation sur ces œuvres – accumalation d'informations recomposées sous forme de photos ou de films. Les artistes du land art procèdent par application à l'environnement de schémas dérivés du minimalisme, tels que la ligne droite, la courbe et le cercle, autant d'éléments étrangers à la na-

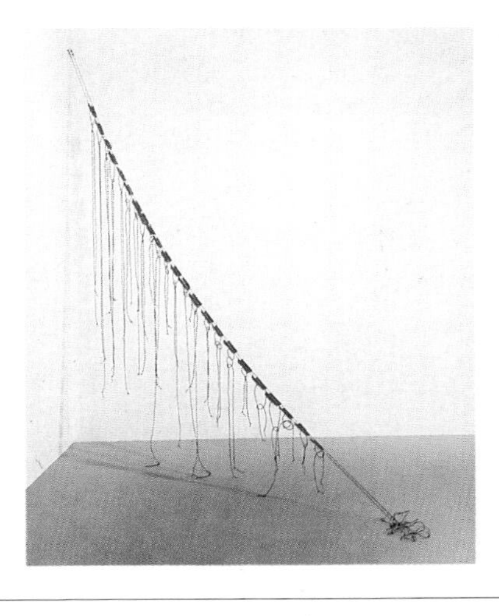

Eva Hesse, Vinculum II, *1969, musée d'Art moderne, New York. Au moyen de ces divers éléments synthétiques filamenteux, comme incorporels, souvent interprètes d'une végétation triste cultivée presque au stade embryonnaire, les œuvres de cette artiste d'origine allemande parviennent à occuper l'espace en dépit de leur transparente immatérialité.*

gagner une réputation d'ineffable provocateur. Il meurt de façon mystérieuse.

◆ **Merz,** Mario (Milan 1925). Il débute dans le milieu de la peinture informelle. Dans les années 60, il participe à la fondation de l'art pauvre et ses travaux s'orientent vers l'idée de soustraire l'art à l'autorité de l'Histoire. Pour cette raison, les sujets de ses installations sont des matériaux hétérogènes, en général animés d'une énergie biologique intrinsèque et présentés comme significatifs en eux-mêmes. La forme de l'igloo, métaphore spirale symbolisant l'évolution de la vie et de l'art, est un élément récurrent dans son œuvre.

◆ **Pascali,** Pino (Bari 1935 - Rome 1968). Son travail est orienté vers la recherche de « valeurs primaires », dans la perspective de soustraire l'art au trafic et de le ramener à son essence propre. Parmi ses œuvres qui ont de fortes connotations théâtrales, on peut citer notamment les séries des *Armes* et des *Animaux,* ainsi que les installations intitulées *La Mer.*

◆ **Zorio,** Gilberto (Andorno Micca, Turin 1944). Il est l'un des protagonistes de l'art pauvre. Ses œuvres jouent ainsi sur les mutations continuelles des forces naturelles et peuvent être vues comme des processus captés au moment de leur déroulement. Les étoiles, les javelots, les canoës sont des chiffres symboliques constants dans sa production : de véritables métaphores d'une énergie solidifiée ou bien prête à entrer en action.

▼ *Michelangelo Pistoletto,* Vénus en loques, *1968, collection Di Bennardo, Naples. Reniant toute hiérarchie de techniques et de matières, l'artiste accompagne ainsi sa conscience du passé de la contemplation du quotidien. Pistoletto n'oublie pas, en effet, des réflexions sur l'acte artistique et ses œuvres présentent des allusions historiques et des références évidentes à la culture urbaine contemporaine.*

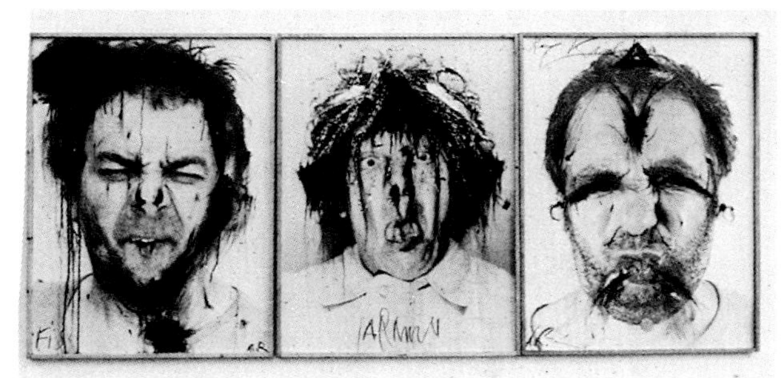

▼ *Arnulf Rainer,* Farces-fables, *1968-1975. Les deux dates auxquelles cette œuvre a été exécutée trahissent deux périodes différentes du travail de Rainer, éloignées chronologiquement, mais conceptuellement proches. Tandis que la photographie renvoie à la période liée au body art, l'intervention picturale atteste l'activité la plus récente de l'artiste.*

ture. Des artistes comme Walter De Maria, Richard Long, Dennis Oppenheim, Michael Heizer, Christo travaillent sur le site, lui imposant leurs empreintes, leurs empaquetages, traçant des parcours. Ils parviennent ainsi à susciter d'importantes frictions entre les éléments artificiels imposés et la nature contrainte de les recevoir.

Le body art vise au contraire à centrer l'attention sur le corps humain, sur ses capacités expressives, par rapport à l'habitude historique de concevoir l'œuvre d'art comme objet. Le corps affirme sa présence en exaltant ses capacités sensuelles et tactiles. A l'intérieur de ce mouvement peuvent être distinguées plusieurs sous-familles, selon leur rapport avec d'autres expressions visuelles. L'une d'entre elles présente des liens évidents avec la danse, le yoga et autres rites et cérémoniels initiatiques. Le corps devient alors œuvre d'art, sujet en mesure de servir de liaison entre homme et nature. La forme artistique ultérieure à laquelle ce courant est lié est le théâtre. A partir des recherches d'Artaud, de Grotowsky, du living theater, l'élément corporel devient acteur par rapport au texte et à la mise en scène. Une autre orientation du body art privilégie la tendance sadomasochiste : l'agressivité distingue nombre de ces actions, empreintes de l'idée du supplice physique et psychique. Elles présentent souvent un caractère rituel destiné à mettre en relief la nécessité d'un rapport interactif entre l'artiste et le public. De même que pour le land art, des artistes comme Gina Pane, Arnulf Rainer, Urs Lüthi, Marina Abramovič, Vito Acconci, acteurs du body art, confient la transmission de leurs performances à la bande magnétique et à la photo, bien que ce soit parfois au détriment de la composante spectaculaire de leurs réalisations. L'« actionnisme viennois » mérite une mention particulière, avec le personnage de premier plan qu'est Hermann Nietsch, auteur et théoricien d'une proposition scandaleuse de *Théâtre orgiaque et mystérieux,* fondé sur la mise à jour des principes cathartiques de la tragédie grecque.

La fin des années 60 voit en Italie la croissance d'un mouvement autonome, indépendant de la culture américaine, présenté par le critique Germano Celant sous le nom d'art pauvre. Il naît de la révolte contre l'idéologie du pop art, encore très forte en Italie, et du rétablissement dans l'expression artistique d'une centralisation du sujet humain (comme ensemble culturel et naturel). La nouveauté absolue de cette tendance réside cependant dans le franchissement de la « représentation » : le geste créatif et la

Richard Serra, Untitled, *1969, collection Jasper Johns, New York. L'activité plastique de Serra pourrait se définir comme une synthèse de radicalisme de pensée et de domination de l'espace. Les matériaux mêmes, par leur présence, sont éléments signifiants. L'équilibre des plaques de fer est dépassé par la multiplicité de sensations que les divers volumes plastiques, renonçant à tout effet esthétique, parviennent à inspirer.*

▶ *Alighiero Boetti,* La Nature, une affaire obtuse, *1980, galerie Minini, Brescia. Au départ de l'œuvre de Boetti se trouve un concept, souvent répété suivant un rythme réitéré. Il ne faut cependant pas confondre la motivation qui sous-tend cette technique de la récurrence avec une répétition mécanique, mais la considérer comme un sérialisme délibéré et ironique.*

◀ *Mario Merz,* 610 fonctions de 15, *1971, John Weber Gallery, New York. Les œuvres de Mario Merz sont gouvernées par une apparente simplicité, où les éléments naturels ont la même valeur que les œuvres humaines. Il est inquiétant de constater à quel point la progression de l'échelle de Fibonacci, adoptée pour observer les croissances dans la nature, atteint des proportions effroyables lorsqu'elle est appliquée à des objets humains.*

donnée naturelle sont amenés à se confondre en un dispositif qui, continuellement, se renie lui-même. Avant tout, les artistes ressentent le climat de forte tension qui domine la société à partir de 1965, et donnent à l'art un rôle éminemment idéologique, et même révolutionnaire. L'acte esthétique devient un instrument d'émancipation collective : il permet cette « prise de conscience » qui libère l'individu et sa psyché de tout ce que (au moins au niveau de l'inconscient) le pouvoir emploie pour obtenir l'assentiment et le maintien du système. L'art pauvre propose une implication totale dans le présent, une intégration globale de l'expression poétique et du « vécu quotidien », un dialogue plus étroit entre vie sociale et artistique. En réaction à l'immobilisme de la pratique représentative, il recherche le dynamisme du geste : ce n'est pas vraiment un hasard si une exposition importante de 1967 s'intitule *Con/temp/l'azione* : à l'œuvre en tant qu'objet contemplatif se trouve alors substituée l'idée de l'action se développant dans le temps.

Des personnages comme Pino Pascali, Giovanni Anselmo, Luciano Fabro, Jannis Kounellis, Michelangelo Pistoletto refusent le rôle d'artistes isolés et non impliqués dans la vie sociale, ainsi que tout rapport purement méditatif avec le passé. L'art se dépouille de l'aura de noblesse et de mysticisme qui l'entourait pour devenir méthode de recherche et

▼ *Luciano Fabro,* Italia vota, *1983, collection Herbert, Gand. La forme de l'Italie revient souvent dans l'œuvre de Fabro, réalisée avec des matériaux divers comme le fer, le cristal, le cuivre. Le motif anecdotique ne doit cependant pas devenir protagoniste, d'où la nécessité d'employer des matériaux communs, dépourvus de valeur esthétique.*

de témoignage de l'être. L'image – comme effet de la représentation – s'effondre sous les coups d'une pratique qui s'appuie sur le rapprochement et la transformation de matériaux hétérogènes. Souvent, le résultat se présente comme simple « preuve » de l'acte accompli. Sont privilégiées les matières d'origine organique, ou en tout cas les éléments doués d'une énergie propre. Même les formes « résiduelles » sont choisies en fonction de leur capacité à évoquer des phénomènes du monde naturel : l'étoile de Gilberto Zorio, la spirale de Mario Merz, l'arbre de Giuseppe Penone.

Parmi les matériaux technologiques dominent des objets et substances de caractère énergético-lumineux (le néon, les résistances électriques, les métaux incandescents, par exemple), parfois des phénomènes totalement inédits sur la scène artistique, comme le feu employé par Kounellis, les glaces synthétiques de Calzolari ou encore les peaux d'animaux de Zorio.

A côté de ces noyaux centraux de l'art pauvre qui se développent à Turin et à Rome, il convient de signaler des artistes qui, bien que n'étant pas à proprement parler « paupéristes », gravitent cependant autour du mouvement : Piero Gilardi, Gianni Piacentino, Claudio Parmiggiani, Eliseo Mattiacci, Emilio Prini, Paolo Icaro, Vasco Bendini. Giulio Paolini et Alighiero Boetti constituent des cas tout à fait à part : impliqués depuis le début dans l'activité du groupe turinois, leurs travaux restent néanmoins liés plutôt à l'esprit de l'art conceptuel. On peut également rapprocher du *conceptualisme paupériste* les interventions de Maurizio Nannucci, artiste « de frontières » par excellence.

Les transfusions d'une avant-garde à l'autre sont vraiment typiques de cette phase de la recherche esthétique mo-derne ; Celant tente de démon-trer dans ses écrits la dimen-sion internationale du mou-vement, et fait allusion à u précurseur comme Beuys, o encore mentionne diverse expériences « parallèles comme celles de Richar Serra, Ger Van Elk, Jan Dib bets, Bruce Nauman, Han Haacke, Keith Sonnier, Rober Barry ou Eva Hesse.

▼ *Michael Heizer,* Displace Replaced Mass, *1969, Silver Springs, Nevada. Collection Robert C. Scul New York. Intervention macroscopique sur un milieu désertique inviol auquel l'artiste impose des empreintes rigides d'esprit minimaliste. Le caractère artificiel de l'acte jure avec l'érosion naturelle environnante.*

[J]oseph Beuys, La Chaise [d]e graisse, *1964, Hessisches [L]andesmuseum, Darmstadt.*

[D]étachant l'œuvre d'art des liens [d]e la tradition, l'artiste allemand [a] amené l'objet artistique au rang [d]e sculpture-installation ouverte à [l]a participation d'éléments divers [a]llant des produits manufacturés [a]ux animaux, des végétaux aux [m]atières organiques.

Bruce Nauman, Bound to fail, *1967-1970, Leo Castelli Gallery, New York.*

L'œuvre de Nauman s'articule sur une gamme de procédés formels, entre le vocabulaire du body art (recherche sur les réactions psycho-physiologiques de l'individu dans des conditions particulières) et des stimuli plus spécifiquement « art pauvre ». Elle use d'éléments naturels et de matériaux technologiques, tentant de les faire fusionner. L'œuvre présentée ici joue sur l'ambiguïté de son titre se rapportant à deux expressions anglaises : « serré à s'en évanouir » ou « contraint à faillir », toutes deux liées à la scène représentée.

Gilberto Zorio, Hourra de javelots et de lampes, *1974, collection de l'artiste, Turin.*

Pour Zorio, la sculpture doit être conçue comme point nodal de tensions et d'énergies. Cependant, la configuration de l'œuvre n'est pas fonction du processus à mettre en évidence ; ce sont l'intégrité et la compacité de la structure même qui représentent ces tensions extrêmes. Dans sa volonté de saisir le flux énergétique, l'artiste utilise des moyens technologiques comme les résistances électriques et les rayons laser, ou encore recourt à des symboles archaïques comme les javelots ou les étoiles.

1963-1965	1966-1967	1968-1969	1970-1971	1972-1973	1974-1975
Escalade au Vietnam Dictature en Grèce	Révolution culturelle en Chine Guerre des Six Jours	« Événements » de mai Printemps de Prague	Élection de Salvador Allende au Chili La Chine est admise à l'ONU	Fin de la guerre du Vietnam Coup d'État au Chili : Pinochet renverse Allende	« Révolution des œillets » au Portugal France : élection de V. Giscard d'Estaing
Langage Basic Synthétiseurs musicaux	Transplantation cardiaque Bombe H française	Mise au point du scanner N. Armstrong marche sur la Lune	Clonage d'un gène Microprocesseurs	Sonde sur Vénus Carson : cellules hybrides	Arrimage spatial USA-URSS
J. Coltrane : *A Love Supreme*	Y. Xenakis : *Polytope de Cluny*	Pink Floyd : *A Saucerful of Secrets*	Doors : *Morrison Hotel*	L. Nono : *Al gran sole carico d'amore*	K. Jarrett : *Köln Concert*
Asturias, Mailer, Neruda	Kundera, Amado, Capote, Garcia Marquez, Bataille	Roth, Bukowski, Yourcenar	Robbe-Grillet, Handke, Böll, Ponge, Monod	Calvino, Soljenitsyne, Sarraute, Deleuze, Lacan	Borges, Morante, Cholodenko
R. Barthes : *Éléments de sémiologie* Marcuse : *L'Homme unidimensionnel*	M. Foucault : *Les Mots et les choses* B. Bettelheim : *La Forteresse vide*	Dorfles : *Le Kitsch* Woodstock	J. Grotowsky : *Vers un théâtre pauvre* Body art aux États-Unis	G. Deleuze et F. Guattari : *L'Anti-Œdipe*	J. Kristeva : *La Révolution du langage poétique*
J. Beuys : *La Chaise de graisse*		**J. Kounellis :** *La Marguerite de feu* **P. Pascali :** *Veuve bleue*	**G. Anselmo :** *Entrer dans l'œuvre* **M. Merz :** *610 fonctions de 15*	**Christo :** *Emballage du Reichstag*	**G. Zorio :** *Hourra de javelots et de lampes*

Anish Kapoor, Mother as a Mountain, *1985, collection Walker Art Center, Minnesota. Les sculptures de cet artiste d'origine indienne sont surtout caractérisées par l'attrait des formes primordiales. Elles ne se fondent pas sur la citation mais, dans leur configuration comme fragments de mémoire, elles affirment leurs liens avec l'Histoire. Elles se proposent comme des manifestations originales, présences isolées, jaillies d'un acte qui n'admet pas de réplique. Ces visions parsemées de pigments colorés ont le pouvoir de créer des sollicitations aussi mystérieuses que contradictoires. Tandis que, d'un côté, la couleur impalpable leur confère une impression de suspension et d'éphémère, de l'autre, le halo velouté de poudre indélébile sur le sol environnant en définit la forme par la perception des bords.*

26 TENDANCES ACTUELLES

Bien que les années 60 soient marquées par la succession de langages et de techniques aux implications les plus disparates, on enregistre, vers la fin de la décennie, une forte tentative de réhabiliter la peinture comme moyen d'expression privilégié. Les liens qui voulaient attacher de façon indissoluble la recherche artistique à la conscience politique fondent, l'identification à l'engagement social disparaît et les arts plastiques parviennent alors à s'affranchir des conquêtes de l'avant-garde. Un retour partiel à la dimension du cadre s'était cependant déjà produit avec la nouvelle peinture, active après 1968. L'idée porteuse de cette tendance était l'analyse du faire artistique, menée de l'intérieur de l'acte pictural même : les artistes concentraient leur attention sur le tableau comme surface de couleurs et articulation de signes, cherchant à en « démonter » tout le système linguistique. Les développements de la nouvelle peinture concernent autant l'Amérique que l'Europe : les Américains Ryman, Marden et Mangold, le groupe français Support-Surface, le quatuor, également français, composé de Buren, Mosset, Parmentier et Toroni, les Allemands Girke, Gaul et Graubner, les Anglais Leverett, Green et Charlton, les Italiens Verna, Gastini, Griffa et Olivieri. Cette tendance, sans doute dérivée de la rigueur scientifique de l'art conceptuel, prépare par son énorme diffusion certains aspects de la sensibilité dominante de la dernière décennie.

▲ *Anselm Kiefer,* Sulamith, *1983, collection Saatchi, Londres. Des architectures menaçantes, sinistres présages de catastrophes imminentes, constituent souvent le sujet des travaux de Kiefer.*

◄ *Mimmo Paladino,* Musique dans la nuit, *1984, Waddington Galleries, Londres. Cette œuvre met bien en évidence toute la symbolique archaïque qui caractérise le travail de cet artiste.*

Le « retour à la peinture » des années 80 se présente riche de facettes internes, caractérisé en effet par une multiplicité de thématiques et de vocabulaires expressifs d'où n'émerge aucun style dominant. La réalité culturelle de notre époque est source d'un nombre étendu de positions individuelles, voulant surtout affirmer la subjectivité de l'acte créatif sans exclure pour autant le renvoi à l'Histoire, ou la récupération de façons et de techniques traditionnelles. La présentation au public, en 1979, par le critique Achille Bonito Oliva, d'un courant figuratif italien, la transavanguardia, proposant la répudiation nette des précédentes recherches d'esprit « conceptuel » en est la preuve. En font partie Mimmo Paladino, Enzo Cucchi, Sandro Chia, Francesco Clemente et Nicola De Maria. Ces peintres ne fixent

pas leurs références dans les limites d'une culture déterminée, mais puisent à plusieurs pôles : expressionnisme, métaphysique, informel, ainsi qu'à certaines expériences culturelles mineures, et même à certaines pratiques artisanales. Pour cette raison, leur œuvre ne présente pas d'unité de style, mais plutôt des lexiques divers mêlés entre eux. Il en naît un art vivant, chargé d'impulsions émotives, très intense et expressif malgré son anarchie grammaticale évidente, possédant un caractère manuel, puissant et énergique en dépit de la faiblesse des moyens employés.
Le mouvement de la transavanguardia rencontre un grand succès, s'étendant rapidement au-delà des frontières. Il trouve un terrain fertile surtout en Allemagne, où l'intérêt de quelques artistes s'est déjà depuis longtemps dirigé vers les schémas figuratifs. Anselm Kiefer, Gerhard Richter, Sigmar Polke, Georg Baselitz et A. R. Penck s'emploient à la récupération d'un passé historique national dont les déchirures sont à recoudre, dans le but d'en réaffirmer l'identité. Ils préparent la deuxième vague de peintres allemands – les Neue Wilden – pour lesquels ce qui compte est la violence formelle de l'image, obtenue par un gestualisme impulsif et exubérant, et un chromatisme vif et contrasté. Le rétablissement de l'art figuratif produit des phénomènes curieux et de singulières déviations : un maniérisme néoclassique ou néobaroque, par exemple, qui recueille de nombreux adeptes en Italie et en France entre 1980 et 1985. En Amérique s'impose une mode des plus ambiguës, celle des « graffitistes », qui annonce la compromission totale entre l'esprit de révolte suburbaine et le grand marché international. Les œuvres sont transposées d'un lieu (présumé)

Nouveaux aspects de la sculpture

Au cours de la dernière décennie, la sculpture, dans ses caractéristiques de discipline spécifique, a également été réhabilitée comme secteur fondamental de la recherche artistique. Par rapport au passé, les façons de travailler plastiquement ont cependant changé, surtout en raison d'un emploi différent des matériaux. A la base des esthétiques sculptées les plus intéressantes, il y a donc aujourd'hui une grande connaissance du projet, étayée par de très rigides contrôles stylistiques. Le travail est profondément étudié au niveau mental, la pratique étant l'application concrète d'une pensée. Dans cette ligne se manifestent des artistes comme Bill Woodrow, Tony Cragg (ci-dessus, Evensong, *1984), Anish Kapoor, Hidetoshi Nagasawa, Tony Grand, Albert Hien, Nunzio, Fabrizio Corneli, Antonio Violetta, Pino Spagnulo, Pietro Coletta, Anne et Patrick Poirier. Leurs œuvres proposent une notion de la sculpture comme acte dynamique ouvert à des dialectiques complexes, tournant souvent autour du rapport surface/espace. Ce dernier comporte des volets franchement problématiques, comme controverser la distinction par genres que les années 80 ont réintroduite.*

LES PROTAGONISTES

◆ **Buren,** Daniel (Boulogne-Billancourt 1938). Son œuvre se caractérise par la répétition systématique de bandes de couleur identiques peintes, sur les supports les plus divers : du bois à la toile, du mur au plexiglass.

◆ **Chia,** Sandro (Florence 1946). Ses débuts sont fortement influencés par le climat paupériste. Mais, dès 1977, il retourne au figuratif et adhère au groupe de la transavanguardia. Ses diverses compositions, oscillant entre ironie et innocence, sont peuplées de figures d'inspiration très maniériste, flottant sur des fonds informels.

◆ **Cucchi,** Enzo (Morra d'Alba 1950). A ses débuts conceptuels succède une peinture évoquant plus des architectures antiques, des formes animales, des éléments naturalistes, et également des figures d'inspiration païenne ou chrétienne. Un apport très important de la matière et le clair-obscur accentué mettent en valeur ce sentiment dramatique et si puissant qui envahit toutes ses compositions.

▼ *Thomas Schütte,* But But Butter Brain, *1988, galerie Tucci Russo, Turin. L'artiste est conscient de la stérilité du marché contemporain de l'art, pour lequel il fonde son œuvre sur des utopies concrétisées en formes provisoires comme le dessin ou les modèles. Puisque tout renvoie à l'imaginaire, le thème de base devient l'écart entre copie et réalité.*

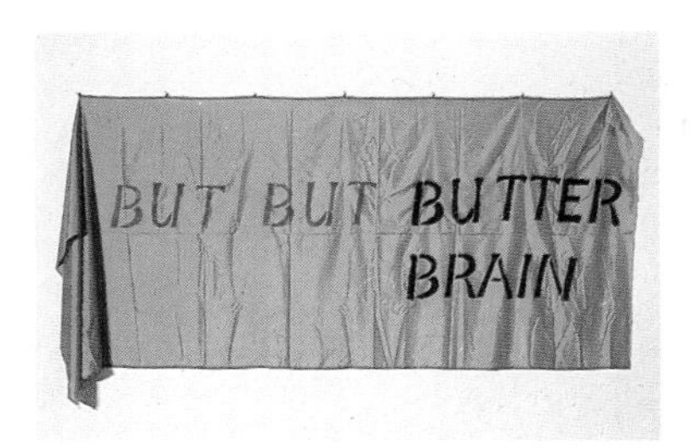

Günther Förg, Sans titre, *1989, collection privée, Suisse. Förg se sert de l'espace physique comme d'un vide où insérer des traces de son propre langage, qui va de la peinture à l'architecture et aux clichés photographiques.*

d'origine sauvage – les murs de la métropole – sur la toile préparée et encadrée, puis mises en vente dans les galeries d'art de la haute bourgeoisie new-yorkaise.
Parallèlement à ces tendances plus ou moins liées à l'expressionnisme se diffuse dans les mêmes années une mentalité orientée vers l'abstraction géométrique, fidèle dans une certaine mesure aux préceptes de l'art conceptuel. Les artistes qui la représentent ont tendance à adopter une attitude introvertie, réfléchie, et ont une façon nouvelle de travailler en rapport avec l'architecture, l'écriture, l'installation. L'œuvre de Günther Förg, fondée sur l'ordre et l'équilibre, conjugue en effet lyrisme et conception spatiale géométrico-constructive. Dès ses premiers monochromes, réalisés sur des supports très variés, jusqu'aux peintures objectales et murales et à ses travaux photographiques, Förg met en évidence sa grande versatilité vis-à-vis des aspects linguistiques de l'espace et dans sa conception d'un enchevêtrement de relations où interviennent des objets, des images, des éléments d'architecture et le public. Gerhard

◆ **Förg,** Günther (Füssen 1952). Il figure parmi les artistes allemands les plus représentatifs de la dernière décennie. L'axe de son travail consiste en l'analyse de la forme dans sa fonction d'interprète de sens. Cela explique la multiplicité de techniques adoptées lors d'interventions qui cherchent à impliquer de manière simultanée milieu, objets, images et spectateurs.

◆ **Gastini,** Marco (Turin 1938). Au départ, l'analyse qui intéresse Gastini concerne le lien signe/support, et les problèmes consécutifs de caractère linguistique. Par la suite, il instaure une conception du cadre comme lieu de fortes tensions, là où s'expriment les pulsions du peintre, ses forces psychiques et ses émotions, capables de faire germer la surface en lui donnant consistance.

◆ **Kiefer,** Anselm (Donaueschingen 1945). L'œuvre de ce peintre est consacrée à la contemplation de l'histoire, de ses désastres, de ses souvenirs, de ses déchets. Cette attitude ne comporte pourtant ni remord ni repentir, mais elle s'attache à exalter l'imagination régénératrice et porteuse de vie.

◆ **Kruger,** Barbara (Newark, New Jersey, 1945). Par la manipulation des techniques des mass media, elle met en relief la capacité d'une image forte à créer une idéologie dans une société comme celle du capitalisme tardif. Une composante ironique très importante est sous-tendue par un travail dans lequel le plan de la narration et la surface matérielle de l'image sont la même

▼ *Cindy Sherman,* Untitled *92, *1981, collection privée. Les acteurs de ses œuvres sont des stars du cinéma ou des femmes paranoïaques. Dans ces images d'une platitude rigoureuse, où la technique photographique devient véhicule de critique, elle laisse toujours quelque imperfection ou trace qui permette de bien percevoir l'arrêt entre réalité et ironie.*

Merz travaille aussi en relation avec l'architecture ; grâce à un vocabulaire de formes classiques soutenues par un goût pour la couleur antiquisante, il tend à subordonner la structure de l'environnement à la représentation artistique. L'œuvre, dans sa façon d'agir, devient modèle architectural. Dans ce contexte, la conjonction entre image et réalité est le catalyseur de la recherche ; des lieux centraux sur lesquels fixer l'attention résultent les liens et les relations entre ce qui est apparemment incompatible. Thomas Schütte et Reinhard Mucha travaillent dans cette perspective. Le premier transfère ses utopies (liées à des élaborations architecturales) sur des modèles qui ne connaîtront jamais d'application pratique. Elles prennent ainsi la valeur de sculptures, contredite toutefois par un langage irréel. Mucha travaille également sur l'ambiguïté entre environnement et sculpture : ses structures naissent de la nécessité de combiner des matériaux de provenances les plus disparates et de les organiser de manière à obtenir un système formel nouveau. L'objet, sorti de son contexte et revêtu d'une fonction nouvelle, ne subit plus la connotation sim-

◄ *Jiri Georg Dokoupil,* Papier hygiénique, *1989, galerie Minini, Brescia. La dette de son œuvre envers l'expressionnisme est évidente. A une toute première phase d'un chromatisme extrêmement violent succède une peinture plus rigoureuse et plus paisible.*

chose, tandis que le message politique est réduit à un simple spectacle.

◆ **Paladino,** Mimmo (Paduli 1948). L'intérêt pour une narration de type figuratif met en relief la capacité particulière de ce dessinateur. Il a une prédilection pour les sujets mythologiques, aimant puiser aux sources antiques (art égyptien, étrusque, ou gréco-romain). Il ajoute parfois des éléments sculptés à ses surfaces peintes.

◆ **Richter,** Gerhard (Dresde 1932). Sa peinture tourne autour d'un noyau : la fiction, l'évanouissement pictural des images, les contradictions du visible. Ainsi sont élaborés des paysages aux contours évanescents et flous, des photographies sans mise au point et des compositions parfois fondées sur une recherche abstraite de l'effet.

◆ **Ryman,** Robert (Nashville 1930). Le travail de cet artiste américain consiste en la définition de surfaces monochromes par le calibrage du coup de pinceau, dont il calcule l'intensité, la durée et la « portée » de la couleur.

◆ **Sherman,** Cindy (Glen Ridge, New Jersey 1954). A partir de 1978, elle se sert de la photographie comme instrument critique. Dans ses premières recherches, elle met tout l'accent sur la composante narcissique de la féminité, puis insiste sur quelques aspects obsessionnels du « mythe » de la femme dans la société actuelle. Son œuvre conjugue savamment ironie et extrême rigueur politique.

◄ *Nunzio,* Talisman, *1985. Pour Nunzio, la sculpture est idée de surface. Les structures en bois brûlé et plomb, et parfois soulignées de peinture, se développent généralement sur un mur.*

pliste de volume. Constitutif d'une réalité différente, il acquiert une valeur formelle inattendue. « Les formes deviennent forme », soutient Bertrand Lavier, qui applique une couche dense de peinture sur des objets banals d'usage quotidien, leur donnant l'aspect ambigu d'œuvres d'art et en même temps de « choses » anonymes dotées d'un sens esthétique implicite. L'effet d'une *fonctionnalité déviée* n'empêche pas l'objet de conserver sa mémoire spécifique, mais permet la création de nouveaux lieux symboliques. C'est également ce qui se produit dans l'œuvre de Wolfgang Laib, dont le caractère rituel intrinsèque aux substances employées garantit une sorte de « ralentissement » du processus perceptif. C'est sur la perception que se fondent les installations du Suisse Markus Raetz ; il cherche à provoquer d'étranges courts-circuits entre illusion spatiale et espace effectif, comme les « sculptures » de Franz Erhard Walther ou d'Imi Knoebel. Le travail de ce dernier exige une concentration intense : des formes géométriques exactes se suivent, se superposent, s'entrecroisent jusqu'à créer des lieux stratifiés complexes. La synthèse d'ordre et de désordre qui en dérive se fait miroir à la fois de l'imaginaire et du réel. Walther, en revanche, crée de douces structures de coton intensément coloré, et dont les anfractuosités s'offrent comme événements symboliques à la participation de l'observateur.

▲ *Peter Halley,* Two Cells with Circulating Conduit, *1988, galerie B. Bischofberger, Zurich. Une sensation de détachement ironique caractérise ces surfaces chromatiques destinées à vaincre la fragilité de l'art abstrait.*

► *B. Lavier,* Enclume, 30 kg, *1990, galerie Minini, Brescia. L'objet, tout en ne renonçant pas à sa connotation fonctionnelle d'origine, est inséré dans un nouvel ordre formel, par l'empâtement des couleurs.*

Un nombre important de situations et d'esthétiques anime la scène artistique américaine des années 80, où la reprise des langages minimalistes, géométriques, conceptuels est parfois manifeste. La peinture de Julian Schnabel, d'origine plus ouvertement expressionniste, apparaît en opposition à ces mouvements. Elle revendique moins le rétablissement d'une figuration ou la reconnaissance d'une représentation mimétique que l'emploi d'objets recyclés et de surfaces « vécues » avant même d'être

▼ *Richard Artschwager,* High Backed Chair, *1988, collection Rivendell, New York. Sorte de combinaison entre pop art, art conceptuel et minimalisme, les œuvres de cet artiste sont entre fonction et indétermination. Chacune d'elles peut en effet être lue comme un objet d'utilisation concrète, mais aussi comme pur produit esthétique.*

manipulées. A l'art de Schnabel vient une réponse de la photographie et de l'*objectique*. La représentation constitue un motif de recherche pour un groupe d'artistes qui, à partir de la fin des années 70, adoptent la photographie comme moyen critique pour affronter la question du rôle de l'art. Ils exploitent des images qui, par des renvois clairs au social et au quotidien, visent à mettre en évidence des mythes d'oppression et de domination. La femme devenant objet est en effet le sujet des photos de Cindy Sherman. Louise Lawler, Sherrie Levine et Richard Price veulent au contraire souligner l'extrême fragilité de l'artiste dans le système de commercialisation de l'œuvre, dominé par des collectionneurs et des institutions politiques. Les travaux de Barbara Kruger sont aussi d'un ton subtilement accusateur : œuvres photographiques fondées sur la décomposition et la reconstruction d'images, accompagnées de textes apparemment sans lien, selon les normes du langage publicitaire. L'œuvre revêt en plus un sens « politique », dont l'ironie réside dans le fait que tout se réduit à une représentation, à un pur spectacle. Il y a, dans l'œuvre de Jenny Holzer, une utilisation singulière de la technologie, très souvent contrainte d'interagir entre le mythe et l'inconscient.

Fondée sur les mêmes bases théoriques de critique de la conscience sociale se développe la théorie de la simulation, du simulacre pictural. Il convient de souligner à ce propos l'importance de l'œuvre de Richard Artschwager, issu de la combinaison du pop art, du conceptualisme et du minimalisme. Sa façon de considérer l'objet du point de vue de sa fonction et (en même temps) comme produit esthétique dépourvu de fonction permet à ses œuvres d'être des paradigmes pour la pensée des générations les plus récentes. Celles-ci sont bien représentées par Jeff Koons et Peter Halley. Koons, mettant en relief la consommation esthétique de l'objet neuf et usagé, rouvre le débat sur le statut de l'art. Les surfaces chromatiques de Halley reflètent l'ordre « carcéral » de notre civilisation : il critique cet ordre en se servant d'une géométrie à la fois froide et ironique, qui démonte des modèles historiques de l'abstraction toute référence à des éléments transcendants ou religieux. ■

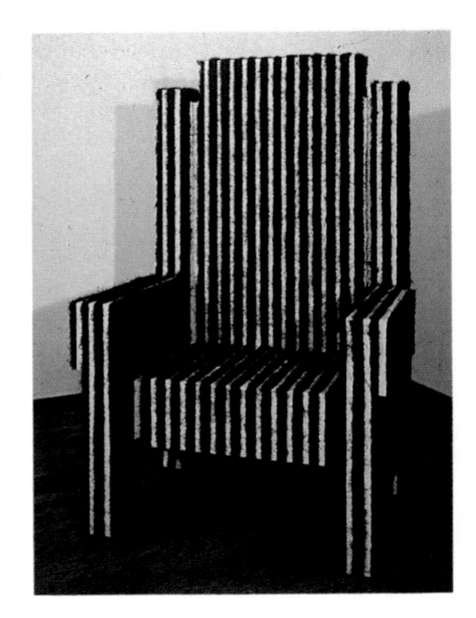

▼ *Barbara Kruger,* Sans titre (In space no one can hear you scream), *1987, collection Fredrik Roos, Stockholm. Cette œuvre part d'une attitude analytique envers les mécanismes de manipulation des médias. L'espace de la représentation est réduit à une pure surface ; le texte, ayant la fonction de légende, est là pour donner une signification à des images qui en sont parfois dépourvues.*

D. Leverett, Interspaces in Sequence, *1973-1974, collection privée.*

L'attention de l'artiste est centrée sur le travail en soi, sur les moyens d'expression traditionnels, et plus précisément picturaux, comme le signe et la couleur. La composante analytique étant marquée, le geste se trouve fortement conditionné par l'idée à l'origine de l'œuvre. Il n'y a donc pas de hasard dans l'intervention, mais une concentration sur le processus engagé. L'exigence de redonner de l'importance aux éléments primaires de l'acte artistique, comme la toile et les couleurs, et à leur interaction avec la lumière est la principale motivation du peintre anglais.

Marco Gastini, Le Poids de la peau, *1981.*

Le thème dominant de la recherche de Gastini est l'espace, le rapport entre signe et support. L'instant constitutif fondamental de l'acte pictural se situe donc au moment où les signes sont alors insérés et ordonnés dans la syntaxe de l'œuvre. A l'intérieur de l'organisation de cette spatialité interviennent également des matériaux extra-picturaux choisis pour leur vocation formelle particulière.

Daniel Buren, De la couleur de la matière, *1989, galerie Minini, Brescia.*

Le point de référence de toute la recherche de Buren est l'exigence de rigueur, de précision et d'essentiel. Fidèle au vocabulaire plastique qu'il poursuit depuis vingt ans, cet artiste français réussit à adapter, toujours avec beaucoup d'intelligence et de simplicité, ses bandes de couleurs alternées à la nature des lieux où elles trouvent place. Le temps constitue également un paramètre qui contribue à la définition de l'œuvre.

Fin de la guerre du Vietnam Premier « choc pétrolier »	Mort de Mao Pontificat de Karol Wojtyla sous le nom de Jean-Paul II	Guerre Iran-Iraq Élection de F. Mitterrand	Guerre des Falklands Massacre de Sabra et Chatila	M. Gorbatchev en Union soviétique Retrait d'Israël du Liban	A l'est : chute du communisme Début de la crise du Golfe
Arrimage spatial USA-URSS Premiers micro-ordinateurs	Utilisation des fibres optiques Manipulations génétiques	Premiers compact-discs Création de l'ECU	J.-L. Chrétien, premier Français dans l'espace Le virus du SIDA est isolé	Écrans TV à cristaux liquides Catastrophe de Tchernobyl	Tunnel sous la Manche
K. Jarrett : *Köln Concert* J. McLaughlin : *Apocalypse*	Vague punk Ouverture de l'IRCAM	P. Boulez : *Répons*	L. Berio : *Un roi à l'écoute* K. Stockhausen : *Samedi de lumière*	L. Nono : *Prométhée* M. Davis : *Tutu*	L. Reed/J. Cale : *Songs for Drella*
Soljenitsyne, Morante, Borges	Canetti, Sartre, Perec, Lévy	Garcia Marquez, Calvino, Le Clézio, Serres, Jacob	Ecco, Sollers, Kundera	Bianciotti, Leavitt	Duras, Ecco, Lévy
R. Girard : *La Violence et le sacré*	Ouverture du Centre national Georges-Pompidou		R. Aron : *Mémoires*	Les « anachronistes » à la Biennale de Venise	Les colonnes de Buren dans la cour pavée du Louvre
D. Leverett : *Interspaces in Sequence*	**Olivieri :** *Éphémérides*	**S. Chia :** *L'Esclave* **M. Paladino :** *Sans titre*	**A. Kiefer :** *Sulamith*	**A. Kapoor :** *Mother as a Mountain* **B. Kruger :** *Sans titre*	**D. Buren :** *« Del colore dell'Architettura » partie 1 : Pittura sopra pittura*
1972-1975	1976-1978	1979-1981	1982-1984	1985-1987	1988-1990

LES GRANDS MUSÉES DU MONDE

ALTE PINAKOTHEK MUNICH

C'est dans son édifice actuel que furent regroupées, dès 1836, les diverses collections qui constituent le patrimoine de ce musée, de celles, tout particulièrement importantes, des Wittelsbach à celles des Zweibrücken et des Boisserée, auxquelles s'ajoutèrent, au début du XIXe siècle, les biens confisqués aux ordres religieux.

La présence des artistes germaniques est extrêmement significative de ce musée, de l'Autrichien Pacher à Grünewald, Altdorfer avec sa célèbre *Bataille d'Alexandre,* Dürer, brillamment représenté par des œuvres telles que l'*Autoportrait* ou encore la *Déploration sur le Christ mort,* Cranach l'Ancien avec la *Crucifixion.* Les collections d'art hollandais (Rembrandt, Steen, Cuyp) et flamand sont elles aussi très riches, avec de nombreux chefs-d'œuvre de Rubens et de Van Dyck. La qualité des œuvres italiennes est également remarquable : les *Pietà* de Fra Angelico et de Botticelli, la *Vierge de l'Annonciation* d'Antonello de Messine, *Le Couronnement d'épines* de Titien, *Le Christ chez Marthe et Marie* de Tintoret. Il convient enfin de signaler les œuvres de Ribera et de Zurbarán, de même que celles des classiques français Poussin et Lorrain.

COLLECTION THYSSEN-BORNEMISZA LUGANO

Commencée par Heinrich Thyssen-Bornemisza, dans les années 20, et poursuivie par son fils Hans Heinrich, cette collection privée fait partie des plus riches récemment constituées. Elle se situe dans la galerie construite en 1937, à côté de la villa Favorita de Castagnola. Son ouverture au public est due à la volonté, dix ans plus tard, du fils de son fondateur et actuel détenteur.

La collection du père, qui est consacrée à l'art européen du XIVe au XVIIIe siècle, présente un panorama dans lequel se détachent les peintres allemands du XVe siècle, les Hollandais du XVIIe siècle et plusieurs œuvres italiennes d'importance : Carpaccio, Lorenzo Costa, Ceruti. Remarquables également sont les œuvres des Français Valentin, Vouet, Watteau et Boucher, et des Espagnols, en particulier les toiles de Zurbarán et un beau *Portrait de Ferdinand VII* par Goya. Hans Heinrich Thyssen a, par ailleurs, élargi la collection aux peintres européens et américains des XIXe et XXe siècles, l'enrichissant d'importantes œuvres contemporaines, à partir de l'impressionnisme français. Cette dernière partie n'est pas ouverte en permanence, et fait l'objet de fréquentes expositions itinérantes.

◀ *Vue de l'intérieur du musée d'Orsay, Paris.*

L'ERMITAGE SAINT-PÉTERSBOURG

Il s'agit du plus grand musée du monde, situé dans une succession de palais XVIIIe siècle, dont le palais d'Hiver, résidence des tsars jusqu'à la révolution de 1917. Les autres édifices furent bâtis en vue d'accueillir les collections d'art, commencées par Catherine II et depuis continuellement enrichies. Ouvert au public depuis 1852, le musée reçut, après la révolution, les biens des autres résidences impériales et les possessions des grandes familles princières et bourgeoises, certaines œuvres ayant été vendues en raison des difficultés économiques.

Bien que ne représentant qu'une partie des richesses du musée, la pinacothèque offre un panorama exceptionnel sur l'art occidental. Dans le domaine italien, signalons la *Madone Benois* et la *Madone Litta* de Vinci, la *Madone Conestabile* et la *Sainte Famille* de Raphaël, la *Judith* de Giorgione, ainsi que de nombreuses œuvres de Titien et de Véronèse. L'Espagne est représentée par des œuvres de Velázquez, Murillo, Zurbarán et Goya. Parmi les Flamands, Van der Goes, Van Dyck et de nombreux Rubens dont le *Paysage à l'arc-en-ciel* ; parmi les Hollandais se détache une extraordinaire réunion de Rembrandt, dont la *Descente de Croix*. Sont également remarquables les collections d'art allemand et anglais ; celle du XVIIIe siècle français est exceptionnelle, avec Chardin, Watteau, Boucher. Quant à l'art français des XIXe et XXe siècles, il est particulièrement représenté avec, entre autres, la grande collection d'œuvres de Matisse.

GALERIE DES OFFICES FLORENCE

Le palais des Offices, édifié par Vasari, devint un musée lorsque François Ier de Médicis y réunit ses collections. Leur enrichissement est dû aux acquisitions des familles de Médicis puis de Lorraine, léguées à la cité toscane.

S'ils accueillent d'importants artistes étrangers, comme Van der Weyden, Van der Goes, Memling, Rubens et Rembrandt, les Offices sont surtout très riches en chefs-d'œuvre de l'art italien. Les Écoles de Florence et de Sienne des XIIIe et XIVe siècles sont représentées par les *Maestà* de Cimabue, Duccio, Giotto et par l'*Annonciation* de Simone Martini. Le Quattrocento toscan s'illustre par l'*Adoration des mages* de Gentile da Fabriano, *Sainte Anne, la Vierge, l'Enfant* et les anges de Masaccio et Masolino, un des panneaux de *La Bataille de San Romano* de Paolo Uccello, le *Diptyque du duc d'Urbino* de Piero della Francesca et, enfin, les œuvres majeures de Botticelli (dont *La Naissance de Vénus* et le *Printemps*), plusieurs tableaux de Léonard de Vinci, Pollaiuolo, Signorelli. Parmi les œuvres du XVIe siècle, outre les médaillons de Michel-Ange et les portraits et *Madone* de Raphaël, *La Madone des Harpies* d'Andrea del Sarto et les œuvres des maniéristes toscans comme Pontormo et Bronzino sont remarquables. Signalons encore *La Madone au long cou* de Parmesan, *La Vierge du Peuple* de Barocci, les œuvres de Mantegna, Véronèse, Titien, Tintoret, Caravage (dont le *Bacchus adolescent*), et des toiles du XVIIIe siècle de Crespi, Piazzetta, Tiepolo.

GALERIE NATIONALE D'ART MODERNE ROME

Installée en 1915 dans le palais commémoratif du cinquantenaire de l'unité italienne, elle a été créée en 1883 comme musée national destiné à l'art contemporain. Nombre des œuvres qui y figurent furent acquises lors des expositions nationales et à l'occasion des biennales de Venise, d'autres viennent d'importantes donations d'artistes et autres personnes.

Il s'agit de la plus importante collection d'art italien des XIXe-XXe siècles, dont les différents mouvements artistiques sont largement représentés sur le plan national, au détriment des pays étrangers. Débutant par Appiani et Canova, elle passe ensuite par Hayez, les Napolitains Gigante et Palizzi, les macchiaioli (mouvement toscan de la moitié du XIXe siècle), Fattori, Signorini, Sernisi, Abbati, Lega, par les paysagistes Fontanesi et Delleani, les réalistes Induno, Favretto et Gemito, les « francisants » De Nittis et Boldini. Le XIXe siècle s'achève par un nombre remarquable de divisionnistes (Segantini, Previatti, Grubicy) et de néo-impressionnistes (Mancini, Spadini). Le XXe siècle commence avec des œuvres de Modigliani, le futurisme de Boccioni, Balla, Severini, la métaphysique de De Chirico et de Carrà, et les œuvres de Morandi, le Novecento de Sironi, la Scuola romana de Scipione, Mafai, Melli. Viennent ensuite Guttuso, Cassinari, Birolli, Morlotti, Afro, Vedovae, jusqu'aux représentants des générations les plus récentes (art pauvre, Nuova scuola romana), qui font l'objet d'expositions temporaires.

GALERIE DE L'ACADÉMIE VENISE

Initialement galerie de l'Académie des Beaux-Arts, qui fut fondée en 1807, la pinacothèque s'est constituée avec la restitution des toiles vénitiennes par les Français après la Restauration, et avec différentes collections privées. La galerie est détachée de l'Académie depuis 1878.

La collection présente un panorama considérable sur l'art vénitien. Parmi les primitifs, citons les œuvres de Paolo Veneziano, Lorenzo Veneziano (*Le Mariage mystique de sainte Catherine*), Iacobello da Fiore. Le XVe siècle est représenté par Crivelli, Gentile Bellini, Vivarini, et par Giovanni Bellini (*Retable de San Giobbe, Pietà*), Cima da Conegliano (*Madone à l'oranger*), Carpaccio (cycle de l'*Histoire de sainte Ursule*). Le XVIe siècle débute avec la célèbre *Tempête* de Giorgione et se poursuit avec le *Portrait de gentilhomme dans son cabinet de travail* de Lotto, la *Pietà* et la *Présentation de la Vierge au Temple* de Titien, les *Miracles de saint Marc* de Tintoret, le *Repas chez Lévi* de Véronèse. La collection portant sur le XVIIIe siècle, extrêmement vaste, comprend des œuvres de Sebastiano et de Marco Ricci, de Piazzetta, des vues de Canaletto, des portraits au pastel de Rosalba Carriera, des toiles des frères Guardi et Longhi, et des esquisses de Gian Battista Tiepolo.

GEMÄLDEGALERIE DRESDE

C'est dans l'édifice reconstruit après la guerre que se situe la pinacothèque, constituée en 1831 par la réunion des collections des princes de Saxe. Ceux-ci avaient reçu une impulsion déterminante par la politique d'acquisition passionnée d'Auguste II et surtout d'Auguste III, auquel on doit, entre autres, l'apport des cent pièces choisies dans la collection vendue en 1745 par François III d'Este. La réorganisation du musée, aux collections d'origine richissimes, a donné lieu à l'acquisition d'œuvres contemporaines.

Les retables de Corrège (*Adoration des bergers, Madone de saint François, Madone de saint Sébastien*), provenant de la vente de la maison d'Este, sont parmi les joyaux du musée, au même titre qu'un ensemble de toiles bolonaises (Carracci, Reni, Guercino) et d'œuvres de Dossi, Titien, Tintoret, Velázquez, Rubens, la *Vénus* de Giorgione, la *Madone Sixtine* de Raphaël, *Saskia jeune fille au chapeau* de Rembrandt, ce dernier figurant dans un important ensemble de peintres hollandais, dont Terborch, Hals, Vermeer. La peinture flamande est également bien représentée, avec Teniers, Van Coninxloo, Van Dyck, ainsi que les œuvres françaises, allant de Valentin, Vouet, Poussin, Watteau jusqu'à la remarquable collection d'impressionnistes.

SALOMON R. GUGGENHEIM MUSEUM NEW YORK

Fondé en 1937 par Salomon R. Guggenheim dans le but de réunir et de promouvoir l'art contemporain, l'image de ce musée est indissolublement liée à l'édifice dans lequel il est situé, conçu par F. L. Wright entre 1943 et 1959.

La collection, fort riche, peut être approximativement divisée en trois parties fondamentales. A la première sont rattachées les œuvres des impressionnistes et des postimpressionnistes, tels Manet, Renoir, Pissarro, Degas, Gauguin, Van Gogh. La deuxième est constituée par les cubistes (Picasso, Braque, Delaunay), les futuristes italiens et russes (Severini, Popova), les abstraits avec un groupe d'œuvres de Kandinsky, Klee, Feininger, Mondrian, auxquelles on peut rattacher les nombreuses sculptures du musée, illustrant l'activité de Brancusi, Calder, Moore, Archipenko. La troisième partie regroupe des artistes américains du XXe siècle, largement représentés avec des œuvres du plus haut niveau.

Quant à la collection Peggy Guggenheim, à Venise, elle est également liée à l'activité de mécénat de la famille. Elle est constituée d'œuvres du XXe siècle et est organisée sur un solide fonds historique. On y trouve des pièces rares des mouvements dada, de De Stijl, du suprématisme, du cubisme et un ensemble intéressant d'œuvres surréalistes.

KUNSTHISTORISCHES MUSEUM VIENNE

Le musée existe depuis 1781, sur décision de l'impératrice Marie-Thérèse d'ouvrir au public le fonds issu de la réunion des collections constituées par les Habsbourg. L'impératrice en favorisera elle-même l'accroissement par les acquisitions faites après la suppression de l'ordre des jésuites. C'est en 1891 qu'a lieu son transfert dans l'édifice actuel qui abrite, en outre, les sections archéologie et arts décoratifs.

Parmi les œuvres les plus significatives, citons celles de Dürer (le *Martyre des Dix Mille* et le *Portrait de Maximilien Ier*), de Bruegel l'Ancien (les *Chasseurs dans la neige*, la *Danse des paysans*), de Titien (*Jeune Femme à la fourrure, La Bohémienne*) ; un ensemble important d'artistes flamands, dont Van der Goes, Van der Weyden, Van Eyck, Rubens, Van Dyck ; une série de portraits de Velázquez. La section italienne est admirable, avec le *Retable de San Cassiano* d'Antonello de Messine, ou *Les Trois Philosophes* de Giorgione, *Io* et *Ganymède* de Corrège, *L'Adoration des mages* de Bassano, la *Vierge du Rosaire* de Caravage. Parmi ses pièces les plus célèbres, le musée compte, en outre, la salière réalisée par Benvenuto Cellini pour François Ier.

KUNSTMUSEUM BÂLE

La destination publique de son fonds remonte à l'acquisition, en 1662, de la collection Amerbach effectuée par la ville et l'université. Enrichie ensuite par des donations et d'autres acquisitions, elle fut réunie, en 1936, dans les bâtiments qui l'abritent depuis.

Le fonds Amerbach comprend de très nombreux dessins et gravures de l'École allemande, notamment la *Résurrection* d'Altdorfer, *Allégorie de la mort* de Baldung Grien, des œuvres de Holbein l'Ancien et de Holbein le Jeune (*Érasme*). Parmi les œuvres entrées plus tard, il faut signaler celles des impressionnistes et des postimpressionnistes comme Monet, Pissarro, Cézanne, Sisley, Van Gogh, Gauguin et l'ensemble des artistes suisses comme Böcklin et Hodler. L'expressionnisme est admirablement représenté par les toiles de Kirchner, Nolde, Barlach, Beckmann, Dix, Kokoschka, Marc, en grande partie acquises lors d'une solderie d'« art dégénéré » organisée par les nazis ; le cubisme s'illustre par des œuvres de première importance de Picasso, Braque, Gris et Léger. Le maintien de cette politique d'acquisitions a permis de constituer également un excellent panorama sur l'art de ces dernières décennies.

METROPOLITAN MUSEUM OF ART NEW YORK

Fondé en 1872 et installé dans ses bâtiments actuels depuis 1880, ce musée n'a cessé de s'enrichir depuis, grâce à de nombreux legs et donations (comme celles de Lorillard, Pierpont Morgan, Vanderbilt, Havemeyer) et grâce à une très habile gestion des financements considérables qui a permis les acquisitions prestigieuses destinées à la pinacothèque ainsi qu'aux sections archéologie et arts orientaux.

La peinture hollandaise du XVIIe siècle présente de très nombreuses toiles intéressantes, telles celles de Hals, Rembrandt, Vermeer (*Femme à l'aiguière*), et de l'École flamande, avec des œuvres de Van Eyck et de Van Dyck. L'art italien s'illustre par des œuvres de Botticelli, Filippo Lippi, Crivelli, Giotto (*Adoration des mages*), Raphaël, Véronèse (*Mars et Vénus unis par l'Amour*). Signalons aussi les œuvres de De la Tour, Chardin (*Bulles de savon*), Watteau, Boucher, Velázquez, Goya, Reynolds et Constable, des peintres du XIXe siècle américain ; très riche et fort bien représentée, la peinture du XIXe siècle français, qui va de Corot, Courbet, Daumier à Manet, Monet (*La Grenouillière*), Renoir, Gauguin, Van Gogh et Seurat.

MUSÉE CONDÉ CHANTILLY

Le musée fait partie du legs du duc d'Aumale qui, en 1886, fit don à l'Institut de France de ses collections et du château qui les abrite. Cet édifice du XVIe siècle, qui fut construit pour le connétable Anne de Montmorency, passé à la famille des Condé puis à celle d'Aumale, reconstruit après les ravages de la Révolution, est situé dans un paysage des plus évocateurs, et reste lié à quelques-uns des événements les plus importants de toute l'histoire de France, comme en témoigne la bibliothèque, qui recèle de précieux manuscrits, dont *Les Très Riches Heures* du duc de Berry, illustrées par les miniatures des frères Limbourg.

Les belles collections d'art comprennent des peintures, des dessins, des bronzes, des émaux répartis dans les salles du château. Dans le vaste sanctuaire, les œuvres majeures sont quarante miniatures de Fouquet et des tableaux de Raphaël (*Les Trois Grâces*). Dans la tribune, près du *Mariage de saint François d'Assise avec les vertus* de Sassetta et de la *Simonetta Vespucci* de Piero di Cosimo, sont réunis des tableaux de Botticelli, Perugin, Memling, Van Dyck. L'art français est représenté par des œuvres de première importance, comme celles de Jean et François Clouet et de leur école, celles de Poussin et encore le groupe de toiles du XVIIIe siècle de Greuze, Boucher, Watteau, Nattier. Les collections dépassent cependant le cadre de la France pour offrir une documentation exceptionnelle sur l'art européen du XIVe au XIXe siècle.

MUSÉE D'ORSAY PARIS

L'ancienne gare d'Orsay, édifiée pour accueillir les visiteurs de l'Exposition universelle de 1900, a été réaménagée pour abriter, depuis 1986, des œuvres de peinture, sculpture, arts appliqués, arts graphiques et photographies, couvrant la période de 1848 à 1914. Leur provenance est variée : le noyau des impressionnistes est issu du musée du Jeu de Paume, d'autres viennent du Louvre, du musée d'Art moderne, de musées de province ou de salles dans lesquelles étaient reléguées nombre des œuvres en dehors des courants officiels et des deux blocs fondamentaux, les impressionnistes et les contemporains.

Cette réhabilitation a tout particulièrement profité à la sculpture du XIXe siècle, à la peinture historique, aux arts de la IIIe République, ainsi qu'à l'Art nouveau. En outre, des œuvres déjà reconnues y ont gagné une nouvelle lisibilité : le groupe important du réalisme, avec Daumier et les grandes toiles de Courbet et Millet ; l'impressionnisme, avec ses œuvres les plus significatives, du *Déjeuner sur l'herbe* de Manet à *L'Absinthe* de Degas, au *Moulin de la Galette* de Renoir et à la série des *Cathédrales de Rouen* de Monet ; de même pour Van Gogh, Cézanne et Toulouse-Lautrec, ou le néo-impressionnisme de Seurat et de Signac, le symbolisme de Moreau, Puvis de Chavannes et Redon ; l'École de Pont-Aven avec Gauguin, Bernard, Sérusier, les Nabis.

MUSÉE DU LOUVRE PARIS

Le musée est constitué en 1791, avec la réunion, dans l'ancien palais des rois de France, des grandes œuvres confisquées à la Révolution, provenant des collections royales, commencées par François Ier, puis poursuivies par ses successeurs (y compris par l'annexion d'importantes collections privées comme celles de Richelieu, Mazarin, Jabach) jusqu'à la politique d'acquisitions de Louis XV et de Louis XVI. Ces apports se poursuivent au cours du XIXe siècle, en particulier sous Napoléon Ier (malgré les restitutions effectuées sous la Restauration) et Napoléon III.

Les illustres *Joconde* et *Vierge aux rochers* de Vinci, et *La Belle Jardinière* de Raphaël, faisaient partie des collections d'origine, ainsi que des œuvres de l'École de Fontainebleau. C'est à Marie de Médicis que l'on doit les 21 toiles de Rubens avec des allégories de la vie de la souveraine, mais d'autres acquisitions sont plus tardives, comme les *Esclaves* de Michel-Ange, les tableaux de Corrège, Titien, Véronèse, Tintoret, la *Mort de la Vierge* de Caravage, des œuvres des classiques français Poussin et Lorrain, des frères Le Nain et de Georges de La Tour. Signalons encore l'importance accordée aux primitifs italiens, aux écoles hollandaise et flamande (Hals, Rembrandt, Rubens) et espagnole. Les œuvres du XVIIIe siècle français sont d'un intérêt particulier (Chardin, Watteau, Boucher, Fragonard), comme celles du début du XIXe, dont *Le Serment des Horaces* de David, ou bien *Le Radeau de la Méduse* de Géricault, ainsi que les toiles de Delacroix.

MUSÉE D'ART MODERNE NEW YORK

Fondé en 1929, il fut installé dans ses locaux actuels en 1939, avec de continuelles extensions. Ses acquisitions et de fréquentes donations en ont fait le plus grand musée d'art moderne du monde.

La section du XIXe siècle couvre l'impressionnisme, avec des œuvres comme *Les Nymphéas* de Monet, le *Grand Baigneur* de Cézanne, mais aussi le postimpressionnisme avec le Douanier Rousseau (*Le Rêve*), Gauguin (*La Lune et la Terre*), Van Gogh, Bonnard, Toulouse-Lautrec. Le cubisme s'ouvre sur *Les Demoiselles d'Avignon* de Picasso, qui est amplement représenté jusque dans ses phases suivantes ; viennent ensuite Braque, Gris et Léger ; l'expressionnisme est illustré par des œuvres de Kirchner (*Rue à Dresde*), Heckel et Barlach ; les fauves sont représentés par Matisse, les futuristes par Boccioni (*États d'âme, Les Adieux*), Carrà (*Funérailles de l'anarchiste Galli*) et Severini. Le groupe des abstraits est fort important, avec Kandinsky, Mondrian, Malevitch et Klee, de même que la section surréaliste et dada, avec Ernst, Miró, Dali ou Duchamp. Il faut encore signaler l'importance de la peinture latino-américaine (œuvres d'Orozco, Rivera, Lam) et de l'expressionnisme abstrait de De Kooning (*Femme, I*), Motherwell, Pollock (*Numéro I*). Et la collection se prolonge à travers toutes les étapes suivantes de la recherche internationale, du pop art au conceptualisme et aux dernières tendances, présentées lors d'expositions temporaires.

MUSÉE DU PRADO MADRID

Ce musée fut créé en 1819 dans le palais néoclassique du Prado, où les œuvres confisquées aux propriétaires privés ainsi qu'aux ordres religieux – et auparavant organisées sous forme de musée par la volonté de Joseph Bonaparte – vinrent accroître les vastes collections royales. Ces dernières, remontant à Isabelle la Catholique, furent constamment enrichies par le mécénat de ses successeurs, dont le Prado se fait le fidèle miroir aujourd'hui.

Titien y est représenté par les portraits de *Charles Quint* et de *Philippe II,* dont il fut le peintre officiel, *Danaé, Vénus et Adonis.* Une importante section est consacrée à Bosch, avec, en particulier, *Le Jardin des délices,* à Greco avec *Le Baptême du Christ et La Résurrection*, à Velázquez, peintre de Philippe IV, représenté sur de nombreux portraits de cour, avec son chef-d'œuvre, *Les Ménines,* ainsi que la *Reddition de Breda* et d'autres. Également remarquables sont les œuvres de Botticelli, Mantegna, Bruegel l'Ancien, Rubens (*Les Trois Grâces*), sans oublier, bien sûr, les œuvres de maîtres espagnols comme Zurbarán, Ribera, Murillo, ou Goya. De ce dernier, toutes les œuvres les plus représentatives sont conservées, comme les portraits de cour, *Maja vestida* et *Maja desnuda*, le *Dos* et le *Tres de Mayo,* ainsi que la série de peintures de *La Quinta del Sordo.*

MUSÉE NATIONAL D'ART MODERNE PARIS

C'est au Centre national Georges-Pompidou que, depuis 1977, est installée une grande partie des œuvres qui se trouvaient depuis 1939 dans le palais de Tokyo et, plus anciennement encore, dans le palais du Luxembourg. Instituée par Louis XVIII, en 1818, la collection consacrée aux artistes vivants a connu un renouvellement continuel par le principe consistant à exposer les œuvres jusqu'au centenaire de la naissance de leur auteur. Depuis 1977, les acquisitions sont confiées au Centre national d'Art contemporain.

Les principaux mouvements picturaux du XIXe siècle sont largement représentés, avec une très nette prédilection pour l'École de Paris, du postimpressionnisme à nos jours. La collection de cubistes est extraordinairement riche, et illustrée jusque dans leurs périodes suivantes, ainsi Picasso, Braque, Léger, Gris, Metzinger et Delaunay. Il en est de même pour les fauves, parmi lesquels Matisse dispose d'un large espace et, dans les mouvements plus récents, le néoréalisme. La qualité générale est ici du plus haut niveau, et même en ce qui concerne le vaste panorama international, des avant-gardes historiques aux mouvements d'après guerre, avec des œuvres de Mondrian, Van Doesburg, Kandinsky, Klee, Kupka, Chagall, Severini, Prampolini, Gontcharova, Tzara, Grosz, Rothko, Tobey, Gorky, Wols, pour n'en citer que quelques-uns. Les générations les plus jeunes bénéficient d'espaces réservés à des expositions temporaires.

NATIONAL GALLERY LONDRES

C'est dans son site actuel que furent installées, en 1938, quelques-unes des collections léguées à l'État à diverses périodes, à commencer par la donation Angerstein de 1823, et sans cesse enrichies par une politique d'acquisition menée directement ou par des institutions privées créées dans ce but.

On y trouve ainsi une très importante section sur le Quattrocento italien, avec des œuvres comme *La Vierge et l'Enfant sur un trône avec des anges* de Masaccio, *Le Christ au jardin des Oliviers* de Giovanni Bellini, l'*Allégorie du printemps* de Tura, le *Baptême du Christ* de Piero della Francesca, la *Nativité mystique* de Botticelli, ainsi que d'autres périodes de l'art italien avec des œuvres de Corrège, Raphaël, Michel-Ange, Sebastiano del Piombo, Bronzino, Titien, Caravage ou Canaletto. Auprès du chef-d'œuvre de Van Eyck, *Le Marchand Arnolfini et sa femme*, signalons les œuvres de Cranach, Altdorfer, Dürer, Holbein, Rembrandt, Rubens, Vermeer, puis les toiles impressionnistes de la donation Lane. La peinture anglaise des XVIIIe et XIXe siècles mérite une mention toute particulière, avec les œuvres de Hogarth (*La Marchande de crevettes*), et les portraits de Reynolds et Gainsborough, ou les toiles de Constable (*Charrette à foin*) et Turner.

NATIONAL GALLERY OF ART WASHINGTON

Cette galerie fut créée en 1937, à l'initiative d'Andrew Mellon, qui fournit également les fonds nécessaires à l'édification de ses bâtiments. Ceux-ci furent par la suite agrandis, en raison de l'acquisition progressive d'importantes collections européennes d'art antique.

Le noyau d'origine a été constitué par quelques-unes des toiles de l'Ermitage, vendues par l'État soviétique à Mellon, auxquelles vinrent s'ajouter les œuvres provenant des collections Anhalt-Dessau, Hannover, Widener, et d'un autre Américain, Samuel Kress, qui fit don de sa collection et contribua aux acquisitions suivantes. Ce fut ainsi le cas pour des œuvres très importantes de Ducio, Sassetta, Fra Angelico, et pour d'autres du XVIIIe siècle vénitien (Guardi, Longhi). Parmi les autres toiles italiennes précieuses, citons les *Vierges* de Raphaël (dont la *Petite* et la *Grande Vierge Cowper*) et *Le Festin des dieux* de Giovanni Bellini. De grande valeur aussi sont les belles collections d'art hollandais et flamand, avec des œuvres de Hals, Rembrandt, Vermeer, Van der Weyden, Van Dyck et Rubens ; l'École allemande avec Grünewald et Dürer, ainsi que les toiles du XVIIIe siècle français. L'ensemble s'étend jusqu'aux XIXe-XXe siècles, où s'illustrent les impressionnistes français et les sculptures de maîtres contemporains, ces dernières étant conservées dans l'aile est, de construction récente et également destinée aux expositions temporaires.

PHILADELPHIA MUSEUM OF ART PHILADELPHIE

Créé en 1875, ce musée a reçu, au cours du temps, diverses collections, parmi lesquelles on passe de l'art oriental au précolombien, à l'art européen antique et à l'art contemporain international. Mais les plus importantes de ces collections sont celles d'Arensberg, de Johnson, d'Ingersoll et de Steiglitz.

En ce qui concerne la section ancienne, signalons surtout Pietro Lorenzotti, Masolino, Botticelli, Giovanni Bellini, Antonello de Messine, avec *Portrait d'homme*, Bosch, Bruegel, Van Eyck. L'art français présente une riche collection de sculptures et d'éléments d'architecture religieuse du XIIIe au XVIIe siècle, ainsi que d'œuvres de Poussin et des impressionnistes. Pour le XXe siècle, le musée offre un panorama fidèle des tendances américaines des années 10, époque où le renouvellement de la culture artistique fut très souvent lié à l'activité des collectionneurs privés qui achetaient les œuvres européennes et soutenaient les jeunes artistes américains. En témoigne la présence d'œuvres de Duchamp (*La Mariée mise à nue par ses célibataires, même*), acquise par Walter Arensberg, et aussi d'artistes (comme Hartley) qui furent exposés à la Galerie 291 d'Alfred Steiglitz.

PINACOTHÈQUE DE BRERA MILAN

Ce musée naît comme galerie de l'académie des Beaux-Arts, créée en 1776, par Marie-Thérèse d'Autriche, dans l'édifice de l'ordre des jésuites supprimé. Le fonds constitué par la confiscation des biens religieux se voit largement augmenté sous le règne napoléonien, alors que l'afflux d'œuvres en provenance de toutes les régions du royaume est destiné à accroître le prestige de sa capitale. Par la suite, le musée s'enrichira grâce à des acquisitions et des donations, particulièrement après son détachement de l'Académie, en 1882.

Les œuvres lombardes (Foppa, Bramantino, Bergognone, Luini) et vénitiennes (Lotto, Tintoret, Moretto, Véronèse, Moroni, Ceruti, Canaletto, Piazetta) sont très bien représentées. Parmi les œuvres les plus précieuses, les fresques avec les *Hommes d'arme* de Bramante, la « *Pala* » *Portuense* d'Ercole de' Roberti, le *Christ mort* de Mantegna, la *Pietà* de Giovanni Bellini, *La Vierge au milieu des saints* de Piero della Francesca, *Le Mariage de la Vierge* de Raphaël, le *Repas à Emmaüs* de Caravage. On y trouve également une intéressante section consacrée à l'art italien du XIXe siècle, représentée par Appiani, Hayez (*Le Baiser*), Induno, Carcano. L'art du XXe siècle est présent grâce à la collection Jesi, dans laquelle se détachent les œuvres de Boccioni (*Rixe dans la galerie*), Carrà, Morandi, De Pisis, les artistes de *Valori Plastici*, la Scuola romana, les sculpteurs Medardo Rosso et Arturo Martini.

PINACOTHÈQUE DU VATICAN ROME

La pinacothèque est installée dans un édifice construit après la décision d'éloigner la collection des appartements du pape, mais sa création remonte au pontificat de Pie VI, à la fin du XVIIIe siècle. Elle fait partie du vaste ensemble de musées et de salles du palais du Vatican ouverts au public en raison de leur valeur artistique : l'appartement Borgia avec ses fresques de Pinturicchio, la Loge et les œuvres de Raphaël, la chapelle Sixtine avec les fresques de Michel-Ange et d'artistes du Quattrocento comme Pérugin, Pinturicchio, Botticelli.

Parmi les œuvres les plus significatives, signalons le *Triptyque Stefaneschi* de Giotto, les *Histoires de saint Nicolas* de Fra Angelico, les *Anges musiciens* de Melozzo da Forli, la prédelle du *Polyptyque Griffoni* d'Ercole de' Roberti, les retables de Pérugin, les œuvres de Giovanni di Paolo, Nicolò Alunno, Benozzo Gozzoli. L'ensemble d'œuvres dues à Raphaël est particulièrement précieux, avec, entre autres, la *Madone de Foligno*, la *Transfiguration* et les dix tapisseries réalisées à partir de ses cartons. Citons encore le *Repos pendant la fuite en Égypte* de Baroche et les grandes toiles du XVIIe siècle, dont la *Mise au tombeau* de Caravage, la *Crucifixion de saint Pierre* de Reni, la *Dernière Communion de saint Jérôme* de Dominiquin.

RIJKSMUSEUM AMSTERDAM

Ce musée est situé dans un palais construit entre 1875 et 1885, pour accueillir les collections de la Galerie nationale, fondée à La Haye en 1800, puis transférée à Amsterdam par Louis-Napoléon, où elle s'enrichit considérablement par le fait des acquisitions et donations. L'organisation des collections en musée a permis d'élargir légèrement leur contenu, autrefois strictement lié au XVIIe siècle hollandais.

Parmi ses œuvres les plus remarquables, citons celles de Hals (*Portrait d'un couple*, *Le Joyeux Buveur*) et de Rembrandt (*Le Syndic des drapiers*, *La Fiancée juive*, *La Sainte Famille*), et en particulier les grands portraits de corporations parmi lesquels se distingue *La Ronde de nuit*. Toujours dans le domaine de la peinture hollandaise, il faut noter les paysages de Cuyp, Van Goyen, Van Ruysdael, les œuvres de Van Ostade, Hontorst, Terbruhhen, Van Haarlem et, particulièrement célèbres, les toiles de Vermeer, comme la *Dame en bleu lisant une lettre*, *La Lettre d'amour*, *La Laitière*. Parmi les assez rares documents non hollandais se distinguent les œuvres de Crivelli, Piero di Cosimo, Goya, et un grand nombre de Liotard. Le musée possède en outre une vaste section consacrée aux arts appliqués et, particulièrement, aux faïences de Delft.

STEDELIJK MUSEUM AMSTERDAM

L'origine de ce musée est liée à la donation De Bruin, constituée de mobiliers et de divers objets provenant d'anciennes maisons de la ville, mais, dans le palais, édifié en 1892 et agrandi par la suite, il s'est peu à peu formé une très importante collection d'œuvres contemporaines, couvrant une période allant de la moitié du XIXe siècle à nos jours.

Cette collection, abritée dans l'aile la plus moderne, s'ouvre sur les réalistes français, puis sur un groupe d'artistes de La Haye d'un intérêt particulier, d'où émerge le Mondrian de la première période. L'art hollandais du siècle présent offre, naturellement, un panorama complet des œuvres de De Stijl, avec, en première ligne, encore Mondrian ainsi que Van Doesburg et leurs compositions abstraites. Toujours dans le domaine de l'abstraction, signalons une importante réunion de peintures de Malevitch, dont beaucoup appartiennent à sa période suprématiste. Une autre section particulièrement riche, par le nombre comme par la qualité, est consacrée aux œuvres de Chagall, dont *Le Violoniste, L'Artiste aux sept doigts*. Il convient aussi de mentionner la collection consacrée au groupe Cobra. Par ailleurs, toutes les tendances picturales du siècle, des avant-gardes historiques aux mouvements actuels, sont présentées de manière très exhaustive.

TATE GALLERY LONDRES

Inaugurée en 1897 avec la petite collection de Henry Tate, elle s'est enrichie peu à peu et présente désormais deux sections fondamentales, l'une consacrée à la peinture anglaise à partir du XVIIe siècle, l'autre à l'art contemporain international.

Dans la première, il faut signaler surtout les œuvres de Hogarth, Reynolds et Gainsborough, des peintres néoclassiques Hamilton et West, des préromantiques Wright of Derby, Stubbs et Füssli ; une large superficie est réservée à Constable, à Blake, aux préraphaélites, tandis que toute une aile du musée, la Clore Gallery inaugurée en 1987, est consacrée à Turner, avec pratiquement l'intégralité de ses toiles et un grand nombre de ses aquarelles. La collection d'art anglais s'étend jusqu'aux contemporains (vorticistes) ; des artistes comme Bacon, Nicholson, Sutherland ; le pop art avec Jones, Tilson et Hockney ; les sculpteurs Gaudier-Breszka, Moore, Barbara Hepworth, Chadwick, Paolozzi, Caro. En ce qui concerne les œuvres non anglaises, la galerie est riche d'une collection allant des impressionnistes et postimpressionnistes, avec des œuvres de Pissarro, Manet, Degas, Renoir, Cézanne, Van Gogh, Gauguin, aux avant-gardes historiques, toutes tendances représentées par leurs acteurs les plus remarquables, jusqu'à l'art américain et européen de l'après-guerre, ce dernier étant présenté, comme l'art anglais des dernières générations, lors d'expositions temporaires.

WALLRAF-RICHARTZ MUSEUM COLOGNE

Ce musée est né en 1824, de la donation à la ville de la collection Wallraf et du palais Richartz dans lequel elle fut installée. D'autres legs vinrent l'enrichir par la suite, comme ceux de Haubrich et Strecker. Depuis 1975, la collection se trouve dans un nouveau site, édifié pour l'accueillir ainsi que le Museum Ludwig, consacré à l'art contemporain.

La collection d'origine privilégie l'École allemande, surtout des XIVe et XVe siècles, dont ressortent les œuvres de Lochner, avec sa *Vierge au buisson de roses*. Les acquisitions d'œuvres romantiques et naturalistes sont plus tardives (Friedrich, Menzel, Leibl). En dehors du domaine allemand, le musée présente des œuvres de Rembrandt, Rubens, Murillo. La section contemporaine fut reconstituée, après les destructions nazies, avec des œuvres de Picasso, Braque, Dufy, Vlaminck, Ensor, Kate, Kollwitz, Kokoschka.
Le Museum Ludwig offre un vaste panorama sur l'art international des dernières décennies, avec un regard approfondi sur l'informel et le pop art américain, ainsi que sur les toutes dernières tendances.

GLOSSAIRE

Action Painting Courant artistique s'étant développé en Amérique entre 1945 et 1960, et que l'on peut traduire par « peinture d'action ». Son esthétique se fonde sur le principe d'un expressionnisme immédiat et psychologiquement intense, obtenu par applications rapides et brutales de la couleur sur la toile, la spontanéité du « geste » (en prise directe avec les pulsions psychiques de l'artiste) se substituant à la traditionnelle attention portée aux aspects formels de l'œuvre.

Allégorie, allégorisme Anciennement, figure de rhétorique de la narration recélant un sens caché (du grec *állos agoréuein*, « parler autrement »). En art, l'allégorie est remise en faveur à Florence par le mouvement néoplatonicien de la deuxième moitié du Quattrocento, sur l'idée que le signifié ultime (divin) n'est explicable que par l'intermédiaire de travestissements sous forme d'images symboliques. Par « allégorisme », la critique d'art désigne la tendance à un usage exclusif de l'allégorie.

Anamorphose (du grec *anamorphoun*, « transformer »). Technique de réalisation de l'image avec une distorsion de la perspective, généralement par le choix d'un point de vue fortement décentré par rapport à la norme. Il s'agit d'une sorte d'outrance de la perspective dont le but n'est pas d'imiter la réalité, mais d'étonner l'observateur en ne lui permettant de reconnaître le sujet que lorsqu'il a trouvé le bon angle d'observation ou par l'intermédiaire d'un miroir courbe.

Assemblage Technique consistant en un rapprochement insolite ou fortuit d'objets et de matériaux disparates. Fréquents dans la peinture d'avant-garde, les premiers assemblages furent réalisés par les futuristes et les dadaïstes. Voir également *polymatérisme*.

Automatisme psychique Voir l'encadré page 224.

Avant-garde Par ce terme, les historiens entendent une manière bien précise de concevoir et de pratiquer l'art, essentiellement caractéristique du XXe siècle, et privilégiant une approche innovatrice et révolutionnaire, refusant la « tradition » en termes de référence absolue. D'un point de vue chronologique, il est possible de faire la distinction entre *avant-garde historique*, située dans les trente premières années du siècle et représentée par l'expressionnisme, le cubisme, le futurisme, l'art abstrait, le dadaïsme, le constructivisme et le surréalisme, et *avant-garde récente*, reprenant, à l'issue de la Seconde Guerre mondiale, les mêmes attitudes et ambitions en tentant d'en rénover les modes d'expression, avec l'art conceptuel, le minimalisme, le body art, l'art pauvre, etc.

Catharsis (du grec *katharsis*, « purification »). Il s'agit, selon Aristote, d'une « purgation des passions » effectuée sur les spectateurs d'une représentation dramatique. De nos jours, la théorie esthétique a redécouvert la conception de la catharsis, sous l'impulsion de la psychanalyse, en en faisant une caractéristique fondamentale de la fonction sociale de l'art.

Chromie, chromatique, chromatisme (du grec *khrôma*, « couleur, ton musical »). Chromie désigne la tonalité de la couleur. Chromatique signifie « relatif à la couleur ». Chromatisme s'emploie pour évoquer l'ensemble des couleurs de prédilection d'un artiste, d'une tendance, ou pour souligner le rôle prépondérant donné à la couleur (par rapport au dessin, au volume, etc.).

Citation Rappel volontaire de motifs, de thèmes, d'idées ou de styles du passé, que l'on rencontre fréquemment dans l'art et la littérature du XXe siècle, avec des finalités variées. La citation se distingue de l'imitation en ce qu'elle constitue un acte « critique » délibéré, assumé en toute conscience.

Dripping (de l'anglais *drip*, « égouttement », « dégoulinage »). Le dripping est une des particularités de l'*Action Painting* (voir ce mot) et constitue le « geste » le plus typique de l'art informel de l'après-guerre.

Enduit Mis à l'honneur par Jean Fautrier, ce terme caractérise la technique d'exécution de la peinture matiériste, c'est-à-dire l'organisation de la surface par couches de couleur denses et compactes, généralement appliquées au couteau après avoir été consolidées par des matières épaisissantes, des liants et du sable.

Environnement, environnemental Dans l'art contemporain, ces deux termes évoquent la nécessité, pour les tenants des avant-gardes, de se libérer des limites objectales de l'œuvre, c'est-à-dire du support de l'expression, pour étendre l'acte créatif à l'espace environnant, jusqu'à rechercher une interpénétration entre l'œuvre d'art et le monde réel.

Ésotérique (du grec *esôterikos*, « intérieur », « réservé aux adeptes »). Cet adjectif s'applique, au Moyen Age et à la Renaissance, à des ensembles de disciplines philosophiques « supérieures », donc inaccessibles au commun des mortels (*sciences* ésotériques : alchimie, astrologie, géomancie, cabale, pythagorisme, etc.). On l'emploie souvent comme synonyme d'« occulte », « mystérieux », « secret ».

Esthétique (du grec *aesthanesthai*, « sentir »). L'adjectif se rapporte au sentiment du beau, de l'harmonieux (une pose, une composition esthétique), tandis que le nom, dans le domaine de l'art, désigne une conception particulière du beau (l'esthétique de Cézanne). Parfois remplacé par « poétique », qui inclut, outre la définition précédente, la notion de *thématique* (voir ce terme).

Gestalt, Gestaltung Termes allemands signifiant « forme » et « formation », « configuration », ayant acquis une valeur scientifique particulière au cours de la première moitié du siècle, d'abord dans le domaine de la psychologie, puis dans celui des arts plastiques. Les théoriciens du Bauhaus, par exemple, accordaient une importance privilégiée aux problèmes psychologiques de la perception, en se référant aux rapports entre les structures physiques de l'image et les facultés psychiques de la perception de l'individu.

Gestualisme (peinture gestuelle) Un des deux aspects prédominants de l'art informel, consistant en l'accentuation du « geste créatif » en peinture et en sculpture. Celui-ci assume la valeur expressive en soi, et non plus seulement le résultat obtenu. Voir également *Action Painting, dripping, matiérisme.*

Haute pâte Expression typique de l'art informel français, promue par Jean Fautrier pour décrire la présence palpable d'une épaisseur de matière, composée en partie de couleur, de sable, de liants et d'autres éléments. Voir également *enduit.*

Icône, iconique (du byzantin *eikona*, « image sainte »). Ces termes s'appliquent, dans l'art russo-byzantin, à des œuvres rituelles peintes sur bois avec des techniques très complexes, destinées à en assurer la longévité et la splendeur chromatique. L'importante valeur symbolique de l'icône dans la tradition byzantine a fini par conférer à ce terme des significations particulières : une représentation est qualifiée d'iconique lorsqu'elle a tendance à mettre en valeur l'abstrait du fait naturel auquel elle se réfère pour en souligner les aspects universels, ou bien quand l'idée de « construction » prévaut sur le facteur spontané de l'imitation. Un signe est encore dit iconique lorsque le signifiant et le signifié sont dans une relation « naturelle », par ressemblance ou évocation, le terme prenant alors le sens de « symbolique ».

Iconoclasme, iconoclastie (du grec byzantin *eikona*, « image », et *klaô*, « briser »). Doctrine des empereurs byzantins, au cours du VIIIe siècle, s'opposant à l'adoration des images saintes, les considérant blasphématoires et en ordonnant la destruction. Par extension, ce terme pourrait s'appliquer à toute tendance au refus du *mimétisme* (voir ce terme) en art.

Iconographie, iconologie L'iconographie est l'ensemble des thèmes, des symboles et des types de représentation d'un sujet (personnage, époque, religion, etc.). C'est ainsi que l'on parle de l'iconographie chrétienne, de celle de saint Paul, etc. L'iconologie est, d'une part, l'étude et la connaissance des figures allégoriques et de leurs attributs respectifs, de l'autre l'étude de la représentation en art, en termes critiques et scientifiques.

Installation Dans l'art contemporain, réalisation tendant à substituer à la notion d'« œuvre » celle d'un ensemble d'objets et d'interventions conçus en étroite relation avec l'espace d'exposition ou l'*environnement* (voir également ce terme).

Kitsch ou kitch Mot allemand s'appliquant à un style ou une attitude esthétique de « mauvais goût », « démodée », de « pacotille ». Dans le vocabulaire de la critique contemporaine, il est habituellement employé avec une valeur péjorative, mais il peut parfois désigner un choix délibéré, un style, une mode, et, dans ce cas, revêtir un caractère ambigu, plus positif.

Matiérisme Un des deux aspects prédominants de l'art

Crédit photos

h = haut ; b = bas ; c = centre ; d = droite ; g = gauche

C. Abate : 252. A.F.E. P. Servo : 25g. Fondation Alberto Giacometti, Basilea : 210b. Alinari/Giraudon, Florence : 22b, 38hd, 39h, 40b, 74h, 120b, 125h, 137b, 140b, 152b, 200h. Archives Sansoni : 240b, 251c. Artephot J.-P. Ziolo, Paris : 124. Artephot J.-P. Ziolo/A. Held, Paris : 134. Artephot J.-P. Ziolo/Varga, Paris : 98. Bibliothèque nationale, Paris : 116. J. Blauel, Monaco : 111b. Brompton-Studio, Londres : 217b. Bulloz, Paris : 115h. L. Carrà : 197d. Centre pour l'art contemporain Luigi Pecci, Prato : 265h. Chomon-Perino-Spranger : 74b. Collection Eli et Edith L. Broad : 266h. Collection, musée d'Art moderne, New York, Larry Aldrich Foundation Fund : 242. G. Colombo, Milan : 258, 269c. Courtauld Institute Galleries : 132b. Désiré Daniel, Liège : 211b. G. Fall, Paris : 182b, 231c. Musée des Beaux Arts, Dijon : 35b. Fondation Lucio Fontana : 219b. Flammarion, Paris : 2, 220b. Freeman : 91. Marzari : 99b. Mori : 104hd. Secky, Brno : 60b. M. Garanger : 159b. P. Grünert, Zurich : 181. G. Guadagno, Venise : 158, 160, 166, 175h, 211g, 211d, 213d, 221g, 226b, 228b. Hambürger Kunsthalle, Hambourg : 106, 107b. Hammel, Paris : 145b, 148g. Robert Häusser, Mannheim/Ursula Seitz-Gray, Francfort : 248b, 251g. A. Held, Lausanne : 117h, 149, 182h, 221c, 229h. D. Heald : 191h, 208b. Henning Rogge, Berlin : 156. Hessisches Landesmuseum, Darmstadt : 199b. E. James : 201. Keiser Wilhelm Museum, Krefeld : 153d. Kleinhempel, Hambourg : 121h. Kodansha, Tokyo : 29b, 20h, 35h, 48h, 52g, 62hg, 62b, 77b, 83b, 108, 112b, 143c, 203h, 214, 217h, 225, 226h, 227h, 229bd, 231g, 235, 236, 237, 238c, 239b, 240h, 241d, 243h, 249c, 249b, 251d, 259hg, 259b, 260b, 261d, 261c, 263h. Kunsthistorisches Museum, Vienne : 68. Lewis Brown Associates : 113c. Lisson Gallery Londres/Gareth Winters : 262. Lufin, Abano Terme : 18h. Manso David, Madrid : 75d. J. Mathews, New York : 203b. A. Mella : 65hg. Mercurio : 192b. Musée Toulouse-Lautrec, Albi : 131h. Musée d'art contemporain Castello di Rivoli : 265b, 268b. Mussat Sartor, Turin : 261g. M. Nannucci, Florence : 245b. National Gallery, Londres : 30b, 51hg et d. T. Nicolini : 11b, 49bd. T. Nicolini/M. Jodice : 95. Philadelphia Museum of Art/Bequest of Katherine S. Dreier : 202. Photo Meyer : 79. Photoservice, Milan : 135h, 146, 168h, 179b, 180g, 183c, 186h, 190, 193c, 231d, 234, 245h, 249h, 250h, 253h, 255b, 269g. Preiss-und Co. : 78 M. Pucciarelli : 26, 47, 97c. F. Quilici, Rome : 49h. Rampazzi : 176. Rheinisches Bildarchiv Köln/Ludwig Museum, Cologne : 232. L. Ricciarini, Milan : 32, 66, 86, 256, 270. L. Ricciarini/Bevilacqua, Milan : 22h, 53c. F.-R. Roland, Paris : 103h. Rotalfoto : 57g. Sandak, Inc., New York : 212, 223. Scala, Florence : 10, 11h, 14, 16hd, 17, 18b, 19, 21, 23, 25d, 27, 28b, 29h, 31d, 33, 37dg, 38hg, 39b, 40h, 41c, 42, 45d, 50b, 52h, 54, 55, 57d, 58d, 60h, 61, 62hd, 64h, 70g, 71, 72h et b, 76, 77h, 80, 81h, 83hd, 84h, 87h, 90, 92, 93h, 102, 115b, 118h, 125b, 135b, 142b, 151b, 154, 194. Scode : 238b. Segalat, Paris : 153c. V. Sergio, Vérone : 12. Service photographique de la Réunion des musées nationaux, Paris : 117b, 118b, 120h, 126, 127h, 129, 130, 131b, 133d, 136, 143, 198. Shogakuchen : 50h, 93b. Soichi Sunami, New York : 192h. Stedelijk Museum, Amsterdam : 172. Studio G 7, Bologne : 257h. Thames and Hudson Archives : 89b, 241g, 241c, 244. Top, Paris : 175b. Malcolm Varon, New York : 227b. Von der Heydt-Museum, Wuppertal : 162.

Avec l'autorisation de : André Emmerich Gallery, New York : 218d. Collection Giorgio Marconi, Milan : 239hd, 255h. Galleria Massimo Minini, Brescia : 259hd, 260h, 266b, 267b, 269d. Los Angeles County Museum of Art : 238h. Marlborough Gerson Gallery, New York : 239hd ; Olivetti/Antonio Quattrone : 20. The Art Institute of Chicago : 128.

Toutes les autres illustrations proviennent des Archives Mondadori.